Connexion avec la Conscience divine

Connexion avec la Conscience divine

Premier livre de la trilogie de la vérité

Édition révisée

Tel que révélé par la Fraternité de Dieu à

Jean K. Foster

Titre original anglais :
The God-Mind Connection
Première édition parue en 1987, et la seconde en 1993
©1993 par Jean K. Foster
TeamUp, Box 1115, Warrensburg, MO 64093, USA. (816) 747-3569

©1997 pour l'édition française
Les Éditions l'Art de s'Apprivoiser
172, rue des Censitaires, Varennes, Québec, Canada, J3X 2C5.
☎ (514) 929-0296, télécopieur : (514) 929-0220
Adresse de courrier électronique : apprivoiser@enter-net.com
Site Web : www.enter-net.com/apprivoiser

Traduction : Jérôme Dangmann
Adaptation de la traduction et mise en page : Jean Hudon
Révision : Marielle Bouchard
Conception de la page couverture : Marc Vallée
Graphisme : Carl Lemire

Première impression : mars 1997

ISBN 2-921892-10-3
Dépôt légal : 2e trimestre 1997
Bibliothèque nationale du Québec
Bibliothèque nationale du Canada
Bibliothèque nationale de Paris

Diffusion
Québec : L'Art de s'Apprivoiser - (514) 929-0296
France : Messagers de l'Éveil - 05.53.50.76.31
Belgique : Rabelais - 22.18.73.65
Suisse : Transat - 23.42.77.40

Imprimé au Canada

Table des matières

Note de l'éditeur américain . . . . *ix*

Avant-propos . . . . *xi*

Chapitre 1 – Recevoir l'inspiration
               de la Fraternité de Dieu 1

Des esprits instructeurs, qui s'appellent eux-mêmes la "Fraternité", ouvrent les lignes de communication avec l'auteure.

Chapitre 2 – Devenir des partenaires 13

Nous pouvons devenir des partenaires avec la Fraternité de Dieu et recevoir l'aide dont elle dispose pour chacun de nous. La Fraternité n'a que des bienfaits à apporter à celles et ceux qui collaborent avec elle.

Chapitre 3 – La personne que vous voulez être 23

Nous pouvons tous devenir exactement ce que nous voulons être – avec l'aide de la Fraternité et grâce au plan de réincarnation. Une seule existence n'est jamais suffisante pour réussir à devenir la personne que nous voulons être.

Chapitre 4 – Considérations sur le Dieu de l'univers . . . 31

Comment élargir notre concept de Dieu en enlevant toutes les limitations auxquelles nous adhérons maintenant – même celles données par les Églises, celles données par les interprètes de la Bible et celles présentées par les évangélistes.

Chapitre 5 – En marche vers l'éclatant soleil de Dieu . . 39

L'expérience de croissance personnelle de l'auteure qui fut inspirée par les conseils de la Fraternité est ici racontée en détail. Sa conception de Jésus a changé; sa croyance en la réincarnation fut renforcée et des révélations à propos d'amis "morts" lui furent données.

Chapitre 6 – Trouver le chemin de la vérité 53

Il existe un moyen de découvrir la vérité, mais les Églises ne sont peut-être pas le moyen d'y parvenir. La vérité parvient directement à chaque personne et non par l'intermédiaire d'institutions.

Chapitre 7 – En apprendre plus
          sur l'autre plan d'existence 67

Comment apprendre à transformer nos pensées en choses, pas seulement sur l'autre plan d'existence mais aussi sur le plan terrestre. La qualité de la vie dans l'autre monde dépend de notre capacité à employer efficacement la pensée pour produire ce qui est bon.

Chapitre 8 – Être l'artisan de sa destinée 83

Manifester nos rêves, s'en remettre à notre propre vérité pour prendre des décisions, évacuer notre ego afin que Dieu puisse nous combler, abandonner nos corps à des âmes avancées, ouvrir nos yeux à la vérité universelle.

Chapitre 9 – Se fier aux promesses de Dieu 99

Vingt-trois promesses de Dieu. Ce qu'elles sont et comment en bénéficier.

Chapitre 10 – Retrouver notre identité 111

Voici l'histoire des entités spirituelles qui se séparèrent de Dieu. Nous avons la liberté de choisir Dieu ou de Le rejeter.

Chapitre 11 – Crier dans le désert 123

La Fraternité explique la différence entre la "conscience terrestre" et la "Conscience divine". Elle présente une image des gens qui veulent le meilleur dans leur vie, mais qui acceptent le pire parce qu'ils n'écoutent pas la bonne source.

Chapitre 12 – Histoires sur la Fraternité 141

Le récit des existences successives des membres de la Fraternité montre leurs échecs, leur progression et finalement leur évolution en des âmes avancées qui nous guident depuis l'autre plan d'existence.

Chapitre 13 – Recevoir la vérité de
la Conscience divine 159

La Fraternité explique comment la communication s'établit entre elle et l'auteure. Seul le point de vue de la Fraternité est présenté ici avec la méthode d'apprentissage par étapes que d'autres personnes peuvent utiliser.

Chapitre 14 – S'allier à la Fraternité de Dieu 173

La Fraternité rappelle les points clés de ce livre et révèle de quelle façon le lecteur et la Fraternité peuvent s'unir pour profiter d'un service d'assistance spirituelle enrichissant et satisfaisant.

Post-scriptum 187

Des individus racontent comment ils ont établi leur connexion avec la Conscience divine et comment cela a changé leur vie.

Glossaire 204

Note de l'éditeur américain

À part quelques changements mineurs apportés au texte pour une plus grande clarté, la version révisée de *Connexion avec la Conscience divine* renferme le même message que le manuscrit original publié en 1987. Cette version révisée (d'abord publiée aux États-Unis en 1993) constituait la troisième édition anglaise de cet ouvrage.

Voici les changements majeurs et les ajouts qui ont été apportés :

• Des *Stimulateurs de pensée* soulignant certains concepts clés se trouvent maintenant à la fin de chaque chapitre. Ils ont été rédigés par Connie Givens, une associée de TeamUp qui a fréquemment recours à la trilogie de la vérité (*Connexion avec la Conscience divine, Une vérité à vivre, et L'or éternel*) dans les ateliers qu'elle offre.

• Les paroles de la Fraternité sont imprimées en caractères normaux tandis que les commentaires et questions de l'auteure sont en italique tout au long du livre.

• Un post-scriptum a été ajouté dans lequel des lecteurs racontent comment ils ont établi leur connexion avec la Conscience divine et comment cela a changé leur vie

• Un lexique de certains mots et termes offrant au lecteur une référence explicative d'accès rapide a été ajouté à la fin du livre.

Nous croyons que *Connexion avec la Conscience divine* est un livre important pour les personnes intéressées à apprendre comment puiser à la source de la sagesse universelle et comment la mettre en pratique dans leur vie quotidienne.

Avant-propos

Lorsque ma femme m'a tout d'abord demandé d'écrire l'avant-propos de ce livre, je ne sus guère trop quoi lui répondre. Après tout, combien de maris sont invités à écrire l'avant-propos des livres écrits par leur épouse?

Puis, j'ai lu le premier et le second chapitre. J'avais tellement de questions que ma femme me dit de passer le reste du livre et de sauter au chapitre 13. Ce que j'y ai lu fut encore plus surprenant, et je lus donc le livre en entier. C'est alors que j'appris que la mère de mes enfants, une diplômée de l'université, enseignante professionnelle et occasionnellement auteure d'articles pour une vaste gamme de publications religieuses, croyait qu'elle :

a) communiquait avec des êtres d'un autre monde;

b) recevait des enseignements, via sa machine à écrire, dispensés par des "conseillers spirituels";

c) étudiait la réincarnation auprès de la "Fraternité", et

d) recevait des directives sur la vie en provenance d'un plan supérieur à notre plan terrestre, lesquelles directives lui permettent maintenant de mener une vie plus agréable.

Elle me raconta aussi qu'elle n'était pas la fille que j'ai épousée sur le campus de l'université de l'Indiana il y a 37 ans. Ce n'est qu'en lisant le chapitre 8 sur la « ré-entrée des âmes » que je compris de quoi elle voulait parler.

Depuis que je la connais, ma femme ne m'a jamais menti et elle évite la controverse et/ou la confrontation (et ce livre provoquera certainement ces deux choses). En somme, il n'y a aucun doute dans mon esprit qu'elle croit tout ce qu'elle a écrit dans ce livre.

Rétrospectivement, je sais aussi qu'il lui est arrivé à plusieurs reprises de me surprendre avec des "révélations" issues de ses "conversations" avec des personnes décédées. Jusqu'au jour où elle entreprit d'écrire ce livre, il était plus facile pour moi, son mari, de simplement changer de sujet.

Dans mes échanges de points de vue avec Jean, je constate qu'elle croit fermement que son but, en écrivant ce livre, est de souligner l'existence d'un Dieu Universel qui peut aider les gens dans leur vie de tous les jours.

Selon moi, l'aspect le plus stupéfiant du livre concerne la façon dont elle a recueilli son contenu.

Il y aura des sceptiques qui diront, s'ils se donnent même la peine de lire le livre en entier, que Jean a écrit ce livre à partir de ses propres expériences de vie – et qu'elle a une imagination très fertile. Mais j'ai également lu la première ébauche du chapitre 13, et ensuite la plupart des autres chapitres, à partir de ses notes originales. Ce n'est pas elle qui les a écrits. Elle n'aurait pu écrire autant de choses sur ce sujet en si peu de temps sans aide extérieure.

Après en être venu à la conclusion qu'elle avait réellement été guidée pour écrire ce livre, il me fut plus facile d'accepter le fait que le livre entier est le fruit de sa communication avec des esprits qui sont sur un plan différent de celui des simples mortels que nous sommes.

En outre, si je pouvais accepter le fait que l'écriture (l'inspiration) lui parvenait grâce à un transfert de pensées en provenance d'une source extérieure, il était alors relativement facile d'accepter la prémisse qu'il y a un autre plan d'existence que le nôtre. De plus, il existe une Fraternité qui peut communiquer – et qui le fait – avec les gens sur terre, et elle est composée d'esprits bienveillants qui se consacrent à aider les gens sur terre. Si Jean, qui n'est pas clairvoyante, arrive à le faire, alors n'importe qui – avec un peu de pratique – peut le faire.

Il s'ensuit qu'il est également raisonnable d'accepter le message du livre de Jean selon lequel il y a un Dieu universel et des conseillers spirituels qui ne demandent qu'à nous aider à réussir à vivre une vie heureuse et fructueuse sur terre.

Carl B. Foster

Recevoir l'inspiration de la Fraternité de Dieu

1

Des esprits instructeurs, qui s'appellent eux-mêmes la "Fraternité", ouvrent les lignes de communication avec l'auteure.

Si les gens veulent bien tourner leur attention vers nous avec un esprit et un cœur ouverts, nous les comblerons alors de sagesse et des dons de l'esprit grâce auxquels ils trouveront l'unité avec Dieu. Telle est notre tâche ici : vous amener le message de Dieu en votre monde afin que vous n'y gâchiez point votre vie.

Ainsi commença l'une des nombreuses séances matinales devant ma machine à écrire. Les doigts sur les touches étaient les miens, mais l'impulsion de frapper certaines lettres provenait d'une source invisible. J'appris par la suite que la source en question est un groupe d'entités spirituelles créé par Dieu et désigné sous le nom de Fraternité de Dieu, le Conseiller promis par Jésus.

L'écriture automatique – comme beaucoup la nomment – n'est pas automatique d'après les membres de la Fraternité.

Elle vient avec de l'entraînement de votre part et grâce à l'énergie de Dieu à l'œuvre en nous deux.

Mes tentatives dans le but de contacter quelqu'un sur l'autre plan de vie débutèrent avec du papier, un crayon et un désir de découvrir par moi-même si j'étais capable de me prêter à ce genre d'écriture. Dans le chapitre suivant, j'explique ma progression étape par étape, depuis les gribouillis circulaires en passant par les figures en forme de huit pour en arriver à la dactylographie que je fais maintenant. Dans le chapitre 13, un messager de la Fraternité explique avec force détails comment fonctionne ce système.

Les messages que je recevais jour après jour, comme je devais bientôt l'apprendre, n'étaient pas uniquement à mon intention. Ce savoir était offert à tous. « Vous allez écrire un livre », me dit l'être avec qui j'étais en communication. Je protestai en invoquant mon ignorance sur le sujet, mon inexpérience en matière de livres religieux et le fait que je n'avais publié aucun livre prestigieux jusqu'ici. Mais ma mission devint réalité à mesure qu'une profusion d'informations et de conseils apparaissaient sur mes pages dactylographiées.

L'un des Frères me dit :

Ce livre traitera de la croissance. La croissance est le but de votre vie. Soyez réceptive à cette pensée. Soyez réceptive à la croissance. Personne ne peut simplement traverser la vie sans que rien ne lui arrive. Soit une personne est en croissance, soit elle régresse. Personne ne demeure inchangé. Il est inutile d'essayer d'ignorer cette vérité. Quand vous en avez terminé avec votre corps physique, vous venez ici sur ce second niveau de vie, sur ce plan d'existence qui ressemble tellement à celui de la terre. C'est ici que vous vous reposez et contemplez votre vie terrestre et qu'ensuite vous poursuivez votre véritable vie.

Si vous régressez dans votre vie terrestre au lieu d'évoluer, alors vous devez évoluer ici sur ce plan. Mais cela est beaucoup plus difficile ici car il n'y a pas d'épreuves à subir ou à surmonter. Il n'y a pas de leçons à apprendre par l'expérience de la vie. La Fraternité de Dieu est présente ici pour aider, pour conseiller, mais pas pour diriger. Nous vous transférons des dons spirituels, mais nous n'agissons pas à votre place. Vous devez agir. Nous devons aider. Voilà ce qui définit notre relation.

On trouve dans la Bible des références sur le Conseiller promis par Jésus. Deux d'entre elles se trouvent dans le livre de Jean au chapitre 14. La première référence issue de la traduction anglaise de la Bible de 1953 nous donne les paroles de Jésus au verset 16 : « Et moi, je prierai le Père : il vous donnera un autre Paraclet qui restera avec vous pour toujours. »

Et au verset 26, Jésus dit : « Le Paraclet, l'Esprit Saint que le
Père enverra en mon nom, vous enseignera toutes choses et vous
fera ressouvenir de tout ce que je vous ai dit. »
L'être avec qui j'étais en communication me dit alors :
Comme l'action de la Fraternité s'étend aux deux plans,
elle peut travailler efficacement avec vous.
Je demandai ce qu'ils voulaient dire par « leur plan ».
Ce plan est avec le vôtre – au niveau d'entrée de l'autre
partie de la vie. Nous ne sommes pas loin. Ce plan est si
proche de vous que votre respiration est perçue ici. Ce plan
est l'image du vôtre mais en plus parfait. Ce plan permet
aux espoirs et aux rêves des hommes de s'exprimer de
maintes façons. L'écologie y est parfaite.
Ces âmes avancées affirment que nous devons demander leur
aide pour tout ce qui concerne notre croissance. Elles définissent la
croissance comme étant ce qui nous donne le pouvoir de devenir
un avec Dieu. Le message se poursuivit.
L'énergie du Dieu de l'Univers est accessible aux gens
sur les deux plans d'existence. Elle vous parvient par l'intermédiaire de la Fraternité de Dieu pour vous aider à devenir
la personne que vous voulez être.
Deux questions me vinrent à l'esprit. D'abord, que veut dire
« l'énergie du Dieu de l'Univers? » Et deuxièmement, est-ce que
la personne que nous voulons devenir est la même chose que d'être
un avec Dieu?
L'énergie est la puissance de Dieu en mouvement partout
dans l'univers. Cette énergie vous donne le pouvoir de
transformer des pensées en choses. Cette énergie, souvenez-
vous, provient de Dieu, pas de la Fraternité. Nous ne faisons
qu'ouvrir votre esprit à sa présence ici. Nous vous donnons
le canal ouvert – le moyen vous permettant d'ouvrir votre
esprit afin de recevoir cette énergie.
Nous voulons devenir un avec Dieu, ainsi le veut la loi
spirituelle. Ce désir est inscrit dans notre plan éternel. Tel est
le plan de l'Esprit depuis longtemps avant même que la Terre
ne commence à exister.
Revenons-en maintenant à la partie de ma question relative à

l'énergie ou « la puissance de Dieu en mouvement. » Que voulait dire mon interlocuteur par « énergie qui transforme des pensées en choses »?

L'énergie sera votre prix des choses. Tout comme l'argent est le prix des choses sur votre plan, cette énergie est le prix des choses sur notre plan, mais pas seulement ici, sur le vôtre aussi.

Se pourrait-il que ces Frères parlent ici au sens littéral? Pouvons-nous réellement transformer des pensées en choses par l'utilisation de cette énergie spéciale?

Vous devenez le canal indiqué pour l'utilisation de ce pouvoir et vous manifestez ce que vous désirez.

Il doit sûrement y avoir une méprise! Les choses sont matérielles. Ce message signifie certainement que nous manifestons des qualités comme la bonté ou la paix.

Comme n'importe quel professeur bienveillant et patient, le messager de la Fraternité poursuivit.

Vous pouvez manifester des qualités, bien sûr, mais vous pouvez également manifester des choses.

À nouveau, je protestai, secouant la tête en signe d'opposition. Mais ce Frère insista.

Vous pouvez manifester ce que vous désirez en faisant usage de ce pouvoir qui est maintenant à votre disposition . Soyez ouverts. Soyez prêts.

Stupéfaite à l'idée de faire la démonstration de ce pouvoir sur un plan matériel, je demandai comment je pourrais recevoir cette énergie. Sur ce, je reçus un plan d'action spirituel dont n'importe qui peut se servir pour manifester le bien dans la vie.

Voici la méthode en question : soyez réceptive à notre présence ici. Gardez votre esprit dirigé vers votre bien, votre bien spirituel. Alors si votre désir est en harmonie avec ce bien spirituel, il se manifestera.

Et qui décide ce qui concerne notre bien spirituel?

Le bien spirituel de l'un n'est pas le bien spirituel de l'autre. Tournez vos pensées vers nous pour éclaircir ce point.

Malgré tout, je refusais d'accepter l'idée de pouvoir manifester des choses. « Pourquoi », demandais-je, « suis-je réfractaire à cette idée? »

Parce qu'on vous a appris qu'il en était autrement. Parce que vous continuez à croire qu'il y a une différence entre la vie spirituelle et celle dans laquelle vous manifestez des choses matérielles. Les deux sont identiques. Elles ne sont pas différentes. Soyez ouverte. Dites adieu à vos pensées négatives. Ce n'est pas le moment de faire preuve de faiblesse. C'est le temps de démontrer de la force. Vous avez un objectif en tête, n'est-ce pas? Alors manifestez le succès en ayant recours à l'énergie, à ce pouvoir qui est ici pour vous.

Aujourd'hui est le jour tant attendu. Faites preuve d'ouverture en cette matière. Vous ambitionnez de réussir? Vous voulez faire la preuve de cette réussite par de l'argent? Vous voulez éprouver de la satisfaction? Vous voulez avoir confiance en vous? Vous désirez ces deux dernières choses plus que tout autre bien matériel? Alors mettez-les sur la carte de votre imagination. Voyez-les en train de se réaliser. Soyez ouverte à la réussite. Faites des projets pour tirer parti de la réussite. Gardez cette question à l'esprit dans vos prières. Gravez-la sur votre œil intérieur. Le pouvoir afflue à vous pour la rendre manifeste. Nous, dans la Fraternité, sommes ouverts en vue de cet accomplissement. Cela va certainement dans le sens de votre bien spirituel. C'est un désir légitime. C'est Dieu à l'œuvre en vous pour vous aider à réaliser votre projet de devenir la personne que vous voulez être.

À ce stade, je pris l'un de mes articles favoris parmi mes manuscrits rejetés, le remaniai une fois encore et l'envoyai. Le moment d'agir me semblait venu, le temps de faire un acte de foi selon les mots de la Fraternité. « *Comment pouvons-nous savoir* », *demandai-je,* « *ce qu'est notre bien spirituel?* »

La Fraternité est toujours ici sur ce plan, ouverte à votre plan d'existence. La pensée que vous nous envoyez vous apportera l'aide que vous recherchez. La prière est destinée à Dieu – elle est ce qui vous unit à Lui. Mais lorsque vous entretiendrez la pensée que vous voulez notre aide, nos conseils et nos bons présents dans votre vie, nous nous tournerons alors vers vous par ce canal ouvert pour entrer en contact avec votre esprit. Soyez ouverts. Allez vers le Dieu que vous connaissez déjà, et pensez à l'aide dont vous avez besoin.

Je demandai des éclaircissements sur le type d'aide que nous pouvions demander.

La Fraternité aidera les gens à avoir des pensées plus claires sur le but de la vie, et sur les objectifs que chacun poursuit. Le plein développement de tout ce que vous pouvez être nous tient à cœur. Les gens peuvent surmonter la dépression et la solitude parce qu'ils savent qu'ils ont des amis ici tout autant que là-bas, et personne n'est laissé seul à lui-même.

Dieu est la réalité que chacun espère trouver lorsque l'on se tourne vers la Fraternité pour obtenir de l'aide. Mais le mot "aide" n'est peut-être pas le terme qui convient ici. Ce mot concentre notre attention sur le besoin, et beaucoup de gens aimeraient mieux agir par leurs propres moyens. Le mot "croissance" pourrait être préférable, car la plupart des gens veulent être des esprits en pleine croissance, pas vrai?

C'est une image plus positive. Ce groupe d'âmes avancées existe pour que la croissance sur le plan terrestre progresse à grands pas. Le travail que nous faisons consiste à montrer la voie menant à la vie divine en chaque personne. Dieu est notre Dieu à tous.

J'interrompis le message en lançant : « *Et vous venez toujours lorsque la pensée est tournée vers vous?* »

La Fraternité est tout le temps ouverte de ce côté-ci. Nous voulons aider. Nous voulons vous apporter les dons de l'esprit que Dieu possède à votre nom. Chaque personne dispose de ces dons ici et nous aidons à les transmettre aux personnes ouvertes et prêtes à les recevoir.

« *Tout le monde peut-il entrer en contact avec vous?* » demandai-je.

Je vous le dis, en vérité, tous ceux et toutes celles qui désirent s'ouvrir à la Fraternité de Dieu peuvent le faire. Ce n'est pas difficile à faire. C'est seulement une question de volonté et de désir de la part de chacun. Vous ne pensez que c'est difficile que parce que ce n'est pas encore très commun, mais la communication est le meilleur aspect entre vous et nous. Nous pouvons devenir utiles dans votre évolution sur terre parce que nous pouvons nous unir à vous. Réfléchissez bien à ce qui suit : **Les gens peuvent s'unir avec la Fraternité de Dieu en ouvrant leur esprit au canal ouvert qui permet la communication entre nous.** Réjouissez-vous de cela.

Il m'était difficile de concevoir pareil groupe d'entités désintéressées tel celui formé par cette Fraternité. Mentalement, je leur attribuai mes propres caractéristiques : impatience, lassitude de devoir répéter sans cesse, désespoir et déception du fait des actions des autres. Oui, un doute tenace subsistait quant à leur volonté réelle de faire ce qu'ils prétendaient vouloir faire : m'aider à réaliser mon potentiel divin. Ces pensées que j'entretenais, des pensées que je n'avais jamais proférées à voix haute, ni couchées sur papier, suscitèrent une vigoureuse réponse de la part de ces âmes avancées.

La Fraternité de Dieu a toujours à l'esprit les meilleurs intérêts d'une personne. Il n'y a pas de motif mesquin de notre part à tenter d'obtenir quelque chose pour nous-mêmes. Il n'y a pas de récriminations lorsqu'on nous demande de l'aide. Personne ne dit : « Vous revoilà encore à quémander de l'aide! » Quand vous le demandez, nous venons. Cela fait notre joie, notre plus grand bonheur. Quelle que soit l'heure du jour ou de la nuit, cela n'a pas d'importance pour nous ici, car pour nous le temps n'est pas perçu de la même façon que pour vous. Nous n'avons pas de dessein plus élevé que d'être unis avec Dieu. Nous vous offrons cette prière de croissance : puisse Dieu vous accorder Ses grands bienfaits avec notre aide.

La Fraternité est réelle. Nous avons vécu sur le plan terrestre à de nombreuses occasions. La loi spirituelle dit que nous, de ce plan d'existence, devons vivre à maintes et maintes reprises afin de comprendre les leçons que la vie doit nous enseigner. Ce n'est pas possible en une seule existence.

(Il y aura d'autres explications sur le plan de Dieu – la réincarnation – tout au long de ce livre.) Le message se poursuivit.

Nous savons que les gens ont besoin de nous. Nous entendons leurs cris sur ce plan. La Fraternité fait parvenir chaque cri jusqu'à l'esprit du Dieu universel. Le cri est peut être sans objet, mais c'est un cri. Nous allons vers cette personne pour essayer d'aider. Mais aucune aide n'est possible tant que la personne n'a pas fait appel à notre aide. La raison de notre impuissance à aider certaines personnes tient du fait que nous bénéficions tous du libre arbitre. Ainsi, lorsque nous choisissons la voie divine, notre perfection est authentique, et non une façade.

Je demandai au messager de la Fraternité de Dieu pour quelles sortes de choses les gens voulaient être aidés et leur réponse fut immédiate.

Mais voyons, ils veulent de l'aide pour devenir les merveilleuses personnes qu'ils savent qu'il leur faudrait devenir. Pas "faudrait" d'une manière extérieure, mais "faudrait" au sens intérieur. Le "faudrait" signifie que notre croissance est à la mesure des concepts que nous avons. Si nous nous concevons comme des êtres humains formidables, alors nous devenons des êtres humains formidables. Mais si nous entretenons de nous l'image de la pauvre petite créature, celle qui est peu méritante, celle qui est désespérée face à la vie, alors nous devenons cette personne. Nous voulons devenir la personne que nous "devrions" être – celle que nous concevons.

« *Pouvez-vous m'aider à développer une meilleure image de moi-même?* »

Oui, nous implantons en votre esprit des impressions de vos meilleures qualités. Nous érigeons le concept en une merveilleuse créature afin que vous puissiez effectivement devenir ce que vous visualisez. L'esprit est la clé. L'esprit est la vérité de nos êtres. L'esprit nous donne accès à l'âme.

Une fois encore je les interrompis. « Mais qu'en est-il des gens ayant des lésions cérébrales? Vous ne pouvez les atteindre, je suppose ». Je reçus une réponse lumineuse à cette question.

La vérité ici est que ces gens se développeront de l'intérieur, car ils n'ont pas une véritable connaissance de leur propre handicap qui est susceptible de les gêner. Nous communiquons facilement avec ceux et celles qui ouvrent leur esprit, peu importe l'état de leur cerveau. L'esprit n'est pas le cerveau. L'esprit est ce qui vous donne la vérité de votre être, c'est la partie éternelle, réelle de vous. L'esprit vous donne l'étincelle de vie, l'étincelle divine, ce que nous appelons l'âme.

Troublée par cette réponse, je demandai : « Alors les parents qui ont des enfants au cerveau atteint devraient comprendre que la croissance de l'esprit se poursuit encore? »

Ces enfants qui naissent en ce monde avec un cerveau au fonctionnement anormal peuvent évoluer encore plus que ceux qui possèdent un grand intellect. Le cerveau exerce une fonction physique, mais l'esprit exerce une fonction spirituelle. L'esprit est éternel. Le corps est temporaire. Voilà la vérité.

La Fraternité tend la main à tout le monde. Certains attendent jusqu'à leur lit de mort pour nous ouvrir leur esprit afin que nous puissions les aider, et nous le faisons. Aucun Frère ne dit à une personne : « Tu as attendu trop longtemps, vieil homme. Tu as laissé passer ta chance. » La personne est toujours aidée. Nous ne vous voyons pas à travers les yeux du jugement, mais à travers les yeux du bien que nous pouvons faire pour vous aider à entrer en contact avec le Dieu de votre être.

Il n'existe pas de circonstance que la pensée de notre aide ne puisse pas arranger. Nous autres sur ce plan – la Fraternité – faisons équipe avec vous pour vous apporter la bonne nouvelle. Dites à vos lecteurs qu'aucune conviction ou incrédulité n'entrave notre travail. Une personne peut ne croire en aucune des vérités qu'elle a entendues à ce jour, mais si elle se tourne vers nous, nous l'aiderons à trouver sa propre vérité. Quoi qu'il en soit, la seule vérité à croire est celle qui grandit à l'intérieur de vous. Rejeter d'autres vérités exprime simplement la volonté de votre être intérieur à découvrir sa propre vérité. La croissance de l'esprit est le but principal. N'oubliez pas cela.

Je m'informai sur l'aide provenant de ces esprits avancés dans le domaine de la sécurité personnelle, et voici la réponse. L'aide peut être possible si la personne croit instantanément en cette aide. La protection peut se matérialiser, mais pas toujours, parce que les gens paniquent lorsque survient la crise et tournent leur attention vers l'accablante tragédie. *Puis je demandai si la Fraternité intervient quand nous sollicitons la guérison en faveur d'une autre personne.*

La personne pour qui la demande est faite nous est ouverte, bien sûr, **mais votre intercession n'a rien à faire avec cela.** L'aide de Dieu est pour tous, peu importe les circonstances. La vérité est que Dieu est le Dieu de l'Univers, omnipotent, omniscient. Il nous ouvre à tous ses généreux bienfaits si nous ouvrons notre esprit à ces bienfaits. Utilisée correctement, l'énergie de l'Univers peut guérir. Nous pouvons aider la personne malade. La personne en croissance peut également aider. La guérison est un autre sujet, et il faudrait beaucoup de temps pour en expliquer le fonctionnement.

Quelle réponse fascinante – une à laquelle je veux donner suite un jour prochain. Ces âmes avancées – la Fraternité – se tiennent à notre disposition pour nous instruire et nous aider à grandir. Que nous acceptions ou non une doctrine religieuse, nous pouvons tous comprendre le concept d'une aide apportée par ceux qui comprennent le sens de la vie.

● ● ● ● ● ● ●

Stimulateurs de pensée

1. La croissance est notre but dans cette vie. La Fraternité est là pour nous aider dans cette croissance. Quelle est votre compréhension de la croissance, et comment pouvez-vous mettre en pratique cette compréhension?

2. L'énergie, qui est le pouvoir de Dieu, transforme les pensées en choses. Comment pouvons-nous accéder à cette énergie?

Travail intérieur *: Dialoguez avec la Fraternité. Ouvrez votre esprit au succès. Quelle l'image de vous-même aimeriez-vous que la Fraternité vous aide à développer?*

Devenir des partenaires

2

Nous pouvons devenir des partenaires avec la Fraternité de Dieu et recevoir l'aide dont elle dispose pour chacun de nous. La Fraternité n'a que des bienfaits à apporter à celles et ceux qui collaborent avec elle.

Former un partenariat avec le Conseiller, avec la Fraternité de Dieu n'est pas chose compliquée. Il n'est point besoin d'une séance nimbée de mystère ou d'occultisme. La condition préalable, d'après ce que je comprends, est de faire une demande. De cette manière, nous donnons la permission à ces esprits avancés de pénétrer en nos esprits et nous donner leurs conseils.

« Beaucoup d'entre eux ont besoin d'avoir des partenaires – la preuve la plus tangible de Dieu », me dit l'être avec qui j'étais en communication et, pour moi en particulier, il ajouta : « Cette preuve tangible se trouve bien sûr dans notre communication écrite. » Et à nouveau pour nous tous :

La preuve est également dans le canal ouvert entre nous et la personne qui demande notre aide. Nous nous manifesterons d'une façon ou d'une autre si l'esprit de la personne est tourné vers nous dans la promesse que nous faisons. Voilà la vérité.

Vous vous demanderez peut-être, comme je l'ai fait, pourquoi ce groupe d'âmes veut faire ce travail manifestement difficile de communiquer avec nous, nous aider dans nos difficultés et stimuler notre croissance spirituelle. Qui sont-ils ? Ils m'ont dit être apparus au début de la création par Dieu de la Terre. Toutefois, ils ne considèrent pas qu'il soit important à ce stade-ci de révéler comment ils ont été créés. Nous venons pour aider. Voilà l'intégralité de notre pensée. Pourquoi vous soucier de savoir qui nous étions sur le plan terrestre? L'essentiel c'est qui nous sommes maintenant. C'est ce qui compte. Nous sommes entrés dans la vie tout comme vous êtes entrés dans la vie, mais notre réalité est MAINTENANT, pas le passé.

Cependant, ils ont donné un aperçu des choses du passé, selon la conception que nous nous faisons du temps sur terre.

La Fraternité débuta sur terre, et elle poursuivit son œuvre sur ce plan pour aider les autres se trouvant toujours sur le plan terrestre. Mais il fut difficile d'établir et de maintenir le contact. C'est pourquoi Jésus revint sur terre afin d'être le moi divin qui a pris forme humaine et établi le contact avec ces aides. Il donna un modèle de prière, de guérison et de conduite. Il s'est complètement donné à sa mission, mais il a également eu recours aux âmes avancées d'ici. Il est parvenu au cours de cette existence à réaliser son plein potentiel parce qu'il s'est servi de l'aide en provenance de notre plan, pas parce qu'il était parfait au départ, ni parce qu'il était Dieu. Il veut maintenant ouvrir ce canal plus que jamais auparavant. Il encourage les autres à se servir de ce canal afin d'enrichir leur vie jusqu'à la perfection qui est aisément à leur portée s'ils se servent de l'aide que nous pouvons donner.

Je suis issue d'un milieu chrétien protestant traditionnel, et ces mots semblaient sacrilèges. Mes pensées suffirent à provoquer cette réponse :

Il n'y a pas de sacrilège à reconnaître que Dieu est la source de toute l'énergie qui est donnée. Dieu est la source de ce merveilleux canal ouvert qui peut tendrement amener ce concept jusqu'à votre conscience. Les gens se sentent si souvent seuls du fait qu'ils n'ont aucun ami, ni personne à qui penser. Mais la sollicitude existe au sein de la Fraternité. Des Frères viendront vous combler de leur attention si vous cherchez à être comblée.

Plus tard, le messager apporta un complément d'information sur l'identité et la nature de la Fraternité, ainsi que sur la raison de son existence.

Si vous voulez aider les autres, si vous voulez être l'émissaire de Dieu, alors voilà une œuvre que vous souhaiterez peut-être réaliser lorsque vous viendrez sur ce plan. Souvenez-vous : nous n'entrons pas sur le plan terrestre pour devenir un avec vous. La vérité est que nous entrons pour vous aider à vous unir à la Conscience divine tout comme le fit Jésus.

Ces Conseillers soutiennent que chacun de nous doit établir ses propres objectifs dans la vie. Ensuite, ils nous aideront à aller vers la Conscience divine pour atteindre ces objectifs.

Pour que nous puissions devenir des partenaires de la Fraternité de Dieu, il doit y avoir communication. Nous touchons au cœur du sujet qui consiste à rendre ce partenariat fonctionnel et pratique. La moitié du partenariat est immatériel et l'autre moitié est matérielle. (*Apparemment ceux qui se trouvent sur l'autre plan peuvent assez facilement nous entendre, mais comment pouvons-nous les entendre?*)

*Considérons le procédé d'écriture automatique, qui est celui que j'ai tenté d'utiliser. Un auteur bien connu de livres métaphysiques a écrit que **n'importe qui** peut faire de l'écriture automatique. N'étant pas spécialement médium moi-même – certainement pas plus que la moyenne des gens – je savais ne posséder aucun pouvoir spécial.*

Je m'assis simplement à une table avec plusieurs feuilles de format lettre et quelques crayons bien taillés. Je n'avais rien de particulier à l'esprit – certainement pas la Fraternité de Dieu. Si j'avais cherché à contacter immédiatement un enseignant ou un conseiller, j'aurais pu progresser beaucoup plus vite. Le fait est que je ne savais pas précisément ce que je voulais. Je demeurai assise dix ou quinze minutes et pratiquement rien ne se produisait. De temps à autre, mon crayon semblait poussé à faire des mouvements circulaires sur la page et c'est tout. Déçue, j'étais néanmoins déterminée à renouveler ma tentative pendant plusieurs jours à la même heure, pour une période de 15 à 20 minutes.

Après le troisième ou le quatrième jour, mon crayon dessinait de grands "o", de grands "l", et quelques figures en forme de huit sur la page. Les huit étaient couchés comme pour indiquer l'infini.

Oui, cela devenait ennuyeux et oui, je voulais abandonner parce que tout cela semblait si ridicule. Puis je commençai à recevoir des messages – beaucoup d'entre eux étaient frénétiques. L'un d'eux, qui dura plusieurs jours, était : « Mère est vivante. Mère est vivante. » Mon crayon pressait avec force et vivacité sur la page. « Mère te libère de sa promesse. Elle doit être en route maintenant pour la terre promise. » Ce message ne fut jamais remis à personne, car je n'avais aucune idée concernant l'identité de cette mère ou l'identité de la personne qu'elle voulait libérer. Mais il n'y avait aucun doute dans mon esprit qu'une âme avait besoin de communiquer ces mots à quelqu'un encore présent sur le plan terrestre.

Deux lettres, écrites ensemble comme des initiales, commencèrent à apparaître chaque jour. Finalement, leur auteur se révéla être une personne que j'avais bien connue lorsqu'elle vivait sur terre. Elle avait des problèmes à cause de son grand attachement pour une personne encore vivante sur terre, une personne pour qui elle voulait des changements qui influaient sur sa propre croissance. Je n'étais pas sûre à cette époque de vouloir recevoir ce genre de message. J'avais empiété dans la vie privée de quelqu'un d'autre et je me sentais mal à l'aise.

Mes premières expériences d'écriture automatique me mirent en contact avec de nombreuses entités spirituelles, y compris mon père. Un jour, mon père "prit mon crayon" et me décrivit la vie qu'il menait à présent. Sa plus grande préoccupation concernait mon frère et sa famille, tout comme cela avait été le cas lorsqu'il vivait encore sur terre. Il m'avait haïe durant les dernières années de sa vie, dit-il, parce qu'il était dans une maison de retraite, et il la nomma. Je lui demandai ce qu'il ressentait depuis à mon égard. Il dit ne plus me haïr parce qu'il n'était plus dans la maison de retraite à présent. « L'amour », dit-il, « est la chose la plus importante pour moi maintenant. »

Ce ne fut pas avant d'avoir demandé spécifiquement à avoir un guide – quelqu'un qui pourrait m'aider dans ma vie, quelqu'un qui pourrait filtrer les nombreux messages frénétiques pour lesquels je ne pouvais rien faire, que je rencontrai la Fraternité de Dieu. Une entité appelée "Amour" signait chaque jour les messages. La communication entre nous était mauvaise à cause de ma médiocre capacité de réception. Ainsi, Amour se mettait à m'exposer quelque chose de fascinant, et puis ensuite je n'arrivais pas à bien comprendre la fin de ce qu'elle me racontait. Des mots d'une importance cruciale n'étaient pas exprimés et j'en ressentais beaucoup de frustration. Mais m'étant avancée si loin, je tins bon, quelle qu'en fusse mon insatisfaction.

Je datai les messages de chaque jour. Et, avec l'aide d'Amour, je commençai à mettre au propre les messages reçus chaque jour par écrit, peu importe s'ils étaient pleins d'omissions. Jour après jour, je pus voir que les communications devenaient de plus en plus complètes et j'en fus encouragée. Et en plus, ces écrits n'étaient pas dénués d'humour. J'aime lire des histoires à énigmes et, un jour, alors que j'essayais de coucher sur papier les mots que je recevais, arriva cette déclaration :

Je pense que les romans à énigmes que vous lisez vous embrument l'esprit.

Je reçus un jour pour instruction d'aller m'asseoir devant ma machine à écrire et de placer mes doigts sur les touches. Le fait de taper à la machine facilita grandement la communication. Avant d'écrire ou de dactylographier la communication, j'essayais toujours de calmer mon esprit, de le vider de toute pensée, et ensuite je priais pour être protégée et guidée.

Amour cessa de signer les messages. Quelqu'un d'autre de la Fraternité prit la relève. Cette entité m'apprit de quelle façon me concentrer pour arriver à me mettre sur la même longueur d'onde que le messager. Je reçus pour instruction de maintenir une image en mon esprit, l'image d'un sol meuble, qui est mon esprit, et celle d'une charrue, qui est la Fraternité. La charrue retournait la terre malléable et consentante et, ce faisant, je me mis enfin à taper avec une certaine rapidité alors que mes doigts volaient sur les touches. Encore maintenant, je ne sais pas exactement comment ça marche. Je semble recevoir une impression des mots juste avant de les taper, mais il y a des fois où je vais très lentement, attendant de recevoir l'impulsion qui fait bouger mes doigts.

Selon l'entité avec laquelle je suis en communication, chacun ne reçoit pas la même image à employer pour établir le contact. Cette image me convient bien et correspond à ma compréhension personnelle. Je n'ai jamais rien lu de semblable sur cette méthode de contact dans aucun autre livre métaphysique.

Bon nombre d'Églises, de prêtres et de croyants déconseillent de faire de l'écriture automatique comme si c'était en soi quelque chose de diabolique. Je fis cette remarque aux Frères qui rejetèrent cette idée du mal avec un commentaire teinté d'ironie :

Il y a beaucoup de peurs sur le plan terrestre.

On me dit que le besoin immédiat ici est d'être assuré que Dieu est réel et que la vie sur terre est temporaire.

Vous ne vivez pas en permanence sur terre. Vous y amenez votre âme pour sa croissance, pas pour y établir un domicile permanent.

Je demandai si quelqu'un pouvait donner des suggestions à propos de l'écriture automatique comme moyen pour les contacter.

La Fraternité recevra toute personne qui souhaite établir un contact ouvert avec elle. Si la personne souhaite être en communication en y consacrant du temps sur votre plan, alors il se peut que l'écriture soit le meilleur moyen de communication.

Mais ses membres n'écartent pas d'autres moyens d'établir le contact.

Si vous ouvrez votre esprit, et votre cœur également, alors nous venons pour vous aider. Mais si vous voulez avoir un canal ouvert, vous devrez y consacrer du temps sur votre plan d'existence pour l'obtenir. C'est le prix à payer, pour ainsi dire. Mais il n'est pas nécessaire que ce temps soit très long. Cela peut n'exiger qu'un court moment de concentration, un moment pour aller vers Dieu le Père en prière, et un moment d'importante croissance.

L'expression « importante croissance » fait ici référence à la concentration d'une personne sur le canal ouvert qui rend la communication possible. Je demandai comment une personne fait pour ouvrir son esprit et son cœur.

Si une personne veut contacter la Fraternité, un désir sincère suffit pour établir le contact.

« Mais il n'y a aucune preuve de ce contact! » protestais-je, et à nouveau la Fraternité répondit.

Ce type de contact n'est pas visible pour vous. Vous devez vous faire à l'idée que **vous** ne pouvez nous **voir**, mais que néanmoins la communication est présente. Vous sentez les touches de votre machine à écrire s'enfoncer sous vos doigts, mais d'autres utiliseront peut-être un crayon et laisseront leur main devenir la main de la Fraternité. D'autres sont peut-être doués pour écouter, ou meilleurs que vous ne l'êtes, et ils entendront peut-être notre voix. Il y a une autre méthode aussi. En prenant la tonalité de votre croissance intérieure, c'est-à-dire la longueur d'onde de l'énergie qui circule en vous, vous pourrez atteindre cette longueur d'onde où vous pouvez être dans le schéma de croissance que nous sommes. Les deux longueurs d'onde doivent être synchronisées l'une à l'autre. Mais seules les personnes familières avec la physique peuvent comprendre cela. Ces aides se rendent dans le monde pour être présents sur votre plan d'existence. Mais il y en a tant qui n'en tiennent aucun compte. Voilà la Fraternité qui se rend vous apporter son soutien et son aide, mais si peu de gens y prêtent attention. Les gens font les choses de la manière difficile, c'est-à-dire seuls.

Un autre jour, mon interlocuteur avait ceci à dire à propos de la façon dont les gens peuvent se servir du canal ouvert.

Voici la façon de communiquer : pour vous qui préférez utiliser la machine à écrire, c'est un bon moyen. Pour les autres qui ne tapent pas à la machine ou qui ne veulent pas utiliser cette façon de communiquer, il y a une autre méthode. La manière dont votre plan et le nôtre peuvent se rencontrer doit être comprise. Une personne peut écouter sa voix intérieure. Cela est excellent. C'est bien, mais manifestement peu de gens savent comment écouter leur voix intérieure. L'idée maîtresse de ce message est qu'il existe une méthode pour tous. Et elle peut être aussi sûre que d'écrire des lettres. Nous écrivons des lettres, n'est-ce pas? Nous attendons des réponses à ces lettres, pas vrai? Alors ce moyen est le plus sûr. La voix intérieure peut sembler mystique à beaucoup de gens, voyez-vous. Et elle est assujettie au subconscient, mais il en est de même de l'écriture.

Voilà de quelle façon communiquer – méditer, écouter, nous écrire et nous laisser répondre par l'intermédiaire de vos doigts. La Fraternité se soucie peu de la méthode utilisée. Ayez recours à tout ce que vous voudrez, mais ouvrez votre esprit à ce canal ouvert afin que votre vie terrestre ne soit pas gaspillée en pure perte. Soyez assurés que cette vie terrestre est celle qui est temporaire et que votre prochaine vie est la véritable vie. Sur ce plan où nous sommes, votre identité est permanente. Dans la vie terrestre, vous possédez une identité éphémère.

Jésus est venu ici pour montrer aux gens comment prendre leur croissance au sérieux et comment vivre selon le meilleur plan de Dieu pour l'unification des deux plans. La Fraternité est devenue le Conseiller que Jésus avait promis. Servez-vous-en. Ce groupe d'esprits avancés n'est ni mystique, ni ouvert au mal. Il est incorruptible.

• • • • • • •

Stimulateurs de pensée

1. Former un partenariat avec la Fraternité de Dieu n'est pas compliqué. En faire la demande ouvre la voie. Cette demande est chaque fois nécessaire. Pourquoi?

2. Pourquoi la Fraternité veut-elle communiquer avec nous, et en quoi cela peut-il nous être bénéfique dans notre vie?

3. La Fraternité dit qu'il y a plus d'une manière de travailler avec nous. La communication directe, d'esprit à esprit, exprimée sous forme écrite, n'est qu'une méthode parmi d'autres. Quelques-unes des autres méthodes sont : l'écoute, la visualisation d'images, l'intuition et la création. Elles peuvent s'exprimer par l'écriture, la parole, l'inspiration, les arts, la guérison, la construction, la composition ou le design. De quelle façon communiquez-vous le mieux?

Travail intérieur : *Demandez à la Fraternité de Dieu de vous aider à ouvrir votre canal de communication avec eux. Exercez-vous chaque jour à établir un canal clair en vous fixant des objectifs, en parlant avec vos aides spirituels et en reconnaissant le Dieu de l'Univers comme votre Partenaire.*

La personne que vous voulez être

3

Nous pouvons tous devenir exactement ce que nous voulons être – avec l'aide de la Fraternité et grâce au plan de réincarnation. Une seule existence n'est jamais suffisante pour réussir à devenir la personne que nous voulons être.

La réincarnation est le plan de Dieu pour notre croissance spirituelle. Il nous faut comprendre ce plan pour tirer le meilleur parti possible de notre occasion d'apprendre. Soyez réceptifs à ce sujet. La réincarnation est simplement un fait de votre vie, de la mienne et de celle des autres. Aucun doute n'arrivera à oblitérer ce fait. Tout comme le fait que la Terre est ronde – douter n'y changera rien.

La plupart d'entre nous ont appris que cette vie est la SEULE qui soit. Il n'y a rien d'autre. L'idée de vivre successivement plusieurs vies dans le but de se développer spirituellement relève du défi pour beaucoup d'entre nous. Des questions jaillissent à l'esprit. Si la réincarnation existe vraiment, qui étais-je dans une vie précédente? Où vivais-je? Pour ceux de la Fraternité, la seule question importante est : « Qu'ai-je appris? »

Vous créez la personne que vous voulez être grâce au développement accompli durant vos vies terrestres. Vous choisissez la personne que vous voulez devenir.

Des références à la réincarnation se firent de plus en plus nombreuses dans les messages que je recevais. Je demandai pourquoi nous avions besoin de croire en la réincarnation, et voici la réponse qu'on m'a faite.

Cette croyance est nécessaire tout autant que la croyance

en Dieu est nécessaire. Ce plan des vies successives nous aide à acquérir une nouvelle perspective sur nous-mêmes et les progrès que nous faisons. L'existence que vous avez vécue précédemment se manifeste dans cette vie sous forme de leçons apprises. Cette vérité provenant de vies antérieures nous ouvre à une utilisation de plus en plus grande de l'énergie de Dieu. La vérité entre dans notre être et elle y demeure. Alors la vie suivante est celle durant laquelle vous pouvez utiliser la vérité que vous avez apprise précédemment. Puis vous cherchez à atteindre un autre objectif, et ainsi de suite.

Puisque la réincarnation nous offre des occasions répétées de devenir la personne que nous voulons être, je demandai si quelqu'un gardait une trace de nos progrès.

Non! Celui qui tient le compte, c'est vous. Vous faites l'évaluation de votre propre croissance. C'est pourquoi nous revenons vivre si souvent sur terre. La vision d'ensemble de nos acquis n'apparaît qu'à l'échelle de plusieurs vies.

La croissance de l'âme n'est pas un concept très facile à comprendre pour moi. L'être avec qui je communiquais était conscient de ma difficulté à saisir cette idée.

La croissance de l'âme est une idée qui doit être parfaitement claire dans votre esprit. La croissance tire sa source de Dieu. La croissance est Dieu. La croissance est un gage de bonheur, de satisfaction, ce que vous pouvez concevoir de mieux et plus encore. Vous ne pouvez imaginer cette croissance parfaite, puisque vous vous évertuez encore à l'atteindre. Mais la croissance de l'âme n'est pas synonyme de misère ou de difficultés. La croissance est synonyme de bonté, de fraternité et d'honneur sur terre comme au ciel.

Bien que la croissance ne soit pas chose facile à accomplir, ces âmes avancées insistent sur la nécessité de continuer à croire que Dieu veille sur nous et que nous deviendrons un avec Lui. Ils promettent de nous maintenir sur la bonne voie dans nos pensées, et de nous aider à garder un esprit ouvert.

La Fraternité de Dieu, qui est le Christ, est votre voie pour devenir la personne que vous voulez être. « Choisissez aujourd'hui qui vous voulez servir... Moi et ma maison, nous servirons le Seigneur » (Josué 24:15). Je sais que vous vous souvenez de ceci. La Bible est pleine de ces exhortations à garder la foi. Les auteurs n'ont pas toujours compris pourquoi, mais ils savaient que cela était important.

Mon éducation religieuse traditionnelle était difficile à mettre de côté pour ainsi ouvrir mon esprit à la vérité. Lorsque l'un ou l'autre des membres de la Fraternité me rappelait ces exhortations bibliques, je retournais immédiatement aux anciens modes de pensée. Je demandais donc : « Il y en a tant qui veulent "réussir". Nous entendons par là une réussite financière accompagnée des signes extérieurs de la réussite – comme de belles possessions, la reconnaissance sociale, et même du pouvoir. Cet objectif ne va-t-il pas à l'encontre de la quête de croissance de l'âme? »

La réponse fut immédiate.

Quel que soit le parcours que vous empruntez, la croissance est possible sur terre lorsque les gens se tournent vers Dieu afin d'apprendre parfaitement leurs leçons et de devenir ouverts à la Fraternité de Dieu.

Telle est la loi : Peu importe vos richesses, l'évolution de l'esprit est possible quand vous vous tournez vers ce canal ouvert pour recevoir votre guidance. Vous êtes alors ouverts à l'esprit, ouverts à la Fraternité, ouverts au plan de Dieu.

Dans le Nouveau Testament, parmi les nombreuses histoires de Jésus, il y en a une qui m'a toujours donné matière à réflexion. C'est l'histoire du riche souverain qui demanda à Jésus ce qu'il devait faire pour avoir la vie éternelle. Jésus lui demanda s'il avait observé les commandements, et il répondit que oui. Alors Jésus lui demanda de vendre tout ce qu'il possédait et de le distribuer aux pauvres, mais le souverain s'en alla plein de tristesse, car il était très riche. (Luc 18:18-23). Puis vint la remarque de Jésus qui est si souvent citée. « Qu'il est difficile à ceux qui ont les richesses de parvenir dans le royaume de Dieu. » (Luc 18:24). D'autres qui entendirent cette conversation se demandèrent à haute voix comment quiconque pouvait espérer connaître la vie éternelle, mais Jésus leur assura qu'avec Dieu toutes choses étaient possibles.

Je demandai à la Fraternité ce qu'elle pensait de cette histoire.

Elle signifie que le riche souverain n'était pas réceptif aux conseils offerts, pas plus qu'il n'avait ouvert son esprit à la Fraternité de Dieu. Il voulait diriger les choses lui-même, être l'auteur du plan et ne pas laisser ce rôle à Dieu. Nous n'évoluons pas tant que nous ne laissons pas Dieu être l'auteur du plan.

Je rappelai à mon correspondant que le souverain avait observé tous les commandements.

Cela est vrai. Il avait observé la loi. Les gens le font aujourd'hui. Ils observent la loi, à la fois temporelle et religieuse. Ceci est le point essentiel de ce dialogue. Dieu veut que le souverain Le fasse passer en premier, afin qu'il croisse, qu'il devienne un avec le moi Divin. Ce moi Divin contient la pure pensée de Dieu. Donner la priorité à Dieu, c'est n'accorder aucune importance aux merveilleux règlements de l'Église. Ces règles ne favorisent pas la croissance. Elles engendrent la stagnation. Les Églises préservent leurs lois, mais elles n'accordent pas à l'individu la liberté de donner la priorité à Dieu. La loi lui dit comment se conduire. Jésus a dit au riche souverain de vendre ce qu'il possédait afin d'attirer son attention, afin de le détacher de l'idée centrale de la loi. La loi donnait au souverain son assurance. Il s'en alla incapable de changer son centre d'attention.

La personne que je veux être – qui est-elle? Oui, QUI SUIS-JE? C'est l'éternelle question à laquelle nous nous efforçons de répondre. Les livres, les prospectus, les articles et poèmes font inlassablement usage de ce thème du "Qui suis-je?". Dans notre for intérieur le plus secret, nous nous représentons une image de nous-même, une image qui répond à cette question, une image de la personne que nous voulons être. Les membres de la Fraternité nomment cette image « le plan de Dieu en vous ». Et ils me disent que si nous nous écartons de ce qui contribue à créer la personne que nous voulons être, nous devenons insatisfaits de notre vie et sentons au fond de nous que nous prenons la mauvaise direction.

C'est à cela que sert la réincarnation – à vous donner la chance d'avancer au milieu des tentations et de mener à bien votre mission. Le choix de vos différentes vies fait partie de votre développement. Vous cheminez dans la vie avec un objectif en vous. L'expérience de la vie est votre chance de réaliser cet objectif.

Une question vient nécessairement à l'esprit : si nous revenons sans arrêt en ce monde, pourquoi n'est-il pas rempli de bonnes et grandes âmes? Pourquoi y a-t-il encore de la cupidité, de la cruauté inhumaine, de la haine? Une réponse surgit.

Voici la raison. Aujourd'hui les gens sur terre sont nombreux à provenir de ce plan, et sur ce plan-ci nous ne nous développons pas assez pour être des âmes avancées sur le plan terrestre. Mais beaucoup d'âmes avancées partent tout de même rejoindre le plan terrestre. Elles essaient de guider le monde dans un souci commun de paix et de développement. Mais il faut qu'il y ait des âmes avancées en plus grand nombre. L'idée ici est que les gens reviennent pour se développer, mais certains ne comprennent pas cet objectif. Ils reviennent dans le simple but de revenir. Ils ne se développent ni ici ni là-bas.

« *L'identité que nous avions* », demandai-je, « *n'a semble-t-il pas autant d'importance que ce que nous étions, pas vrai?* »

C'est exact. Qui vous êtes est le puzzle que vous reconstituez dans votre vie. Vous façonnez cette personne durant votre vie. Vous voulez que votre esprit ressemble plus à celui de Dieu. Vous voulez œuvrer dans la lumière de l'Esprit, vivre dans cet Esprit, stimuler votre âme à devenir plus divine. Jésus en a parlé.

Si je pouvais, à l'instant même, demander à Jésus quel est le plus grand commandement, dirait-il toujours : « Tu aimeras le Seigneur ton Dieu de tout ton cœur, de toute ton âme et de toute ta pensée? » Et dirait-il encore : « Le second lui est semblable; tu aimeras ton prochain comme toi-même? » (Matthieu 22:37-39)

Voici ce que Jésus a dit : L'amour est la plus grande manifestation de Dieu. La croissance de l'esprit se manifeste par l'amour que vous portez à vos semblables.

« *Est-ce la même chose que de faire de bonnes actions?* » demandai-je.

Les bonnes actions en font bien sûr partie. Mais l'amour est plus grand que les bonnes actions. L'amour ouvre votre cœur à l'autre. L'amour rend votre développement complet. L'amour vous amène près de Dieu. Soyez ouverts à Dieu dans l'amour, et Il vous guidera vers les bonnes actions à accomplir. Vous ne pouvez susciter l'amour en faisant de bonnes actions. Vous ne pouvez pas obliger Dieu à venir en votre cœur. Vous ne pouvez forcer la croissance spirituelle. Vos tentatives se solderont par des échecs. Vous obtenez un goût amer parce que vous mettez du sel au lieu de l'amour dans ce travail. Telle est la vérité du canal ouvert. C'est la vérité de Jésus.

Je fis remarquer que l'idée de s'abandonner et de laisser agir Dieu devait être une bonne vérité à garder à l'esprit.

Cela est exact. Le rôle du canal ouvert est de permettre à Dieu d'œuvrer à travers vous. Il vous faut concentrer votre attention sur le canal ouvert pour parvenir à faire le vide de façon contrôlée. Faites le vide avant de vous emplir pour être au meilleur de vous-même.

Je demandai si "faire le vide" était la même chose que "méditer", et la Fraternité reconnut que les deux étaient identiques.

Faites le vide en vous et puis laissez Dieu œuvrer en vous.

L'amour, tel que mon interlocuteur et Jésus le décrivent, n'avait pas été chose facile à pratiquer. J'expliquai que je trouvais difficile d'aimer certaines personnes de cette manière ouverte et totalement dénuée d'égoïsme. Je m'attendais à une réponse peu compatissante, mais voici ce que je reçus.

Voici comment vous y prendre à ce sujet : Soyez ouverts aux besoins des autres. Soyez ouverts à eux dans leur croissance. Soyez ouverts à eux dans leur recherche de la vérité. Mais ne vous ouvrez qu'à l'égard de ces seules questions – n'entrez pas dans les questions personnelles. Videz-vous de la colère et de l'amertume. Elles font obstruction à l'ouverture du canal, empêchant ainsi la Fraternité de venir à vous pour vous apporter de l'aide.

Des messages plus récents clarifient encore mieux ce qu'ils entendent par démontrer et manifester de l'amour l'un pour l'autre.

Ce type d'amour est un amour d'agape – un amour qui

nous aide mutuellement, pas un amour qui entoure un être de notre affection. Cet amour d'agape est un amour attentionné qui nous unit comme dans les liens de la fraternité. Ce n'est pas l'amour entre l'homme et la femme, ni celui d'un parent envers son enfant. C'est l'amour que Dieu nous offre en ce monde – la venue de Son aimable esprit chaleureux en votre esprit. C'est la vérité. La seule raison pour laquelle vous venez à nous est de vous ouvrir à recevoir des dons tels que "l'amour" de Dieu.

Je cherchai le mot "agape" dans mon dictionnaire. La définition se lit : "Amour divin, amour de Dieu envers l'homme."

Les tragédies survenant au sein de notre communauté, ou même dans notre propre famille, nous font souffrir et soulèvent beaucoup de questions en nous. Pourquoi fallait-il que cette personne innocente meure? Pourquoi cette jeune personne s'est-elle suicidée? Je fis part à mon conseiller du chagrin que j'éprouvais après une tragédie survenue dans notre petite communauté.

Ces événements nous ouvrent à la vérité. Ils nous incitent à chercher les réponses que Dieu détient. En vous ouvrant immédiatement à cette recherche, les problèmes trouveront des réponses et seront résolus. Mais si vous persistez avec les questions, les problèmes perdureront indéfiniment.

Les esprits avancés de la Fraternité de Dieu insistent sur le fait que l'épanouissement de notre âme est la réponse aux questions de la vie. Plus nous évoluons, plus notre compréhension des choses s'élargit. Plus notre perspective s'élargit, moins nous nous tourmentons à propos de l'injustice de la vie.

« *Si une personne n'a pas foi en Jésus-Christ ou en la religion chrétienne* », demandai-je à ma source, « *pourrait-elle croire en vous?* »

Cela dépend de la merveilleuse croissance spirituelle de cette personne. La croissance spirituelle des gens se fait de différentes façons, pas seulement selon les méthodes chrétiennes. Pas seulement selon l'Islam ou toute autre religion. Les gens se développent parce que telle est leur intention lorsqu'ils naissent en cette vie. Il se peut qu'ils oublient tout de Dieu, mais leur croissance intérieure est imprégnée de Son Esprit. Ils peuvent l'appeler humanisme ou ils peuvent l'appeler personnalité; mais peu importe le nom qu'ils lui donnent, cet esprit est de Dieu.

Chercher à devenir la personne que vous voulez être peut représenter un objectif intéressant, mais sa réalisation demande manifestement du temps et de la réflexion. Ma source l'exprime de cette façon.

Soyez ouverts au sujet de la puissance bienveillante se trouvant à votre disposition sur ce plan. La puissance est ici et elle vous est ouverte. Entrez dans la merveilleuse Fraternité de Dieu qui a tant à vous donner. Ouvrez votre esprit au merveilleux, au grand canal ouvert qui vous procure toute cette puissance pour votre croissance.

• • • • • • •

Stimulateurs de pensée

1. La réincarnation est le plan de Dieu pour notre croissance. Quel but poursuivons-nous en vivant cette succession de vies?

2. Soyez ouverts à Dieu dans l'amour et Il vous guidera. Tandis que par notre croissance nous devenons peu à peu la personne que nous voulons être, comment pouvons-nous aujourd'hui appliquer le principe de l'amour d'agape dans notre vie?

Travail intérieur : *Nous parvenons à une meilleure maîtrise de l'énergie de Dieu grâce à la vérité que nous apprenons dans chaque vie. Apprendre notre vérité à partir de l'expérience de cette vie est la mise en œuvre de notre plan de croissance. Demandez à la Fraternité de vous aider à discerner, raffiner et utiliser votre plan.*

Considérations sur
le Dieu de l'univers

4

Comment élargir notre conception de Dieu en enlevant toutes les limitations auxquelles nous adhérons maintenant – même celles données par les Églises, celles données par les interprètes de la Bible et celles présentées par les évangélistes.

Quand j'étais enfant et disais le mot "Dieu", je visualisais un grand homme avec une barbe et des cheveux blancs, un homme aux yeux bienveillants, un homme qui tendait les bras pour m'embrasser. En grandissant cette image s'estompa, mais elle ne disparut jamais complètement.

Un jour glacial de février, alors que la glace et la neige me confinaient à la maison, un messager de la Fraternité commença à m'instruire au sujet de Dieu. Sur ce, mon image enfantine d'un vieil homme plein de bonté fut balayée comme de la poussière!

Personne ne connaît le Dieu qui est au centre de l'univers. Il est le Dieu qui nous apporte l'ordre. Il est le Dieu qui nous apporte la connaissance. Mais on ne Le connaît pas. Le Dieu qui vous aime est connu. Ils sont un seul et même être, oui. Mais c'est une question de compréhension. Nous devons être en mesure de comprendre ce Dieu d'ordre et de connaissance pour Le connaître. Dieu est beaucoup plus que ce que même Jésus nous a expliqué, car Jésus ne fut envoyé que dans un seul but : montrer aux gens les dons d'amour et de guidance de Dieu, Sa miséricorde ainsi que la Fraternité des Croyants. Jésus n'a pas été envoyé pour parler et enseigner au sujet de l'univers. Les gens n'étaient pas prêts pour le message du Dieu universel. Ils n'étaient prêts que pour le message de leur Dieu unique tel qu'ils le concevaient.

Je demandai si nous étions maintenant prêts – en cette dernière partie du vingtième siècle – à comprendre le Dieu universel. Le temps en est venu, car Dieu est le planificateur et l'opérateur de l'organisation universelle. Développez votre compréhension de ces deux mondes travaillant ensemble, et vous comprendrez Dieu en tant que Dieu de l'univers.

Pour comprendre la signification du Dieu de l'univers, les gens doivent élargir leurs concepts de Dieu. Le Dieu qui les aime est un concept. Le Dieu de puissance est un autre concept. La vérité qui émerge lorsqu'on s'efforce de comprendre ce concept plus avancé vaut la peine d'être recherchée.

Ce concept d'un Dieu de puissance est celui que les gens veulent dans leur vie. La puissance doit être utilisée pour les nobles desseins de Dieu – pas au niveau personnel. Pour manifester la pure énergie de Dieu, on doit savoir à quoi elle sert – donner de bons talents pour accroître la valeur de nos êtres, pour stimuler notre croissance, pour affirmer la pure vérité intelligente du moi Divin.

Utiliser la puissance de Dieu de cette manière, c'est l'utiliser correctement. La puissance ne se tarira jamais, elle ne laissera jamais place au vide. Mais le principe doit toujours être appliqué. Cette puissance est la plus grande source existante pour créer les choses extérieures dont nos corps ont besoin pour vivre en paix, et il en est de même pour créer les choses intérieures dont nous avons besoin pour développer notre plein potentiel. Cette puissance vient de Dieu qui est Principe Lui-même. Il y a cet aspect de Dieu – le principe de puissance ou le Dieu de l'univers. Ce Dieu a de nombreux concepts à nous donner, de nombreuses choses à offrir à notre esprit. Ceux et celles qui ouvrent leur esprit à ce concept Divin de la présence universelle parviendront à la vérité du moi Divin plus rapidement que ceux et celles qui nient que Dieu soit la présence universelle.

Comprendre le Dieu de l'univers n'est pas chose facile. Néanmoins, les membres de la Fraternité estiment qu'il est important pour les gens sur ce plan d'ouvrir leur esprit à l'ultime croissance – l'unité avec le Dieu de l'univers. Voici un autre exposé portant sur le sujet :

Dieu est au centre de cet univers. Dieu est la puissance, le ciment qui tient tout cela ensemble. Dieu est le bien que font les hommes. Dieu est le bien que vous faites. Mais Il est aussi Celui dont les paroles arrivent à travers ce canal ouvert, le Dieu qui appartient à tous, Celui qui devient votre mentor. Dieu est tout ce qui est bon, pur et grand. Les meilleures de ces entités avancées comptent parmi ses aides. Nous tâchons de ne former qu'un avec Lui dans notre travail ici. Nous devenons Son prolongement en esprit et en puissance afin de pouvoir accomplir Son travail sur votre plan. Dieu est puissance. Dieu est bonté. Dieu est esprit. Dieu est réel. La réalité est esprit.

Soyez un avec Dieu dans votre cœur. Dieu Le Père est un avec vous. Tout comme Jésus, vous êtes appelés à être le Christ sur votre plan d'existence. Vous êtes le Christ en action. Pensez à cela.

Mon correspondant parla ensuite au nom de la Fraternité elle-même.

Dieu est également notre Père. Il maintient notre bien dans Sa pensée. Il maintient notre pureté en Son cœur. Nous Lui appartenons parce que nous, de ce plan, Le trouvons irrésistible. Nous voulons appartenir à cette bonne puissance parce qu'en elle nous trouvons une grande joie et parvenons à une grande croissance.

Essayant de comparer ce concept à quelque chose d'autre que je comprenais déjà, je comparai Dieu, Jésus et la Fraternité à une structure d'entreprise que j'appelai une "hiérarchie du ciel".

Hiérarchie n'est pas le terme juste. L'idée d'une organisation corporative ne convient pas du tout. Le Dieu de l'univers n'est pas le directeur d'une compagnie. Nous ne sommes pas des ouvriers dans une machine de dévelop-pement. Sur ce plan, nous ne travaillons pas sur la base d'une idée de profit. Comprenez-nous bien à ce sujet. Nous nous ouvrons à Dieu, devenant Ses bonnes personnes, pas de bonnes gens qui reçoivent une récompense matérielle pour leur travail. La croissance ici n'est pas synonyme de profit. La croissance est l'esprit de Dieu, du Bien, de la Perfection, nous apportant plus de bien dans notre vie que jamais nous ne pourrions le visualiser.

Cette réponse vint avec une énergie vigoureuse et rapide. Ma pensée avait prise une mauvaise direction; ce Frère rectifia promptement mes idées fausses. Tel un bon professeur, mon correspondant s'appliqua à m'enseigner ce que Dieu EST.

Nous, de la Fraternité, comprenons que Dieu est la suprême loi spirituelle. Il est Celui qui nous initie au bien que nous tâchons de faire. Jésus travaille avec nous en tant que canal ouvert à travers lequel nous voyons Dieu Lui-même.

Ma conception de Dieu continuera à évoluer tout comme la vôtre si vous demandez conseil aux esprits avancés, car telle est leur promesse :

La Fraternité vous aide à accepter la conception de Dieu que nous cherchons à vous enseigner. Comprenez que nous ne pouvons vous expliquer une bonne part de la nature de Dieu parce que vous ne placez pas entièrement votre être entre Ses mains. Vous retenez une partie de vous-même, n'est-ce pas? Vous allez souvent vers Dieu, mais il y a beaucoup de choses que vous retenez. Le fait de vous retenir vous empêche de comprendre Dieu de la manière dont vous demandez à Le comprendre.

Je demandai des éclaircissements au sujet de la prière adressée à Dieu par l'entremise de Jésus et des Saints.

Ces gens ont besoin d'images pour les aider à visualiser Dieu. Ils ouvrent, en fait, leur esprit à l'idée que Dieu EST, mais ils vont rarement loin dans leur croissance spirituelle parce qu'ils croient en un concept limité de Dieu qui, à son tour, les limite. Croyez au Dieu omniprésent et omnipotent et ouvrez votre esprit à ce plan pour favoriser votre crois-sance. La Fraternité de Dieu sera là pour vous. Nous n'avons pas de statue, ni d'image ou de présence tangible sur le plan terrestre, mais nous nous ouvrons à Dieu à travers Jésus-Christ et nous pouvons vous aider à en faire tout autant. *Un autre jour, ma source accrut un peu plus encore ma compréhension de Dieu.*

Donnez-vous complètement à Dieu en Lui disant que c'est ce que vous faites. Le Lui dire a pour effet de vous placer entre nos mains afin de vous permettre de tenir la promesse que vous avez faite d'être un avec Lui. Faites de Dieu votre centre et Il vous maintiendra sur la voie. Ainsi pourrez-vous devenir complet. Vous devenez l'esprit vivant de la paix de Dieu.

« Au lieu de demander des choses », m'enquis-je, *« devrais-je consacrer mon énergie à apprendre à lâcher prise à l'égard de mon propre ego et avoir confiance que Dieu me donnera ce qui est bien? »* Avec enthousiasme, la réponse fut :

Cela est tout à fait exact!

Je demandai si les évangélistes avaient raison d'affirmer que nous devions laisser tomber complètement nos désirs égoïstes pour laisser Dieu prendre les commandes.

Ce message est correct dans la mesure où il correspond à vos croyances au sujet de Dieu. Si Dieu est le reflet de vos propres pensées, alors vous vous en remettez à un concept limité de Dieu. Mais si vous vous en remettez totalement à Dieu, quel qu'Il soit, et comptez sur la Fraternité pour vous aider, alors vous progresserez au delà des pensées limitatives que vous entretenez à propos de Dieu.

On m'a enseigné que la Bible était divinement inspirée. Toutefois, j'y trouve des passages qui semblent contredire l'idée d'un Dieu entièrement BON. Je déclarai à mon instructeur/conseiller que je ne pouvais pas adorer un Dieu qui est toute BONTÉ mais qui en même temps répand la peste, la famine et d'autres maux sur les gens en punition de leurs péchés.

Ces passages de la Bible que vous trouvez contradictoires ont été écrits par les humains, et non par Dieu. Les gens s'incarnent en croyant que Dieu doit être à leur niveau d'être. Par conséquent, Dieu est bon de la même manière qu'ils sont bons sur Terre, et Il est sujet à des accès de colère tout comme ils sont eux-mêmes enclins à avoir des accès de colère. Ils ont décrit un Dieu qu'ils pouvaient comprendre d'après ce qu'ils voulaient qu'Il soit. C'est pourquoi ces passages que vous lisez dans la Bible parlent d'un Dieu qui punit de si terrible façon. En ces temps-là, la peste était réelle. Il fallait y trouver une explication. Mais ils n'étaient pas suffisamment éclairés pour comprendre Dieu.

D'ailleurs, les gens aujourd'hui ne comprennent pas non plus qui est Dieu. Ils Lui reprochent les choses terribles qui leur arrivent. Ils ne voient pas qu'ils se servent de Dieu pour expliquer leurs sentiments et les événements de leur vie. Dieu n'apporte ni la maladie ni rien d'autre qui soit source de souffrances pour nous. Il est toute BONTÉ. Mais sur votre plan, la maladie et le mal existent. Les gens attribuent ces choses négatives à Dieu afin de se les expliquer à eux-mêmes. En leur for intérieur, ils savent que Dieu est leur réalité, mais ils ont perdu le sens profond de ce qu'est Dieu.

« *La Bible est-elle mon meilleur guide pour vivre?* » demandai-je.

Cette Bible est un guide pour vivre. Elle est inspirée de source divine. Ceux qui l'ont écrite ont cru sincèrement que Dieu était l'ultime réalité. Mais votre vie à vous n'est pas le propos de la Bible. La Bible vous donne la progression de la pensée sur Dieu. Il n'y a aucun moyen de la présenter sauf à travers la vie des gens. Par conséquent, vous y découvrez en la lisant comment Noé, Moïse et les autres se sont ouverts aux instructions de Dieu pour la conduite de leur vie. Ils étaient des gens extraordinaires, mais ils ne sont pas vous.

Je demandai comment je pouvais le mieux me servir de la Bible pour enrichir ma propre vie, et mon instructeur me dit que je devais la lire en gardant à l'esprit les explications qu'ils m'avaient données. Je lui demandai de commenter le Nouveau Testament.

Ces histoires vous montrent une fois de plus le gigantesque bond en avant qu'ont fait les gens lorsqu'arriva le message de Jésus. Cela démontre aussi que, malgré ces grands bonds en avant, les gens n'abandonnaient qu'à contrecœur les anciens concepts. C'est pourquoi ils devaient nommer Jésus "Dieu", ou alors se référer à lui comme étant le Fils unique de Dieu. Les gens ne pouvaient concevoir être eux-mêmes capables d'atteindre la perfection incarnée par Jésus. Ils ne pouvaient regarder la fenêtre (Jésus) et voir Dieu au delà. Ils ont peint la fenêtre avec leurs propres couleurs afin de ne pas voir au travers. Et ils dirent : « Regardez, cette fenêtre-là est vraiment Dieu. »

L'interlocuteur de la Fraternité précisa clairement que même si la Bible est une source d'inspiration, je devais trouver mon propre chemin vers l'unité avec Dieu. Je leur demandai de commenter cette idée.

Dieu a effectivement un chemin pour vous. Mais ce chemin n'est pas le seul choix possible pour vous, et vous devenez votre propre guide. Mais vous avez besoin d'aide en chemin du fait des problèmes de la vie et de vos besoins. Nous sommes cette aide, cette ouverture qui vous mène à Dieu. Nous sommes ici pour être votre conseiller, votre aide, votre force lorsque nécessaire. Soyez réceptive à la Fraternité et nous nous ouvrirons à vous. Mais nous ne pouvons agir à moins que vous n'ayez conscience de l'aide que nous avons pour vous sur ce plan. La conscience est la clé qui déverrouille la cloison qui nous sépare.

La conscience dont ceux de la Fraternité nous parlent est le moyen qui n'a rien de secret pour nous ouvrir à tout ce que le Dieu de l'univers a à nous offrir.

Si vous pensez au bien dont vous avez besoin, comme l'amour, la compréhension ou l'obtention d'un grand pouvoir, alors ceux-ci vous seront transmis par notre intermédiaire. Ces dons de Dieu sont en réserve ici pour être utilisés selon vos besoins. Le principe ou la loi de Dieu veut que vous receviez ce que vous pouvez concevoir en votre esprit. Le Dieu de puissance, le Dieu de l'univers – ces concepts font jaillir des dons dans votre vie.

• • • • • •

Stimulateurs de pensée

1. Nous connaissons le Dieu de l'univers en élargissant nos concepts et notre compréhension. Vos concepts se sont déjà élargis. Quelles sont les connaissances récentes que vous avez acquises au sujet de Dieu?

2. La Fraternité aida Jésus au cours de sa vie, et Jésus a envoyé la Fraternité pour nous aider nous aussi. De quelles façons vous êtes-vous ouvert à leur guidance dans la recherche de votre propre chemin vers l'unité avec Dieu?

Travail intérieur : *Le principe ou la loi de Dieu veut que nous recevions le bien que nous pouvons concevoir en notre esprit. Le Dieu de puissance, le Dieu de l'univers – ces concepts engendrent ce bien dans notre vie. En vous servant de votre imagination comme outil, "voyez" un bien particulier que vous désirez dans votre vie. Ouvrez-vous à l'aide de la Fraternité pour recevoir ce bien de Dieu.*

En marche vers
l'éclatant soleil de Dieu

5

L'expérience de croissance personnelle de l'auteure qui fut inspirée par les conseils de la Fraternité est ici racontée en détail. Sa conception de Jésus a changé; sa croyance en la réincarnation fut renforcée et des révélations à propos d'amis "morts" lui furent données.

« *Il est maintenant important d'être prêt à marcher vers l'éclatant soleil de Dieu* », écrivit mon instructeur de l'autre plan de vie. Je retirai mes doigts du clavier de la machine à écrire et relus le message. Quelle belle métaphore! Et tellement bien à propos à ce stade de mes conversations avec la Fraternité de Dieu.

Quand j'ai commencé à expérimenter ce que j'ai initialement appelé l'écriture automatique – l'écriture qui vient à travers moi mais qui n'est pas de moi – je n'avais aucune idée de ce qui pourrait se passer, si tant est que quelque chose se produise. Toutefois, après avoir lu des livres de métaphysique écrits par plusieurs auteurs réputés, je savais que j'allais moi-même devoir faire l'essai de cette activité. Dans le chapitre deux, j'ai expliqué en détail de quelle façon j'ai commencé et ce qui arriva au cours de cette expérience.

Rencontrer le Conseiller, celui promis par Jésus, d'une manière aussi concrète changea irrévocablement ma vie. Le Jésus que je connaissais avant ma rencontre avec le Conseiller/la Fraternité, était mystique et parfait au delà de toute imitation. Le Jésus qui m'était familier était venu sur terre avec des pouvoirs que les gens ordinaires ne pouvaient s'attendre à posséder. Le Jésus que je connais maintenant est une âme avancée, douée d'un grand sens pratique, *qui devint sur terre ce que nous sommes tous censés devenir un jour : Un avec Dieu.*

Je vois maintenant Jésus comme celui qui a ouvert toutes grandes les portes du ciel, pour ainsi dire, afin que nous puissions réaliser nos objectifs ici sur terre. Il nous a invités à nous servir du Conseiller promis, de la Fraternité de Dieu, qui agit comme un canal ouvert entre nous et Dieu et entre Dieu et nous. La communication se fait dans les deux sens.

J'écrivis ce chapitre une première fois et quand j'eus terminé, je demandai à quelqu'un de la Fraternité de le commenter.

Vous avez besoin d'en dire plus sur la merveilleuse bonté de Dieu. La croissance est la bonne vérité. La croissance est le plan divin sur lequel Dieu veut insister. Consacrez-y plus de temps. La Fraternité apporte aux gens une aide quant à la façon de vivre avec dévotion. Dans le récit de ce qui vous est arrivé, vous passez cette aide sous silence. Consacrez-vous à ce travail maintenant.

Je relus le chapitre. Le commentaire critique était juste. Emportée par la ferveur journalistique, j'avais écris des pages sur mes conversations avec l'être en communication avec moi. J'avais forgé une personnalité à l'enseignant. Mais j'étais passée complètement à côté du propos central du chapitre – expliquer comment la Fraternité de Dieu, qui joue le rôle du Conseiller, m'aide à me développer spirituellement.

Quand ce corps prit sa première respiration, l'âme qui y entra avait déjà vécu maintes existences. La réincarnation est logique pour moi parce que je vois maintenant en elle la marque du plan divin. Lorsque je rencontre un enfant ayant des lésions cérébrales ou un handicap physique, ou qui est abandonné ou maltraité, je sais que cette existence-là n'est pas la seule que cet enfant aura. Ce que l'enfant apprend de cette expérience constitue toutefois le point essentiel. C'est également le point central de ma vie. La réincarnation nous assure que tout notre développement, tout notre bonheur et toute notre joie ne dépendent pas que de cette seule existence. Nous revenons à maintes et maintes reprises jusqu'à ce que nous devenions des âmes matures n'ayant plus jamais besoin de revenir ainsi pour apprendre les leçons de la vie.

Mon interlocuteur l'exprime ainsi :

Dieu a conçu cette excellente méthode *(la réincarnation)* afin que les âmes puissent avoir à maintes et maintes reprises la possibilité d'être par leur croissance ce qu'elles sont destinées à devenir – leur plein potentiel. Pour comprendre la réincarnation, il faut donner à l'idée de croissance toute la considération qu'elle mérite. La croissance est le but de la vie. Uniquement la croissance. La croissance est l'esprit qui entre en relation avec Dieu qui vide cette âme de tout ego et l'emplit de vie divine. La réincarnation est la voie; l'évolution est le but. La réincarnation fait emprunter à l'âme le long chemin à suivre pour parvenir à la vérité, mais c'est le seul plan qui marche. Une vie après l'autre, la croissance suit son cours.

Le temps entre deux existences est passé ici sur ce plan où chaque âme contemple sa dernière vie et planifie ce qu'elle doit faire pour continuer à se développer. Puis, au moment où l'âme s'en va une fois de plus, elle dispose d'un plan à mener à bonne fin. C'est ainsi que ça se passe.

Quant aux âmes qui ne se développent pas, elles passent d'une existence à l'autre, sans savoir qui elles sont ni même pourquoi d'ailleurs elles viennent sur terre. Beaucoup d'entre elles renoncent à tout espoir durant la vie, se plaignent sans arrêt, deviennent des criminels endurcis ou se suicident. Elles se proposent de ne rien accomplir durant leur vie parce qu'elles sont venues sans aucun plan. Elles errent sur le plan terrestre, perdues dans leur propre vide intérieur.

Mon guide m'assure que ma véritable demeure est sur l'autre plan et que j'y ai une famille qui éprouve une grande sollicitude à mon égard. Bien que je ne me souvienne de rien concernant une telle vie, on ne cesse de m'assurer qu'à mon départ du plan terrestre (à ma mort), mes retrouvailles avec les êtres qui m'y attendent seront pour moi une grande réjouissance. Cette existence est temporaire; ma vraie vie est sur l'autre plan. Je crois ceci à mon sujet, car ma vie prend une plus grande signification selon cette perspective qu'elle ne le faisait lorsque je croyais que seules mes relations terrestres me permettaient d'avoir une famille qui m'aime et de vrais amis.

Non seulement la réincarnation me donne-t-elle une meilleure perspective sur ma propre vie, mais elle m'aide aussi à accepter les tragédies de la vie en gardant une conviction en la justice et la bonté divines. Lorsqu'une personne meurt dans un accident, à cause d'un meurtre ou de sa propre main, je sais que l'âme continue à vivre. Je sais que cette âme est accueillie chaleureusement par ceux dont l'amour est éternel. Je sais que le plan de Dieu permettra à cette âme de faire à nouveau l'expérience de la vie. Il en est de même pour les êtres que j'aime – mes amis et ma famille. Quand ils meurent, j'éprouve du chagrin, oh oui! Mais le chagrin s'estompe et est remplacé par l'acceptation du plan de Dieu.

Je reçus un jour un cadeau de la Fraternité.

Aujourd'hui est un jour pas comme les autres. Vous pouvez poser des questions à celles et ceux qui sont déjà partis. Aujourd'hui, vous pouvez aller vers eux. Aujourd'hui, vous pouvez être celle qui pose les questions.

J'étais ravie, mais manquais de préparation. Plus tard, j'ai regretté de ne pas avoir eu plus de noms sur ma liste. Je m'informai d'abord d'un homme de notre communauté qui avait eu une vie bien remplie et qui était mort passé l'âge de soixante-dix ans.

C'est le meilleur que nous ayons en ce qui concerne la croissance. Il a choisi un plan dont il voulait faire la démonstration au cours de sa dernière vie et il y est parvenu. Il est celui qui, à partir d'ici, s'en va pour aider les autres et il aide sa femme par sa présence *(sur le plan terrestre)*. Le trait marquant de son développement est d'être né pour s'ouvrir aux autres sur les deux plans.

Je demandai si cet homme avait choisi d'être noir dans sa dernière vie.

Cela est juste. C'est bien ce qu'il avait choisi. Il est maintenant le canal ouvert pour de nombreuses personnes noires. Sur ce plan, il n'y a pas de noirs, de blancs, de jaunes ou d'autres races. Nous sommes tous des esprits ici.

Je m'informai au sujet d'un jeune homme décédé il y a quelques années alors qu'il n'avait que vingt ans. J'appris qu'en dépit d'une mort prématurée, il avait réalisé une grande croissance spirituelle durant son existence.

Il n'est pas la même personne que vous avez connue sur le plan terrestre. Il est maintenant plus mûr.

Bien entendu, je me renseignai sur les membres de notre famille. Imaginez ma surprise d'apprendre que mon beau-père était revenu vivre sur terre il y a dix ans. Ma belle-mère, m'a-t-on dit, est très affairée à porter assistance à d'autres personnes, les aidant à être conscients de l'aide de la Fraternité. Elle se trouve avec notre fille, qui est en Italie, et aide sa petite-fille à se développer tout en contribuant ainsi à sa propre croissance.

Je demandai des informations au sujet d'un homme avec qui mon mari et moi-même avions été en relation pendant de nombreuses années, un homme qui travaillait à Washington, la capitale américaine.

Voilà qui est très intéressant. Don *(nom fictif)* a beaucoup à offrir. Il est le canal ouvert avec le gouvernement ici. Il active le canal ouvert de telle sorte que les officiels se servent de celui-ci plutôt que de rester cantonnés dans leur propre compréhension. Je vous ai dit que cela était intéressant. Il illustre d'excellente façon comment on peut avoir recours à la croissance spirituelle pour devenir la personne qu'il veut être – utile à ses semblables. Voici ce qu'il fait : il est le canal ouvert avec le gouvernement. Il s'occupe de sa femme, Anne *(nom fictif)*. Ses intérêts à elle le concernent et il est chaque jour à ses côtés pour l'aider à avoir recours au canal ouvert.

Le canal ouvert, souvenez-vous, est le Christ en nous tous. La Fraternité a expliqué comment cela fonctionne.

Don devient le canal ouvert en laissant le Christ en lui se fondre avec le Christ en ses semblables. Alors le canal se forme.

Oui, la croissance spirituelle est le but de la vie, ici et sur l'autre plan. Lorsque toute confusion à cet égard s'est dissipée en notre esprit, me disent ces âmes avancées, notre vie suit alors le chemin nous menant à la réalisation de notre plein potentiel – notre unité avec Dieu.

J'espère que la mention de mon intérêt pour nos amis les chiens ne semblera pas frivole. Mon mari et moi-même avons toujours eu un ou deux chiens dans notre demeure. Je demandai s'il y avait une survivance de l'énergie qui était notre chien.

C'est la loi pour les animaux. Ils placent la croissance de leur esprit entre les mains de Dieu. Ils ouvrent leurs yeux à ce qui est bien, ou alors ils les ouvrent à ce qui est mal. Ils doivent alors devenir de nouvelles créatures qui se consacrent à leur développement, tout comme les gens le font. Mais ils seront toujours des animaux. Ce ne sont pas des êtres humains, mais ils possèdent en eux le don de l'esprit créatif de Dieu.

Le plan de Dieu pour stimuler la croissance est parfait. Il est vrai que la vie nous met face à de nombreux défis pour nous aider à évoluer, et aucun ne saurait être plus grand que celui engendré par les conflits entre les gens. Une relation dans ma vie a toujours défié mes efforts ardents à faire de celle-ci une bonne relation. Je demandai des éclaircissements à ce sujet.

Cette autre personne et vous-même devenez l'illustration de la vérité d'or de la loi selon laquelle des gens ne peuvent se rapprocher à moins de placer leur relation entre les mains de Dieu. Seul Dieu peut la rendre harmonieuse. Vous vouliez tout faire vous-même, raccommoder la relation, la rendre agréable. La loi dit que seul Dieu peut faire cela.

Au début, je ne pouvais accepter l'idée que j'avais tenté toute seule d'améliorer cette relation. N'avais-je pas fait des prières à ce sujet? N'avais-je pas essayé d'accomplir mon devoir de chrétienne à l'égard de cette autre personne? Mais la vérité sait comment ouvrir notre regard intérieur. J'avais en effet joué dans cette relation le rôle de la personne noble qui se sacrifie. Pourquoi m'étais-je liée de si près à cette personne alors que nous ne nous entendions pas bien ensemble? Je n'avais pas su attendre d'être guidée par Dieu. J'avais suivi laborieusement ce que la société, mon Église et mon ego me dictaient de faire.

Je suis en train d'apprendre à moins chercher à trop prendre les devants dans mes relations avec les autres – avec la famille et les amis aussi. Je vais laisser mon plan de vie suivre son cours, sachant que mon seul objectif ici est la croissance. Ma vie se met en place naturellement – amour, prospérité, satisfaction – lorsque je m'en remets au plan de Dieu et à l'aide de la Fraternité.

Dans le même ordre d'idées, on m'avait mise en garde de ne pas trop chercher à m'investir dans les chagrins personnels des autres.

« *Vous êtes responsable de vous-même* », *me répéta à maintes reprises mon instructeur/conseiller.*

Soyez une bonne amie, mais ne vous impliquez pas personnellement dans leurs problèmes. Encouragez-les à se tourner vers la Fraternité pour recevoir de l'aide.

Je m'informai d'une amie plus âgée atteinte d'un cancer.

Ce n'est pas votre problème. L'heure de son passage dans l'autre vie est arrivée et elle est entourée de beaucoup d'amour. Adoptez envers elle une comportement empreint de joie et d'entrain.

Inquiète à propos d'une autre amie, je demandai comment était sa santé.

Ce n'est pas votre affaire. C'est le sien. Ne vous souciez pas des choses d'ordre personnel. Soyez là comme une amie en toutes circonstances, mais ne laissez pas ses soucis devenir les vôtres.

Une autre fois, je demandai des éclaircissements au sujet de la prière destinée aux autres – particulièrement en ce qui touche les personnes malades. On me dit qu'il me fallait d'abord être réceptive à la force de Dieu qui me guérit et qu'ensuite je pouvais inclure les autres dans cette force de guérison.

Guérir les autres est l'affaire des âmes avancées. La meilleure idée est de faire appel à nous pour travailler avec la personne qui est malade.

*Et ceci m'amène au sujet de nos prières pour les autres. J'ai appris dans les Églises que j'ai fréquentées qu'il était de mon devoir et de ma responsabilité de prier pour les autres. Parfois les gens étaient aidés, et parfois ils ne l'étaient pas. Je devais croire que Dieu répondait à ma prière par un "oui" ou par un "non", mais qu'Il répondait toujours. J'ai accepté pour la forme cette explication pendant de nombreuses années, mais elle ne m'a jamais parue satisfaisante. Jésus a guéri **toute personne** qui le lui demandait. Il a toujours réussi **si** la personne lui demandant de l'aide croyait la* *guérison possible. Je demandai à mes amis de la Fraternité de plus amples explications .*

Le type de guérison pratiqué par Jésus n'a pas son équivalent sur le plan terrestre aujourd'hui. Jésus était une âme avancée. Il essaya d'apprendre à ses disciples à faire la même forme de guérison, et ils s'étonnèrent de ne pouvoir toujours réussir comme le faisait Jésus. Ils pensaient qu'il suffisait de demander à Dieu de guérir et que c'était la seule chose à faire, mais de fait, il y a plus. La vérité est que Jésus dispensait la force divine qui pénétrait dans son propre corps. La force divine que Jésus avait venait à lui parce qu'il pouvait la penser, la créer, parce qu'il devenait cette force. Même si les disciples se demandaient comment cela pouvait se faire, ils ne disposaient pas de la pensée, de l'énergie permettant de l'exprimer en eux autant que Jésus le faisait. Toutefois, ils accomplirent maints prodiges tout comme le font les gens aujourd'hui. La force divine peut devenir une réalité en vous aussi, si vous arrivez à comprendre qu'une pensée est une chose tangible. Mais si vous n'arrivez pas à penser avec ce degré de conviction, alors il vous est impossible de guérir ou de surmonter aucun obstacle sur le plan terrestre.

La vérité sur la guérison commence par vous. Guérissez-vous d'abord vous-même. Puis guérissez les autres. Soyez vous-même un avec Dieu, ensuite aidez les autres à devenir un avec Dieu. Telle est la loi gouvernant la croissance.

Maintenant je comprends pourquoi j'ai été si souvent déçue à la suite de mes prières pour les autres. Donner dans ma vie la priorité à ma relation avec Dieu n'est pas un acte égoïste. C'est un acte nécessaire pour devenir la personne guidée par Dieu qui pourra ensuite aider les autres.

Le but de la prière sur votre plan est de vous amener dans cette relation en tête-à-tête avec Dieu. Faire le vide en vous a pour but de permettre à Dieu de vous combler. Faites confiance en cela au plan divin. La prière dans votre monde n'est pas faite pour amener les autres à Dieu.

Tout compte fait, je ne peux me libérer de mes soucis à l'égard des autres sans leur consacrer une partie de mon attention. Mon sentiment profond est que je devrais, au nom de ceux que j'aime, *enfoncer comme un ouragan les portes du ciel. J'ai ce passionné désir de les aider à surmonter leurs problèmes, de les guérir, de leur apporter la réussite et le bonheur. Que puis-je faire de ce profond désir de corriger ce qui ne va pas dans leur vie?*

Heureusement, il y a un moyen. J'avais une grande inquiétude pour la fille d'une amie. Mon amie était très tourmentée.

La Fraternité répondra à toutes les inquiétudes que vous exprimez. Vous voulez de l'aide pour Anita *(prénom fictif)*; nous irons l'aider. Son schéma de croissance mettra du temps à donner des résultats, mais nous serons là avec elle. C'est ainsi que cela fonctionne.

Une autre de mes amies qui semblait proche de la mort me préoccupait beaucoup.

La vérité à son sujet est qu'elle va franchir aujourd'hui la frontière entre les deux plans. Le canal ouvert est en train d'agir pour elle en ce moment. Son heure est venue; sa croissance sur le plan terrestre est arrivée à son terme.

Que pouvais-je demander de plus! La Fraternité de Dieu, soutenue et inspirée par Jésus-Christ, était aux côtés des êtres pour qui je me faisais du souci?

« La réincarnation est la voie, l'évolution est le but. » Ces mots ne cessent de résonner dans ma tête. « Vous n'êtes pas simplement Jean Foster, car vous avez vécu de nombreuses existences. » Puisque les membres de la Fraternité affirment que les gens doivent bien comprendre ce qu'est la réincarnation, je leur demandai quelques informations sur mes vies antérieures. Mes vies antérieures, selon ce que m'a dit mon conseiller, sont intéressantes mais elles sont aussi quelque peu décourageantes. Ce n'est qu'en gardant à l'esprit l'idée de l'évolution que j'arrive à les accepter.

Ce canal ouvert vous en donnera un bref résumé. Les existences antérieures que vous avez vécues montrent toutes la nécessité de mettre l'ego de côté afin d'être le canal ouvert dont vous avez besoin pour laisser Dieu prendre part à votre croissance. Le moi Divin que vous avez programmé à l'avance est celui que vous essayez de faire ressortir. Cette vérité existentielle a pénétré dans votre personnalité humaine

pour vous donner le projet de vous vider de votre ego.
Je demandai qu'on énumère certains faits précis de mes vies
antérieures.
Dans une de vos vies, vous pensiez posséder le pouvoir
de juger les autres. C'était le fait de votre ego. Dans une autre
vie, vous avez jugé le travail de votre propre mari et lui avez
fait perdre ce qu'il avait de bon dans une cellule de prison.
La vie suivante, vous avez consacré votre croissance à aider
les autres à se donner à Dieu, mais vous êtes néanmoins restée
attachée à des croyances dogmatiques. Vous n'étiez pas
gentille, ni aimable.
Ces faits résument les quelques existences dont m'a parlé la
Fraternité. Mon sens du respect de la vie privée ne me permet pas
de révéler d'autres aspects de mes vies. Et après avoir lu ces récits
de vie éclairants mais absolument pas flatteurs, je n'ai pas demandé
à en savoir plus. Je suis heureuse que le Dieu de l'Univers ait conçu
ce plan grâce auquel j'ai pu à maintes reprises essayer de parfaire
ma croissance.
Dois-je revenir une nouvelle fois? Cette question attend
toujours bien sûr une réponse. Certaines âmes avancées se
réincarnent parce qu'elles veulent être ici pour aider les autres à
progresser dans leur compréhension du but de la vie. Je demandai
si les gens que nous honorons sur terre, comme Eleanor Roosevelt,
Abraham Lincoln, Martin Luther King ou Thomas Jefferson, le
sont également dans l'autre monde. Voici la réponse :
Chacun de ceux que vous mentionnez sur votre liste sont
les réincarnations qui aideront les gens au cours des
bouleversements à venir. Ces âmes sont celles qui apporteront
une certaines stabilité durant les périodes de chaos. Elles et
beaucoup d'autres. Eleanor Roosevelt est revenue. Elle a
choisi de naître au sein de la race noire. Cette fois, elle n'a
pas choisi d'œuvrer en politique, mais dans le domaine de la
spiritualité. Tel est son plan. Les autres que vous mentionnez
consacreront leurs talents à la vérité grandissante du canal
ouvert. Elles aideront à montrer aux autres la voie vers la
Fraternité qui est ici pour tous. Par leur travail, elles auront
de merveilleuses façons de démontrer cette vérité. Elles ont

maintenant la pleine maîtrise de leur nouvelle existence et savent comment se servir de la pensée pour manifester le bien.

Les grandes âmes de ce plan-ci reviennent souvent sur le plan terrestre pour aider les autres. Elles évacuent leur ego pour laisser Dieu les remplir. L'espoir de l'humanité réside dans le travail de ces entités avancées qui viennent maintenant sur terre en nombre inconcevable.

Le messager ajouta quelques mots prophétiques, à la fois déconcertants et rassurants.

Dites aux autres qu'il y aura encore plus de ces âmes avancées retournant à la vie terrestre. C'est l'espoir de votre plan d'existence tandis qu'il entre dans le Nouvel âge, le nouvel état que la terre connaîtra.

Peu importe les changements qui surviendront dans le "Nouvel âge", je suis seule responsable de moi-même. Je veux écarter mon ego pour permettre à la Fraternité de me mettre sur le chemin menant à "l'éclatant soleil de Dieu".

● ● ● ● ● ● ●

Stimulateurs de pensée

1. « *La réincarnation est la voie, l'évolution est le but.* » *Que signifie pour vous personnellement cette affirmation? Quelles sont les questions qu'elle soulève?*

2. *Les animaux possèdent l'esprit créatif de Dieu en eux. Quel est le plan de Dieu pour les animaux? Quelle est votre réaction personnelle face à ce concept?*

3. *Quelles nouvelles perceptions avez-vous acquises en ce qui concerne la prière personnelle et/ou de la prière pour les autres, qui peuvent vous être utiles à l'égard des choses qui comptent pour vous dans la vie?*

Travail intérieur : *Ce chapitre parle de nous vider de notre ego et de permettre à Dieu de nous remplir. Invitez vos guides spirituels à vous aider à reconnaître les moments où l'ego est aux commandes. Par la confiance, permettez à Dieu de vous guider.*

Stimulateurs de pensée additionnels

• *La Fraternité nous aide à parvenir à une claire compréhension et nous conseille. Soyez ouverts à la Fraternité car elle est ouverte à nous.*

• *Prendre conscience de la Fraternité et du plan spirituel ouvre la cloison qui nous sépare.*

• *La Fraternité prépare une voie pour chaque personne qui veut communiquer avec l'esprit de Dieu.*

• *La réincarnation nous permet de faire l'expérience de différents aspects de la vie qui enrichiront notre plan de croissance personnelle.*

• *Le concept divin voulant que les pensées soient des choses agit en permanence dans notre vie quotidienne. Nous pouvons diriger et faire une utilisation consciente de ce concept pour manifester la vie que nous désirons.*

• *Le principe de Dieu veut que nous recevions le BIEN que nous sommes capables de concevoir en notre esprit.*

• *La pure énergie de la puissance divine se manifestera lorsqu'elle sera utilisée pour accroître la valeur de notre être, accélérer notre croissance et affirmer la vérité pure et intelligente de notre Moi divin intérieur.*

• *Donner la priorité dans notre vie à notre relation avec Dieu nous fait accéder à l'unité avec Dieu. Cela n'est **pas** égoïste.*

Trouver le chemin de la vérité

6

Il existe un moyen de découvrir la vérité, mais les Églises ne sont peut-être pas le moyen d'y parvenir. La vérité parvient directement à chaque personne et non par l'intermédiaire d'institutions.

La vérité est ce qui nous unit à Dieu. La vérité doit se trouver à l'intérieur de nous-mêmes; elle ne provient pas de l'extérieur. La vérité doit venir de Dieu, ou alors ce n'est pas la vérité. Jésus apporte la bonne nouvelle que la vérité est une vérité vivante, et que la voie menant à la vérité passe par la Fraternité de Dieu, le Conseiller promis par Jésus.

Toute ma vie, j'ai cherché la vérité dans des livres suscitant l'inspiration, dans la Parole inspirée de Dieu – la Bible – et dans les Églises. Assurément, dis-je à mon ami de la Fraternité, il doit bien y avoir quelque Église qui détienne la vérité.

Les Églises possèdent toutes une partie de la vérité. Mais aucune ne la détient en totalité. Seul l'individu peut ouvrir son esprit à la vérité. Votre vérité n'est pas exactement la même que celle d'une autre personne. Soyez ouverte à toutes les vérités. Soyez fidèle à la vôtre. C'est le secret du pouvoir sur soi. Les Églises maintiennent l'unité parmi leurs fidèles, mais elles limitent souvent leur compréhension. Il faut que les gens cherchent leur propre vérité en tant qu'individus. Telle est la réelle vérité.

Et qu'en est-il de la Bible? Les membres de la Fraternité appellent la Bible « une source de vérité ». Je demandai des éclaircissements sur divers passages des textes sacrés qui m'avaient laissée perplexe à certains égards. Jamais n'avais-je disposé d'un professeur qui m'ait autant inspirée et éclairée à propos de la Bible. Dans l'Évangile selon saint Jean (verset 20:30), j'ai lu : « Jésus a opéré sous les yeux de ses disciples bien d'autres signes qui ne sont pas consignés dans ce livre. Ceux-ci l'ont été pour que vous croyiez que Jésus est le Christ, le fils de Dieu, et pour que, en croyant, vous ayez la vie en son nom. »

Je demandai à ma source la signification de tout cela.

L'apôtre Jean décrivit ces miracles qu'il avait vus parce qu'ils lui donnèrent la conviction que Jésus était envoyé par Dieu. Il pensa donc que ces miracles pourraient également convaincre les autres.

Je demandai si Jean voulait dire par là que Jésus était le fils de Dieu dans le sens où Dieu aurait fécondé Marie.

C'est ainsi qu'il croyait que les choses s'étaient passées. Mais Dieu entra en Jésus **après** sa naissance. Il plaça en Jésus Son propre esprit qui lui donna sa puissance. Comprenez que Jean accorda plus d'intérêt à la tradition qu'à la vérité. Il se servit de l'espérance traditionnelle en la venue du Messie et l'inséra dans le contexte de l'histoire de Jésus. Il croyait donc que Jésus était littéralement le fils de Dieu.

Telle est la vérité que vous cherchez et la Fraternité est ici pour vous aider à la trouver. Jésus est notre Frère. Jésus est notre canal ouvert avec Dieu car il peut lui-même s'ouvrir complètement à Dieu tout en restant ouvert à nous. Cela est difficile à accomplir, mais Jésus y est parvenu sur terre. Il s'est ouvert à Dieu, aux hommes et aux femmes. Il a ouvert les yeux de celles et ceux qui pouvaient voir, et il a éveillé la compréhension de celles et ceux qui pouvaient comprendre.

En général, est-ce que le récit de la vie de Jésus tel que rapporté dans la Bible est fidèle – sa vie, son ministère, sa mort et sa résurrection suivie de son ascension?

Cette histoire est celle que vous pouvez comprendre. Mais cela va bien sûr beaucoup plus loin. Jésus en a fait bien plus que ce qui est raconté dans la Bible. Il a pleinement vécu sa vie sur terre. La Bible traite de son ministère. Mais Jésus est devenu l'âme qu'il était durant son saint ministère à force de méditer, de prier et d'apprendre des leçons de la vie. Jésus savait que Dieu l'avait envoyé pour remplir une mission bien précise. Mais sa compréhension de cette vérité se fit graduellement. Il fut un enfant, un garçon, un jeune homme qui voulait ce que tous les jeunes hommes désirent – les bonnes choses de la vie. Mais la raison même de son existence ramenait sans cesse son attention à Dieu et l'éloignait des buts terre-à-terre. Il devint membre de la Fraternité de Dieu alors qu'il était encore un tout jeune homme. Il s'orienta vers Dieu à l'exclusion de toute autre chose et vécu sa vie en tant que Fils de Dieu.

Beaucoup de gens sont tout comme moi "dérangés" par les paroles attribuées à Jésus quand il aurait dit, suppose-t-on, qu'il valait mieux s'arracher un œil que de se laisser aller à la luxure ou se couper la main si elle faisait quelque chose de blessant. Un spécialiste de la Bible m'a expliqué que de telles paroles sont un exemple typique de l'exagération communément utilisée au Moyen-Orient pour capter l'attention des gens. Mon professeur m'a dit qu'il est vrai de prétendre que ces paroles soient effectivement dues à de l'exagération.

Jésus n'a jamais voulu que les gens se coupent réellement un bras ou s'arrachent un œil. Il essayait d'attirer l'attention des gens sur le fait que leurs pensées constituent la substance avec laquelle ils bâtissent leur personnalité. S'ils éprouvent une convoitise charnelle, ils se créent une image des hommes et des femmes qu'ils désirent, et cette image engendre l'insatisfaction à l'égard de ce qu'ils ont. S'ils envient les autres et entretiennent de telles pensées, alors ils développent un sentiment de tristesse face à leur propre situation. Ce langage exagéré n'était rien d'autre qu'un moyen pour accrocher l'attention des auditeurs sur ce qu'il leur disait relativement au fonctionnement de leur esprit et de la façon dont les pensées affectent leur vie.

Qui est le diable qui soumit Jésus à la tentation?

Le diable est ce qui nous incite en nous à prendre tout ce que la vie peut offrir comme gain matériel. Si nous prêtons attention à cette voix, nous nous détournons de l'énergie spirituelle, et nous risquons alors de connaître la suprême tristesse d'une vie gâchée parce qu'elle n'a pas donné lieu à une croissance spirituelle.

Alors Satan n'est pas un ange déchu?

C'est étonnant que vous mettiez ces deux-là ensemble, mais ils sont bien distincts – Satan et le diable. Satan est ce personnage fort connu de l'Ancien Testament qui y personnifiait le mal dans bon nombre d'histoires imaginaires. Mais Satan n'était pas une entité qui soumettait les gens à la tentation. Il était celui qui les gardait sur le droit chemin, pour ainsi dire. Il leur donnait matière à réfléchir. Il leur posait uniquement les questions auxquelles ils avaient besoin de trouver des réponses.

Quant au diable, il en va tout autrement. Il est la représentation de ce qui, à l'intérieur des gens, les pousse à penser et parler de choses viles et impies dans la vie. Le diable met en évidence l'être qui se dissimule en nous et qui n'est pas de Dieu. Aucun diable ne nous pousse à agir. Mais le diable de la bassesse et des croyances opposées à Dieu essaie d'être notre mentor dans la façon de mener nos vies.

Si nous accordons de l'attention au diable, il engendrera dans nos vies une ouverture si large aux mauvais traits de personnalité que nous aurons un comportement déplorable, axé sur la cruauté et le mal. En fin de compte, nous aurons gaspillé une existence et nous aurons plus tard à surmonter cet échec sur l'autre plan – une chose très difficile à faire.

Des questions envahirent mon esprit. Je tapai à la machine une question après l'autre, et les réponses de la Fraternité apportèrent l'explication et les éclaircissements voulus à toutes mes interrogations. Après des journées consacrées à étudier minutieusement la Bible, je réalisai subitement que la signification de cette aventure qu'est la vie est de nous amener à travailler directement avec Dieu, chacun de la façon qui nous convient le mieux. Rien de tout cela ne devrait être compliqué. L'âme avancée était d'accord avec moi.

Non, la vie n'est pas faite pour être compliquée. Jésus nous a montré la voie. Il est le modèle. Ouvrez votre esprit et votre cœur à la Fraternité de Dieu et elle vous aidera à comprendre ce que vous êtes venus réaliser sur terre. De l'aide est disponible pour vous. Il n'y a aucun handicap qui ne puisse être surmonté, ni aucun problème qui ne puisse être résolu. Le plan éternel de la vie est de nous faire vivre à maintes et maintes reprises jusqu'à ce que notre croissance soit suffisamment avancée pour que nous n'ayons plus jamais à revenir sur terre. C'est le but que toutes les âmes poursuivent. Ne plus jamais avoir à revenir. Telle est la vérité. Ceci vous vient de la Fraternité de Dieu.

Ces guides ont souvent recours à cette dernière phrase pour conclure leur enseignement – elle est la signature attestant que le message transmis provenait bien de ce groupe d'esprits avancés et que je peux me fier à leur intégrité.

Je me suis souvent identifiée à Thomas, le disciple qui doutait que Jésus soit sorti de la tombe. Lorsqu'il vit réellement Jésus, il accourut vers lui en disant : « Mon seigneur et mon Dieu! » Je demandai si ce passage de la Bible veut dire ici que Jésus et Dieu soient UN.

Thomas parlait en son nom seulement. Il a dit cela en apercevant Jésus parce qu'il venait de voir les trous laissés par les clous dans les mains de Jésus ainsi que son flanc percé. Mais jamais Thomas n'a compris que Jésus était venu pour révéler la nature de Dieu, et non pour être Dieu. Thomas était trop attaché à ses croyances juives pour abandonner l'idée du Messie qui, espérait-il, viendrait libérer les Juifs et être leur chef sur terre.

La Bible attribue, dans l'évangile selon saint Jean (20:23), les paroles suivantes de Jésus à ses disciples : « Ceux à qui vous remettrez les péchés, ils leur seront remis. Ceux à qui vous les retiendrez, ils leur seront retenus. » Je dis à mon ami de la Fraternité que je ne comprenais pas ces paroles, pas plus que je ne comprenais pourquoi Jésus conférerait des pouvoirs exceptionnels à ses disciples. Mes doigts se déplaçaient rapidement sur les touches de la machine à écrire tandis que le message apparaissait.

Beaucoup de gens veulent que leurs péchés leur soient pardonnés. Mais ils n'y renoncent pas par le pardon. Ils les retiennent. Ils les conservent à l'esprit. Ce passage de la Bible déclare que les péchés que vous pardonnez seront pardonnés. Mais ceux que vous ne pardonnez pas, vous les retiendrez.

Jésus n'a jamais donné de pouvoirs exceptionnels à quiconque. Sa vérité était pour tout le monde. Le pouvoir de pardonner est en chacun de nous. Le pouvoir de retenir est en chacun de nous. *La Fraternité sentit un manque de compréhension dans ma pensée.* Cela n'est probablement pas clair pour vous. Le pouvoir de pardonner s'emploie de deux façons : de vous à vous-même et de vous envers les autres. Soyez ouverte à l'idée de vous pardonner vos propres péchés, et soyez ouverte à l'idée de pardonner les péchés des autres. Voilà le sens véritable des paroles de Jésus.

Finalement, après plusieurs explications relatives à la Bible : Les protestants accordent leur attention à la Bible à l'exclusion de toute autre source. Mais la Bible n'est qu'une source de vérité parmi d'autres. S'il vous faut étudier la Bible verset par verset pour trouver des explications, vous en aurez alors pour une vie complète de travail! Il est plus simple de se servir de la Bible en classe et d'ouvrir votre esprit à la Fraternité de Dieu qui essaie de vous transmettre un enseignement.

Quel rôle les Églises jouent-elles pour nous aider à trouver la vérité?

Les gens qui se désignent sous le nom de chrétiens s'en remettent à l'Église avec un esprit ouvert pour qu'elle les aide à comprendre. Ils réfléchissent et discutent sur la merveilleuse contribution de l'Église à la chrétienté. Ensuite, ils font la sourde oreille à la véritable merveille – le Dieu de leur être qui est là pour les combler de puissance. Il se tournent vers l'Église pour trouver des réponses, et non vers le Dieu de l'univers. Ils pensent que l'Église leur ouvre l'esprit, et pas Dieu. Ils pensent que l'Église leur apportera la paix et des pensées lumineuses, mais ils ne pratiquent pas l'écoute intérieure. La vérité est que les Églises occultent Dieu pour que les gens ne l'écoutent pas. Le Dieu de notre bien est le même Dieu de l'univers, mais nous ne comprenons pas le pouvoir que nous pouvons exercer sur nos vies. Le

Dieu de l'univers est Celui qui nous donne la véritable illumination, pas l'Église.

Cette évaluation du rôle des Églises me sembla très sévère pour moi qui suis une pratiquante convaincue. Je sollicitai d'autres commentaires sur les Églises, en demandant si quelqu'un ne pourrait pas tempérer quelque peu ces déclarations.

Le Dieu de l'univers, la Bonté sublime, est totalement exclu lorsque les gens se tournent vers des vérités terrestres comme la croyance religieuse selon laquelle Dieu nous punit pour que nous devenions bons. Les gens se tournent vers les gens de bien de ce monde tels ceux des confréries religieuses pour leur soutien moral. Mais ils se tournent alors vers la vérité de la terre, pas la vérité de l'univers. Il y a une différence fondamentale entre les deux. Les gens d'Église veulent le bien, mais ce sont <u>eux</u> qui définissent ce bien. Ils prennent la vérité et la déforment pour se donner l'impression qu'ils la comprennent. Mais pour réellement comprendre la vérité, ils doivent aller vers le Dieu de leur être, vers le Dieu dont l'intérêt principal est de les aider à évoluer. Cette Fraternité est le Conseiller promis par Jésus pour aider à rendre cela possible.

Je leur demandai ce qu'ils pensaient du nouveau mouvement de pensée qui a fait naître de nombreuses Églises en ce vingtième siècle.

Ce nouveau mouvement de pensée a débuté avec force, mais lui aussi commence maintenant à donner des signes de dogmatisme. Ce dogmatisme assure qu'il n'y a QU'UNE FAÇON d'approcher Dieu, et aucune autre. C'est pourquoi je vous dis qu'il n'y a pas d'Église qui ne soit à l'abri de telles conceptions erronées. Dieu est là pour tous. Aucune croyance en une Église donnée ne vous mettra en contact avec le Dieu de votre être; vous seuls pouvez le faire.

Lorsque mes doigts cessèrent de courir sur les touches de la dactylo, je demandai s'il y avait autre chose de plus à dire sur le sujet.

C'est la vérité que nous disons ici, la vérité grâce à laquelle Dieu peut exercer un grand pouvoir sur nos vies. Grâce à Dieu vous évoluerez, vous disposerez d'une grande puissance, vous serez heureux – mais tout cela, les Églises ne peuvent vous le donner.

Les Églises doivent tout de même être utiles à quelque chose, et je demandai à ce que quelqu'un de la Fraternité énonce en quoi consiste cette utilité.

L'utilité des Églises est de donner un programme. Elles donnent l'occasion à chacun d'exprimer ce qu'il pense de l'esprit. Elles donnent aux ministres du culte la chance de penser les pensées du moi divin et de promouvoir ces pensées. Les Églises donnent aux gens l'occasion d'obtenir des éclaircissements spirituels sur l'histoire de la foi chrétienne.

Évidemment, les Églises dérangent avec leur dogmatisme. Elles chargent les gens du poids de la culpabilité; elles provoquent en eux de l'anxiété. Mais elles possèdent une certaine valeur. Si l'on peut aller à l'église sans prendre au sérieux les tentatives évidentes de proposer un point de vue dogmatique, on pourra alors en retirer quelque chose de bon pour soi. On pourra ensuite user de son propre jugement sans se croire hypocrite. Le problème avec les Églises, c'est que leurs pratiquants se prennent soit pour des hypocrites, soit pour des serviteurs fidèles. Ainsi personne ne sort vainqueur de cette situation. Le dogmatisme nous limite, nous montre ce que nous devrions devenir, mais il ne nous aide pas à l'atteindre. La vérité de l'Église est celle que les gens s'inventent sur Dieu, mais elle n'est pas le fait de Dieu s'ouvrant à nos êtres. Le Dieu de Vérité est accessible à tous, mais les Églises tentent de limiter notre compréhension à Son sujet en nous donnant une image de la SEULE FAÇON de parvenir à Dieu.

Pour avoir une meilleure Église, il ne faut pas avoir de vérité prétendument absolue. La voie à suivre consiste à rechercher le moi divin en se tournant vers le Dieu de l'univers. De cette manière, la vérité viendra à nous de manière individuelle et non collective. C'est la vérité individuelle qu'il faut considérer en ce qui concerne Dieu. **Il n'existe pas de vérité collective.**

Le grand étonnement suscité par ces paroles m'incita à demander s'il n'était pas juste de déclarer ou d'affirmer que : « Dieu est tout amour, Dieu est tout puissant. »

Ces vérités ne deviennent des réalités que lorsqu'elles nous touchent individuellement. Elles peuvent être sans cesse répétées, mais elles ne voudront rien dire tant qu'elles ne se seront pas imposées à notre personnalité.

J'insistai sur le fait que les Églises peuvent énoncer ces choses comme si elles étaient des vérités absolues.

Elles le peuvent et le font, mais il n'y a aucune vérité qui puisse toucher les individus s'ils ne recherchent pas eux-mêmes cette vérité.

J'essayai d'imaginer un office religieux du dimanche matin avec un pasteur ou un prêtre se contentant de dire aux gens d'aller trouver le Dieu de leur être intérieur. Que pourraient donc dire aux gens ceux qui célèbrent le culte religieux?

Ils peuvent dire aux gens que Dieu est réel. Ils peuvent leur dire que Dieu leur donne leur vérité, que Dieu leur apporte la compréhension. Ensuite le prêtre, ou n'importe quelle autre personne, pourrait dire aux gens d'aller vers le Dieu de leur être intérieur pour apprendre le reste.

Je demandai ce qu'ils pensaient des lectures collectives et des affirmations qui aident à créer une certaine tournure d'esprit.

La tournure d'esprit vient de Dieu. Elle est le résultat du travail même de l'être sur lui-même. Focalisez l'attention sur la croissance – le plan de Dieu s'appliquant une vie après l'autre. Puis laissez les gens mener à terme leur vrai plan avec Dieu. Le rôle du prêtre est d'expliquer aux gens qu'ils ne seront pas seuls dans ce travail.

« Chaque dimanche le prêtre dirait la même chose? » demandai-je. *Ici mon interlocuteur donna des suggestions précises.*

L'intervention du prêtre peut varier – méditation, musique, le message du moi divin découvert par d'autres, le travail des esprits avancés en eux, les possibilités s'offrant à eux de tirer le meilleur parti de chaque existence. Le prêtre peut dire aux gens que la meilleure vérité est celle qui vient de l'intérieur, et il peut leur dire que sa propre vérité n'est pas exactement comme la leur, bien qu'elle puisse être similaire. Il peut leur expliquer comment entrer en contact avec la Fraternité, ou le Conseiller si vous préférez.

Pourquoi, me demandai-je, la vérité d'une personne est-elle différente de la vérité d'une autre personne? La Vérité n'est-elle pas immuable?

La seule vérité qui soit immuable est que Dieu existe. La vérité qui diffère d'une personne à l'autre est celle qui a un effet sur l'évolution. La vérité de mon âme n'est pas la vérité de votre âme. Voilà la bonne façon de s'assurer qu'une vérité est juste pour soi – qu'elle ne concerne que notre propre évolution, et non celle de quelqu'un d'autre.

Qu'en est-il des gens qui ont des positions bien arrêtées sur certains problèmes sociaux, en affirmant qu'il s'agit là d'une croyance de Dieu?

Ce concept est effectivement erroné. Ceux qui ont des opinions très fermes devraient se demander s'il y en a d'autres qui partagent leur opinion. Puis ils devraient agir ensemble pour influencer l'opinion des autres. Toutefois, s'imaginer que leur croyance ou leur vérité soient à tout jamais et pour tous la vérité de Dieu sur le sujet n'est absolument pas vrai. En agissant ainsi, ils condamnent tous ceux et toutes celles qui diffèrent d'opinion. Encore une fois, une telle approche est dogmatique puisqu'une personne en juge une autre.

Je m'informai de l'utilité des livres inspirants dans notre recherche de la vérité.

Ces livres ouvrent vos yeux sur la possibilité qu'il y ait plus d'une vérité en dehors de la nôtre. La chose à faire est de lire, mais essayez de trouver votre propre vérité. Cette idée de prendre la vérité de quelqu'un d'autre et de la faire entrer dans notre plan de vie exclusif n'est PAS la chose à faire. Les livres traitant de religion qui cherchent à nous inspirer à lier nos vies avec Dieu nous apportent largement de quoi méditer. Ils doivent cependant nous inciter à aller vers notre propre source de vérité – vers Dieu.

De nombreux livres sur la religion présentent la vérité

comme l'auteur la perçoit, et ils cherchent à vous mettre tous sur la même longueur d'onde. Ce n'est pas la chose à faire. Essayez de rejeter ces approches prétendant révéler "Une seule et unique voie vers Dieu". Prenez chaque suggestion, chaque méthode, chaque vérité que donne l'auteur, puis mettez-les en perspective. Cette perspective représente votre propre point de vue qui est combiné à la vérité que Dieu vous donne. Amenez la vérité dans votre temple intérieur où elle sera remodelée pour s'appliquer dans votre vie de tous les jours. Là, dans votre temple intérieur, la vérité s'ouvrira à vous et à vous seulement.

Quels conseils, me demandai-je, la Fraternité pourrait-elle donner aux parents élevant leurs enfants?

Il faut espérer que l'enfant soit venu sur le plan terrestre avec un plan de croissance faisant partie du moi divin, mais la révélation de ce plan n'est pas toujours parfaitement claire. De ce fait, les gens errent dans une voie puis une autre, faisant des expériences variées dans le but de trouver celles qui seront l'expression de leur plan. Mais s'ils viennent à nous pour être aidés, nous pouvons les aider à comprendre leur véritable plan d'évolution.

Cependant tout le monde ne vient pas avec un plan précis et bien établi, et les parents ont le devoir d'aider l'enfant à comprendre que chaque personne peut toujours apprendre quel est son plan grâce à la prière, bien que l'idéal de Dieu soit que chacun arrive avec un plan intact. Lorsque les pensées et les actions d'une personne changent radicalement, cela signifie qu'elle a probablement découvert son plan. Cette personne se détourne alors du vide pour aller vers la lumière de Dieu éclairant un chemin. Cela fait partie du travail des parents, mais aucun parent ne peut garantir la réussite. L'individu est responsable face au plan, pour sa vie, et devant Dieu.

Où se termine la responsabilité des parents envers leurs enfants?

La responsabilité principale des parents est de mettre l'enfant au monde, puis d'en prendre soin et de l'aimer. Il y a ensuite l'éducation, tout autant à la vérité que sur l'histoire.

Lorsque leur responsabilité parvient à son terme, les parents disent à l'enfant maintenant adulte que c'est à lui que reviendra dorénavant la responsabilité d'exprimer sa croissance spirituelle à l'aide des messages de vérité que Dieu a pour chaque personne. Ces messages de Dieu lui parviendront par l'entremise de la Fraternité de Dieu. « C'est le temps pour toi », dira le parent, « d'assumer la responsabilité de cette vie que tu es venu vivre ici. Cette vie est ton plan conçu avec l'aide de Dieu avant ta naissance. Ceci est la vérité qui te donnera la direction à suivre pour vivre ta vie. Sois heureux. Amène ton moi divin en contact avec la Fraternité pour obtenir l'aide dont tu as besoin. Alors ta vie ne sera pas gâchée. Elle sera fructueuse et formidable. »

Je me demandais si la vérité était difficile à appliquer. Au fond de moi, j'imaginais qu'il devait y avoir de la souffrance et de la détresse à endurer.

Ceci est la Fraternité de Dieu. La vérité dont nous parlons ici est la vérité qui ouvre nos yeux aux possibilités que Dieu nous offre. Cette vérité n'est pas difficile, ni même source de souffrance. La vérité ouvre notre cœur et notre esprit à la façon de vivre dans la joie, la beauté et la perfection.

La vérité – vérité de Dieu. La vérité – celle qui vient à vous avec l'aide de notre Fraternité. La vérité – celle qui jaillit en nous. La vérité – celle qui est irrésistible. La vérité – ce que nous connaissons de mieux. La vérité – celle qui nous met en contact avec le Dieu de notre être. Dieu la Vérité, le Principe, la merveilleuse Croissance, le Bien qui est avec nous, le Bien qui agit à travers nous, l'Être qui englobe l'énergie de la pensée de l'univers dans ce qui est, ce qui existe, ce qui nous enseigne la vérité. La vérité – tel est le but de votre être sur cette terre.

● ● ● ● ● ●

Stimulateurs de pensée

1. *Toutes les Églises détiennent une partie de la vérité. La Bible, selon la Fraternité, est une source de vérité parmi d'autres. Comment peut-on avoir accès à un flot ouvert de vérité vivante émanant de notre être intérieur?*

2. *Que se passe-t-il lorsque nous écoutons la voix en nous que nous appelons le diable? Quel est le rôle du concept de Satan?*

3. *Nous avons le pouvoir de pardonner ou de retenir les péchés. Quelle est votre compréhension de la façon dont ce pouvoir fonctionne dans votre vie?*

Travail intérieur : *La vérité ouvre notre cœur et notre esprit en nous unissant à Dieu pour profiter de la vie de belle et parfaite façon. Centrez-vous avec la pensée de recevoir toute votre vérité par l'intermédiaire de votre canal divin. Demandez l'aide de la Fraternité pour ouvrir votre canal divin. De cette manière, vous créez une perception consciente de votre association avec Dieu.*

En apprendre plus
sur l'autre plan d'existence

7

Comment apprendre à transformer nos pensées en choses, pas seulement sur l'autre plan d'existence mais aussi sur le plan terrestre. La qualité de la vie dans l'autre monde dépend de notre capacité à employer efficacement la pensée pour produire ce qui est bon.

Les membres de la Fraternité estiment que nous devons tous nous intéresser à l'autre plan d'existence avant de nous y retrouver. Meilleure sera notre compréhension de l'autre monde, plus nous pourrons nous y adapter rapidement. Ceux qui traversent de l'autre côté avec de fausses espérances ou sans avoir la moindre idée de ce qui les attend doivent tous subir une longue période de rééducation.

Le moi divin qui se développe en vous sur le plan terrestre vous donnera de bonnes vérités; toutefois, si vous n'avez accordé aucune attention à cet autre plan, vous serez dans un état de choc pendant quelque temps.

C'est pour atténuer ce choc ou pour le prévenir entièrement que ce chapitre est écrit.

Ici sur ce plan, nos pensées se manifestent sous forme de choses. Oui, pour manifester les bonnes choses de la vie, il nous suffit d'y penser.

Très surprise, j'interrompis momentanément la réception. Puis le message se poursuivit.

Ceci est trop déroutant pour être compris, peut-être. Mais nous ne pourrions obtenir les choses dont nous avons besoin ici à moins de les manifester par la pensée. Cela nous oblige à être circonspects dans le choix de nos pensées, à éviter toute pensée extravagante. Nous tenons nos pensées sous contrôle afin d'être prêts à manifester ce dont nous avons besoin. Si ce contrôle nous échappait, nous risquerions de manifester nos peurs, nos diablotins, ou nos autres horreurs, et nous aurions alors un enfer par notre propre faute.

Ma conception du paradis était faite de beauté et de paix. J'attendis que quelqu'un me commente cette pensée.

Le "paradis" dont vous parlez est le fruit de votre imagination. Ce n'est pas un endroit permanent de ce plan où votre esprit est envoyé.

Alors Jésus ne « prépare pas une place pour moi où je puisse être en sa présence? » Combien de fois ai-je entendu le Jésus de la Bible cité de la sorte! Mon professeur me répondit rapidement.

Ne pensez jamais que Dieu prenne en charge votre esprit sur ce plan ou sur terre. En arrivant sur ce plan vous êtes libres de choisir ou non d'être Un avec Dieu. Telle est la loi immuable que Dieu EST. Ne vous mettez pas dans la tête que Jésus soit responsable de l'endroit où votre esprit ira dans l'autre monde. Ni Jésus ni aucun des membres de la Fraternité ne mènent les esprits jusqu'au paradis, tels des moutons devant aller là où les bergers les conduisent. Cependant, s'allier à Jésus ou à d'autres esprits avancées raffermira votre conviction que chacun dispose de quelqu'un pour l'aider.

Si vous voulez bien commencer dès maintenant à être très prudente dans l'orientation que vous donnez à vos pensées, vous serez prête à gouverner votre vie lorsque vous viendrez ici. Il vous est ainsi possible d'apprendre à vous servir de vos processus de pensée pour le bien et non pour le mal. Afin de mieux vous faire comprendre ceci, nous pourrions comparer vos pensées actuelles avec l'une ou l'autre de vos difficultés. Vos difficultés vous embêtent, et vous pouvez soit prier pour qu'elles disparaissent, soit leur accorder une telle importance qu'elles deviendront écrasantes.

Si vous voulez mener une belle vie, vous n'avez qu'à vous concentrer sur ce qui est bon. Accorder du pouvoir au mal revient à donner du pouvoir à ce qui vous attire vers le bas.

Pensez plutôt au contraire – à l'autre revers de la médaille. Si votre première pensée est « ma maladie est terrible », remplacez rapidement cette pensée par « la santé est mon état normal. » Au lieu de ne penser qu'à la pauvreté, pensez à l'abondance, et soyez explicite. De quoi avez-vous réellement besoin et que voulez-vous au juste? Réfléchissez-y avec clarté et lucidité.

Je demandai s'il est vrai que nous puissions transformer nos difficultés en expériences positives et nos carences en abondance?

Que vous puissiez éprouver le sentiment de manquer de quoi que ce soit alors que vous possédez la substance qui ne s'épuise jamais est pour nous sur ce plan une source d'étonnement sans fin. Naturellement, vous *pouvez* utiliser cette substance!

Je répliquai en leur demandant par quelle méthode au juste on parvenait à faire cela.

La méthode consiste à se concentrer sur la substance qui est présente, qui est éternelle, celle qui donne de l'énergie à n'importe quelle pensée créatrice. Dieu nous donne cette substance pour qu'on l'utilise et non pour qu'on s'en émerveille.

La première chose à faire est de réussir à maîtriser vos pensées. Ensuite, concentrez-vous sur les immenses ressources de Dieu qui vous sont offertes. Il n'y a jamais de pénurie, ni de limite à la disponibilité de cette substance. Il y en a tellement qu'il est impossible de l'épuiser. N'hésitez donc pas à réclamer ce que vous désirez. Votre désir indique à la substance que vous formez la pensée qui vous donnera accès aux réserves disponibles. Puis vous donnez de l'énergie à cette pensée en la remettant au Dieu de votre cœur, Celui qui sait où résident vos meilleurs intérêts. Ce Dieu ne vous laissera jamais tomber. Il est le Père bienveillant de l'abondance qui essaie toujours de vous guider sur le chemin que vous avez choisi pour favoriser la croissance de votre âme.

La deuxième chose à faire est de garder à l'esprit l'idée de ce que vous désirez. Pensez-y en détail, considérez-la sous tous ses angles, pensez-y au point d'être certaine de la voir avec précision. Ensuite sentez toute la joie qui vous anime d'avoir reçu ce formidable cadeau. Soyez ouverte à la vérité que c'est Dieu qui vous en a fait don. Faites-en usage avec le détachement du riche qui sait qu'il y en a plus à l'endroit d'où provient ce cadeau. Comprenez-vous? Le Père est ce qui se manifeste de différentes façons, mais il est le Père de l'abondance. Ce concept est fondé sur la conviction que Dieu est bien ce qu'Il prétend être – le Dispensateur de tout ce qui est bon, la Vraie Merveille qui manifeste en ce monde ce dont ont besoin celles et ceux qui acceptent Sa promesse.

Si nous souhaitons manifester nos bonnes pensées, les membres de la Fraternité disent que nous devons choisir de modeler notre vie en accord avec la vérité. Sinon, nous allons nous raccrocher aux vieilles idées qui nous renferment dans la croyance obstinée en un Dieu vengeur. « Il est temps », me dit mon interlocuteur, « de s'ouvrir à de nouvelles pensées. »

Le mode de fonctionnement de la pensée est ce qui compte le plus sur ce plan. Si les gens ne l'acceptent pas, ils commencent à croire qu'ils sont fous ou anormaux. L'idée de la manifestation des pensées est la chose à accepter.

Je suggérai que les âmes qui viennent de passer du plan terrestre à l'autre plan d'existence ne devaient pas pouvoir comprendre ce principe.

Les âmes qui arrivent tout juste de la terre veulent y revivre. Elles portent encore en elles leurs problèmes terrestres. Elles ne peuvent s'en débarrasser. Elles manifestent leurs pensées agitées en croyant qu'elles sont condamnées à l'enfer. Elles se sentent indignes et leurs pensées créent des conditions de vie indignes.

Je demandai un exemple.

L'esprit d'une certaine personne est venu ici sans connaître le fonctionnement du processus de la pensée. Les pensées de cette personne exprimaient la culpabilité pour des péchés qui, pensait-elle, n'avaient pas été pardonnés. Ce sentiment de culpabilité la plaça dans une triste situation – une pauvre maison pour s'y cacher, une médiocre vérité pour se réconforter, une grande peur du jugement qui menaçait de s'abattre sur elle ce qui lui causait le plus grand chagrin. Cette personne croyait que Dieu n'avait qu'une piètre opinion d'elle et elle créa la pauvreté autour d'elle pensant devoir la mériter. Puis nous avons commencé à expliquer à cette personne que Dieu détient la vérité pour chaque individu, et qu'elle devait trouver la vérité en cherchant son propre être intérieur. Mais c'est tellement difficile ici. La seule vie qui s'exprime ici est celle que la personne se fabrique. L'entité n'a pas de monde matériel auquel elle peut se confronter. Et il n'y a pas de braves personnes dans son entourage qui puissent manifester une vérité différente. Tout ce dont une personne dispose, c'est l'environnement qu'elle se crée. Telles sont les seules conditions de vie de cette personne et elle y reste figée, comme prise dans le ciment.

Vous voulez dire que les gens qui se considèrent comme de "pauvres et misérables pécheurs" se créent leur propre misère?

Telle est notre vérité, à savoir que vous créerez ici sur ce plan d'existence l'image que vous vous faites de vous-même, quelle que soit cette image. Il est donc important de devenir un amoureux de votre propre âme, d'être une personne concevant de dignes pensées pour elle-même. Dites-vous que vous êtes digne d'être aimé, que vous attirerez le bien. Puis vous viendrez ici avec cet état d'esprit, prêt à créer le beau et le bien, prêt à vous orienter vers ce que la croissance peut produire de mieux.

Je demandai si cette même vérité pouvait s'appliquer à notre vie terrestre.

Cette vérité est la même sur le plan terrestre. Vous pouvez donc comprendre que même ici sur terre vous créez votre propre monde; regardez autour de vous. Que vous soyez à l'origine de votre propre croissance personnelle dans votre milieu de vie est assez évident.

Ils relevèrent certains exemples précis de ma vie comme mon mari, dont ils disaient qu'il était « un époux parfait pour moi », ma maison, son ameublement. Ensuite ils ajoutèrent :

Ces choses sont purement matérielles. Elles n'ont pas de valeur spirituelle qui en fera de merveilleuses et parfaites choses-pensées que vous amènerez ici. Elles disparaîtront de votre vie. Cela est fort bien, car vous ne vous souciez que fort peu des choses matérielles. Mais pour les gens qui pensent devoir "les prendre avec eux" d'une façon ou d'une autre, il leur faut emballer leurs objets de valeur, leurs biens précieux, dans cette énergie-pensée qui sera la réalité spirituelle.

Alors là, c'était un tout nouveau concept – l'idée que nous pouvons "prendre des choses avec nous" lorsque nous quittons ce plan. Ils avaient bien raison de dire que j'attachais somme toute peu d'importance aux choses matérielles; mais il y a quand même certains objets préférés que j'aimerais bien, moi aussi, prendre avec moi – au moins jusqu'à ce que je ne ressente plus le besoin de les garder. Je leur demandai à nouveau de m'expliquer la façon de manifester nos désirs à partir de cette substance illimitée et universelle.

Si vous avez besoin de nourriture, vous pouvez produire de la nourriture. Vous pouvez avoir besoin d'autres choses, et vous pouvez aussi les produire. Lorsque vous désirez des choses que vous ne pouvez vous offrir avec de l'argent terrestre, ayez recours à la substance.

Je ressentis une certaine désinvolture dans ces paroles, comme si le fait de transformer cette substance en tout ce que nous désirions n'était qu'une affaire fort simple. J'avais également la nette impression que ces Frères avancés s'étonnaient de ma lenteur à comprendre, en considération de tout le temps passé avec eux à discuter de ces concepts. Avec exaspération, pensai-je, l'un d'eux écrivit :

Acceptez cela comme nous vous le donnons. C'est tout ce que vous pouvez faire parce qu'il n'y a rien dans le monde physique qui puisse vous expliquer comment cela fonctionne. C'est la vérité que nous vous donnons ici. Essayez d'apprécier cette vérité sans la démolir. C'est ainsi que de nouvelles vérités peuvent entrer dans votre esprit. Ne les démolissez pas; acceptez-les.

Je pense que différents Frères répondent à mes questions. Car lorsque je suis revenue encore une fois sur le sujet de la substance, je reçus une réponse plus patiente. Je leur fis remarquer qu'il y a beaucoup de gens fort riches sur le plan terrestre qui se sont créés de magnifiques demeures qu'ils ont somptueusement meublées. Je demandai si le fait que ces personnes possèdent ces biens s'explique par leur propre estime d'elles-mêmes.

Afin que vous puissiez comprendre ce concept, laissez-nous vous expliquer ce principe de façon plus détaillée. La substance pure se trouvant à votre disposition peut être obtenue sans effort de votre part. Ce que vous gagnez à la sueur de votre front est créé matériellement sans avoir recours à la substance de Dieu. Voyez-vous, il y a deux sortes de manifestation. L'une s'accomplit à la sueur de votre front, l'autre provient de la substance de Dieu. Toutefois, sur ce second plan d'existence, seule la substance peut être utilisée et non la matière. C'est la grosse différence. De ce fait, ce que l'on pense de soi-même peut avoir des conséquences sur notre vie terrestre en ce qui a trait aux possessions matérielles, mais ce n'est pas le seul point important. La substance confère aux choses matérielles le lustre de la réalité de l'esprit, et elle contient la promesse que Dieu est le dispensateur de toutes grâces. Le canal ouvert qui vous transmet cette vérité a confiance en votre capacité de comprendre ce concept. L'essentiel à retenir ici est que vous dotez les choses que vous possédez de la réalité que Dieu se doit de vous donner. Ce qui est la vérité ne périra pas, mais ce qui est fait de matière périra.

Lorsque les membres de la Fraternité parlent de réalité, ils parlent de l'esprit. Lorsque nous parlons ici-bas de réalité, il s'agit le plus souvent de choses matérielles. Combiner ensemble ces deux réalités sur ce plan terrestre est la tâche qui nous revient si nous tenons à ce que notre monde individuel soit beau et éternel.

Le point fondamental à retenir dans ce que nous disons ici, c'est que Dieu est le seul vrai dispensateur et non l'homme. Qu'il n'est pas exagéré de dire que les choses matérielles **pensent**. Que la pensée leur donne réalité revient à les revêtir de la grande puissance qui est de Dieu. Voilà comment vous pouvez "les prendre avec vous", vous comprenez. Revêtez vos objets de la substance spirituelle de Dieu qui est la réalité à laquelle nous avons affaire sur ce plan d'existence. *Je laissai entendre qu'il m'est difficile d'accepter ce concept de substance spirituelle, car je vis dans un monde où chacun a recours à l'argent pour obtenir ce qu'il veut. Tous les biens sont manufacturés ou faits à la main. Ils ont une apparence solide. Ils sont réels pour moi tels qu'ils sont.*

Ces objets solides donnent l'impression de vérité éternelle, mais ils dépérissent et se détériorent parce qu'ils sont soumis aux aléas de l'opinion terrestre. Selon l'opinion ou la pensée terrestre, la matière se dégrade. L'opinion prévalant sur cet autre plan d'existence est que cette dégradation n'est pas nécessaire. Nous fabriquons les objets dont nous avons besoin et nous leur donnons leur solidité, mais si nous n'en voulons plus ou n'en avons plus besoin, ils disparaissent. Les objets que vous avez en votre monde sont sensibles à l'énergie de votre pensée selon laquelle tout dépérit et, par conséquent, ils dépérissent eux aussi. Ils s'offrent une nouvelle fois à la pure substance de Dieu. Voilà ce qu'est le dépérissement – un retour à la pure substance dont ils proviennent. Voilà la vérité.

Le bois est soi-disant solide et sert à fabriquer des meubles. Mais il n'est pas aussi solide qu'il n'y paraît. Cette solidité n'est qu'apparente. La seule chose de solide, c'est la merveilleuse vérité selon laquelle nous avons la possibilité de modifier sa forme, son aspect extérieur. Mais ce qui lui donne sa cohésion est l'assemblage d'éléments complexes qui tiennent très fortement entre eux. Toutefois, même ces éléments ne sont pas suffisamment stables pour affronter l'éternité. Ils ont besoin d'une pétrification, réalisée avec nos pensées, pour rendre cette substance permanente. Nous faisons appel à la véritable substance de Dieu et dirigeons son énergie droit sur la réalité dont nous avons besoin – celle qui est incorruptible, inopérable, inviolée, et qui ne dépérira ou ne disparaîtra pas. Cette pétrification est possible lorsque vous pensez à la merveilleuse puissance de Dieu qui enveloppe ces objets de Sa grande énergie. Ces objets seront alors comme pétrifiés. Ils deviennent durables et vous pourrez les emporter avec vous sur l'autre plan parce que ce sont déjà des formes-pensées.

J'étais franchement dépassée par ces vérités. Il ne me sera plus possible désormais de regarder de la même façon le monde dans lequel je vis. Je me souviens de ma première leçon de chimie à l'école lorsque les éléments de l'univers m'avaient été pour la première fois présentés. J'ai alors appris les formules chimiques de nombreuses substances dont je me servais à tous les jours — celle de l'eau, de l'air, et de beaucoup d'autres. La vérité que nous communiquait le professeur était que la matière solide n'existe tout simplement pas. Je m'étais toujours sentie beaucoup plus instruite sur la réalité de mon monde à cause de ce cours de chimie, mais ce n'est pas avant d'avoir reçu ces leçons de vérité de la Fraternité que j'accordai à ces faits toute l'attention qu'ils méritent.

Je demandai des explications sur les autres aspects de la vie dans l'autre monde. Les gens se demandent toujours s'ils y reverront les êtres chers qu'ils aimaient. Certains se demandent si leur vie se poursuivra comme avant et s'ils pourront continuer à apprécier les arts, la nature, ou à s'adonner à des activités créatrices. Les gens sont si différents les uns des autres. Les styles de vie diffèrent tant. Aura-t-on le sentiment d'être chez soi sur l'autre plan?

Je suis prêt à vous expliquer quelle est la loi de l'autre plan d'existence. Bien que le principe décrit soit la merveilleuse vérité de ce plan, acceptez le fait que vous ne compreniez pas encore le tableau d'ensemble de la situation. Il n'est donc pas possible sur votre plan de comprendre la situation que je vous décris. Mais nous allons tout de même essayer de vous la faire mieux comprendre. C'est la Fraternité de Dieu qui vous fait le compte-rendu suivant.

Ce plan est ici sous forme d'une pure pensée. Notre environnement est une pensée. Nous créons l'environnement entourant nos corps spirituels à l'image de ce que nous avons en nous. Ce que nous exprimons ici est conforme à notre niveau de croissance spirituelle. Cela signifie que nous pénétrons mutuellement dans nos bonnes vérités si nous trouvons que la vérité de l'autre est compatible avec ce que nous sommes. Ceux qui se réunissent ici possèdent beaucoup de choses en commun, voyez-vous. Cette pensée commune est nécessaire pour maintenir la beauté dans laquelle nous souhaitons vivre. Ensuite il y a la question de la bonne entente mutuelle. Nous avons horreur des frictions. Par conséquent, nous rassemblons autour de nous les âmes qui partagent avec nous la même façon de penser. Puis nous réalisons sur ce plan le parfait accord de nos processus de pensée. Nous construisons ainsi ce qui semble être de la matière solide – des arbres, des maisons, des voies d'eau, et ainsi de suite. Mais ce ne sont que des pensées manifestées selon nos schémas de croissance mutuels. Ainsi, nous ne perdons pas de temps à nous chamailler. Nous nous faisons entièrement confiance. Nous ne perdons pas de temps à nous faire valoir pour acquérir du pouvoir, car il n'y a rien ici que le pouvoir puisse façonner ou diriger. Seules les ondes de pensée mutuelles apportent la puissance qui nous fournit tout ce dont nous avons besoin.

Il n'y a pas lieu de s'inquiéter. N'allez pas penser que nous vivons dans un environnement instable. Les entités qui savent et comprennent comment exprimer la vérité de Dieu s'associent ensemble pour s'amener mutuellement ce qui est bon pour elles. Elles peuvent ainsi créer un environnement stable. Un environnement instable peut cependant apparaître si des entités aux pensées instables se rassemblent. Elles se transmettent entre elles leur propre instabilité et créent ainsi ce qu'elles pensent.

Sur votre plan il y a ceux aujourd'hui qui amèneront leurs faiblesses de ce côté-ci, et rejoueront le même scénario qu'ils s'entêtent à croire être leur vérité – la faiblesse du corps, la faiblesse de l'esprit, les émotions, les schémas de croissance toujours très particuliers qu'ils adoptent. Puis ils se regrouperont avec d'autres entités du même genre qui croient que leur univers est fait de mauvais, de mal, de peurs horribles, de problèmes qui les assaillent. Lorsqu'ils fixent leur esprit sur ces idées négatives, ils créent alors par la pensée un environnement à leur image : un temps orageux, des frères assoiffés de pouvoir qui leur disent quoi faire et quoi penser. Ils se cachent dans cet environnement en espérant pourvoir en émerger quand ils en seront dignes.

La vérité sur l'endroit où ils résident, c'est qu'ils considèrent leur voie comme l'unique voie, le bon chemin, le meilleur chemin vers Dieu. Ils se réfugient dans la vérité qu'ils se sont eux-mêmes forgée. Ils se tiennent loin des esprits ouverts. Ils se renferment dans le cloître du malheur tout comme ils faisaient sur terre. Oh! bien sûr, ils n'ont pas conscience de ce qu'ils ont fait. Ils pensent se trouver au paradis, et le fait de survivre leur suffit pour appeler ce lieu un paradis. Essayer d'atteindre leur conscience pour leur parler de vérité intérieure, c'est comme aller au fond de l'océan pour parler aux poissons des profondeurs de la vérité du moi divin. Ils continueraient à ouvrir la bouche, sans jamais écouter, sans jamais tenir compte de vos paroles. Ils ont l'esprit et le cœur fermés.

Je demandai si certaines de ces personnes à l'esprit et au cœur fermés étaient des croyants.

Ils croient pratiquer la religion, car ils pensent que leur être est marqué du sceau de Dieu. De temps à autre, ils risquent un regard à l'extérieur et croient alors que nous qui sommes dans cette splendide atmosphère devons être en route pour l'enfer. Leur conception du paradis est que les choses y sont difficiles et que c'est la volonté de Dieu qu'ils soient ce qu'ils sont. Ils croient au Dieu du jugement, pas au Dieu de l'univers.

Certains de nos amis de la terre peuvent donc choisir de se rattacher à un groupe, et certains autres à un groupe différent?

Cela est bien sûr exact, mais ceux de ce plan qui s'aiment demeureront ensemble. L'amour nous réunit ensemble car telle est la loi de Dieu. La loi ou le principe s'appliquant ici est que le seul lien qui mérite d'être développé est l'amour véritable.

Vous avez décrit deux types d'environnement là-bas sur votre plan. Les gens ont toutes sortes de systèmes de croyance; il doit donc y avoir de très nombreux environnements.

Les systèmes de croyance dont vous parlez deviennent ici des schémas de croissance. Ainsi, les gens se servent ensemble de la pensée pour appartenir à leur propre schéma de croissance. De cette façon, les diverses atmosphères deviennent leur "base de départ". Les gens peuvent aller visiter d'autres endroits, mais ils ne peuvent interférer. Ils peuvent observer, mais il n'y a pas de travail de missionnaire ici. Même la pensée de vouloir changer quiconque n'existe pas, car il est difficile d'évoluer sur ce plan pour des raisons manifestes.

Je revins sur le sujet des âmes se regroupant ensemble selon des schémas variés.

Il n'y a pas de problème. Les schémas de croissance s'assemblent simplement en groupes, tout comme les atomes et molécules se regroupent pour former la matière ainsi que vous l'avez appris dans vos cours de chimie sur terre. Nous contactons les entités auxquelles nous ouvrons notre esprit. C'est ainsi que nous trouvons ici notre véritable "demeure". De cette façon, il n'y a pas de traumatisme causé par le jugement et tout ce qui en découle. Mêmes les criminels, les affreux esprits qui sont ensemble sur votre plan peuvent être en contact les uns avec les autres ici, et croient avoir trouvé le paradis – pendant un certain temps du moins. Le "du moins" fait ici référence à leur possible croissance. Ils deviendront insatisfaits de leur sort, et commenceront à laisser leur esprit s'ouvrir à la vérité. Ils s'éloigneront peut-être de ce premier groupe pour se joindre à un autre. Ainsi, il n'y a pas de professeur, mais tous ici apprennent comme ils le peuvent. C'est pourquoi il est si important sur le plan terrestre de ne pas gâcher son existence, d'apprendre les leçons de la vie, d'être un canal ouvert – de s'ouvrir au Christ qui communique avec nous afin d'apprendre la vérité et pour rétablir la connexion avec Dieu.

La Bible dépeint Dieu comme notre juge, et je demandai à un membre de la Fraternité de commenter cela.

Le Dieu du jugement est évidemment celui que tout le monde connaît. Ce Dieu là est connu parce que nous approuvons tous l'idée de la nécessité du jugement pour rendre la justice qui, selon nous, doit être rendue. Ce Dieu du jugement est celui qui nous donne notre conviction intérieure sur la façon de vivre nos vies. Ce Dieu du jugement dit la vérité dans les domaines qui contribuent à la croissance de notre être. Mais nous ne devenons pas de bonnes personnes de Dieu en limitant ce que nous savons de Lui à ce SEUL Dieu du Jugement. Ce jugement n'est que le début, le premier pas dans la connaissance de soi. Ce Dieu du jugement nous donne le pouvoir de nous en rendre compte lorsque nous faisons fausse route, d'ouvrir nos yeux à la vérité, et il est là pour nous en avertir. Pour continuer plus avant, il nous faut être ouverts aux autres vérités que Dieu a à nous offrir.

J'ai lu hier dans le journal que quarante-deux enfants sont morts dans un accident d'autocar en Afrique du Sud. Je pensais au choc, à la peur, au traumatisme de ces enfants lorsqu'ils sont morts. Que leur est-il arrivé?

Ces enfants se sont réveillés sur l'autre plan sans aucun souvenir de leur mort. La mort est un événement bref. Elle paraît être longue, mais elle ne l'est pas en réalité. La mort n'est pas une chose terrifiante, et les circonstances qui l'entourent sont même oubliées ici. Ces enfants qui sont ici avec nous accordent maintenant leur attention à leur véritable identité, à leur vraie personnalité. Ils vont vers le schéma de croissance dans lequel ils se sentent le plus à l'aise, et ils rentrent "à la maison" – la maison étant l'endroit où ils se sentent le plus à l'aise.

Je demandai si les âmes de certains des enfants demeuraient quelque temps dans les parages pour revoir leur famille terrestre.

Elles en ont la possibilité, mais peu le font. Seulement celles qui n'ont pas de vérité susceptible de les aider à retrouver leur schéma de croissance. Elles ont peur de tout, ces âmes attachées à la terre. Elles se replient sur elles-mêmes.

Pour revenir sur le sujet des groupes d'âmes qui pensent de la même façon, je demandai d'autres éclaircissements sur leur vie sociale.

Ce que représente la vie sociale pour vous est différent de ce qui existe ici. Dans ce plan d'existence, tout passe par la pensée. Il y a ici une ouverture que vous autres du plan terrestre ne pouvez concevoir. Par conséquent, il n'est pas nécessaire de se réunir ensemble pour pouvoir tenir une conversation. Notre pensée voyage vers les entités avec qui nous souhaitons parler, et d'autres peuvent aussi y participer. Il suffit de souhaiter de la compagnie pour en avoir. Demandez de la musique et vous en entendez aussitôt, car beaucoup ici font de la musique. Vous souhaitez voir une exposition d'art, eh bien c'est facile! Il y en a partout car les artistes embellissent tout notre environnement. Ils nous touchent tous avec leurs merveilleuses créations de pensée, que ce soit des peintures, de la sculpture, ou d'autres pures beautés.

Et il y a bien sûr le théâtre. Celui-ci affecte également les vies de ceux qui aiment errer dans le passé, dans les vérités de la croissance ou dans les manifestations du moi divin. Le théâtre contribue beaucoup à stimuler notre intérêt pour l'avancement de nos vies ici. Il n'y a pas de pornographie ici car il n'y a pas de public pour cela. Cela peut susciter un intérêt parmi certains groupes d'âmes. Ce sont de pauvres âmes qui s'accrochent à tous leurs désirs sexuels même s'ils ne peuvent les satisfaire. C'est le plus triste de tous les groupes.

Je demandai aux membres de la Fraternité s'il y avait autre chose qu'ils voulaient expliquer à propos de l'autre plan d'existence.

L'autre plan d'existence est évidemment votre seule vraie demeure. Ce plan nous donne le meilleur de ce que nos esprits peuvent concevoir. Ce plan devient l'endroit merveilleux que vous en faites, ou alors un lieu terrible suivant l'idée que vous vous faites de vous-même. Soyez celui qui crée le bien en pensant le bien. Entretenez de bonnes pensées à votre égard et envers celles et ceux avec qui vous entrez en contact. Pensez d'eux le plus grand bien pour qu'il se manifeste. Donnez votre cœur à Dieu, au Dieu de votre être qui est le principe de tout bien.

• • • • • • •

Stimulateurs de pensée

1. Sur l'autre plan d'existence, les choses sont manifestées grâce à des pensées. La Fraternité explique que ce principe spirituel fonctionne de la même façon sur le plan terrestre. Quelles idées importantes avez-vous notées à propos des pensées?

2. Lorsque les membres de la Fraternité parlent de réalité, ils parlent de l'esprit. Lorsque nous parlons de réalité, nous parlons de choses matérielles. Décrivez comment on peut fusionner ces deux réalités pour qu'elles puissent s'appliquer en pratique dans votre vie.

3. Sur l'autre plan d'existence, les âmes se regroupent ensemble par affinité de formes-pensée. Chacun de nous y dispose donc d'une demeure. Pensez à ce que pourrait être votre demeure idéale dans l'autre monde. Que créerait votre pensée?

Travail intérieur : L'importance d'une prise de conscience de nos modes de pensée a été soulignée dans ce chapitre. Nous transposons le même processus de pensée dans l'autre monde. Invitez la Fraternité à vous aider à prendre conscience de vos propres modes de pensée et à transformer notre façon de penser.

Être l'artisan de sa destinée

8

Manifester nos rêves, s'en remettre à notre propre vérité pour prendre des décisions, évacuer notre ego afin que Dieu puisse nous combler, abandonner nos corps à des âmes avancées, ouvrir nos yeux à la vérité universelle.

Dieu est réel. Dieu est pratique. L'idée que Dieu soit un concept peu réaliste tel des promesses en l'air est ridicule. La réalité est Dieu, car ce qui est de Dieu ne meurt pas, ne dépérit pas ni ne disparaît. Y a-t-il quoi que ce soit sur votre plan terrestre qui puisse relever ce défi? Que dire d'autre à ce sujet?

Ce chapitre contient beaucoup de choses renversantes pour l'esprit, des choses nous faisant cligner les yeux d'incrédulité, mais des choses qui donnent l'espoir que nos meilleures pensées à propos de Dieu soient réellement vraies.

Accordez de l'attention à vos espoirs et à vos rêves, et faites don de votre ego à Dieu, à Sa substance, à Son être véritable qui est croissance. Puis, prononcez la parole que vous recevez. Dieu vous comble d'une vérité spécifiquement adaptée à votre être, une vérité qui vous apportera la compréhension. Quand vous penserez avoir été remplis de cette vérité, vous serez Un avec Dieu dans vos objectifs.

Donnez à Dieu chaque image qui vous vient à l'esprit afin qu'Il puisse la purifier. Puis, conservez à l'abri dans votre être intérieur l'image qu'Il a épurée. Cette image deviendra spontanément la manifestation que vous avez visualisée avec l'aide de Dieu. Ainsi, vous et Dieu serez ensemble les artisans de votre destinée. Prenez ces images – les plans, les espoirs, les attentes de la vie que vous souhaitez vivre – et présentez-les à Dieu.

Tandis que je relisais ces derniers éléments, je suivis les instructions. Je visualisais mes plus grands rêves et mes plus grandes ambitions, mes espoirs et mes attentes. Ils semblaient illuminés par une très vive lumière blanche. L'un des Frères me dit alors :

Cette lumière brillante est l'illumination qui vous vient de Dieu. Laissez ces images baigner dans cette lumière sans chercher à hâter leur développement. Sachez que Dieu travaille en ce moment même pour affiner ces images. Ces images que vous avez décrites auparavant, celles que vous pensez vouloir dans votre vie, ce sont celles qu'Il prend dans sa vérité.

Ce qu'il y a de formidable dans ce procédé c'est qu'il marche toujours. Ne cherchez pas à anticiper le résultat tant que Dieu n'aura pas affiné ces images. Puis gardez l'esprit ouvert afin de les recevoir affinées à leur perfection. Elles vous enchanteront. Elles vous satisferont. Elles représenteront le désir profond que vous n'exprimez pas de peur d'être trop ingrate ou trop indigne. Il y a toute cette abondance dans l'univers dont nous pouvons nous charger. Cette abondance n'a rien à voir avec les choses extérieures que vous voyez; elle vient de l'invisible, l'invisible qui donne naissance aux nombreux rêves que nous avons lorsque nous remettons à Dieu ces images à développer.

À n'en pas douter, le phénomène de matérialisation de nos pensées obtenue par l'action combinée de notre croyance et de la substance universelle nous donne tous amplement de quoi réfléchir. Même si nous le pouvions, devrions-nous en faire usage? Est-ce de la sorcellerie? Est-ce une impulsion égoïste et malveillante? Est-ce que c'est dangereux, ou nous berçons-nous d'illusions?

Que nous puissions vous enseigner le mal est impensable. Chaque fois qu'une occasion s'est présentée à l'humanité, celle-ci a résisté lorsque l'idée apportée était nouvelle. L'occasion est maintenant donnée à ces lectrices et ces lecteurs d'éprouver par eux-mêmes ces vérités basées sur la vérité du Dieu de l'univers. Cette vérité ne vaut pas que pour notre plan, mais elle vaut aussi pour le plan terrestre. La vérité donne des moyens pour résoudre un grand nombre de problèmes du monde. Que nous puissions vous induire en erreur est risible. Cette Fraternité est incorruptible, car elle est créée par l'esprit de Dieu.

La vérité est ce que Dieu souhaite communiquer. Elle n'est pas cachée, elle est réglée sur votre longueur d'onde, c'est l'énergie-pensée qui ouvre l'esprit à tout ce que Dieu a à donner. Peu de gens l'ont compris lorsque Jésus était sur terre. Peu de gens le comprennent aujourd'hui. Dieu veut donner de bons cadeaux. Ce Dieu de l'univers veut tous nous amener à Sa compréhension pour nous rapprocher de Lui dans la façon d'utiliser les vérités. Telle est notre mission – apporter les vérités. Vous vous allierez ensuite à Dieu pour transformer les vérités en manifestations.

Puis il y a la question de la pensée devenant matérielle au moyen du principe divin approprié. La manifestation de la pensée semble toujours plutôt ridicule pour les habitants de la terre, mais pourtant elle fonctionne d'une manière pratique si nous suivons le principe qui s'y applique. Ce principe comporte les éléments de Dieu, le Dieu universel, ainsi que les éléments de votre croissance. Prenez le concept le plus élevé que vous ayez de Dieu, polissez-le au mieux dans votre esprit afin qu'il devienne éclatant. Rien ne le dissimulera et rien ne peut empêcher la manifestation de se produire lorsque l'élément de vérité est présent. La combinaison de trois choses, vous, plus la visualisation impeccable du plus haut concept de Dieu, plus la vérité sur la présence de cette sub-stance universelle à votre disposition, rend la manifestation complète. Essayez-le.

Présentez vos rêves, vos espoirs, vos besoins financiers, vos pensées poussiéreuses qui vous ont longtemps accom-pagnée pour l'amélioration de votre vie.

Je dus admettre que ces « pensées poussiéreuses » étaient si profondément enfouies en moi que je n'avais plus conscience de leur présence. Sur quoi, à ma grande surprise et pour ma plus grande joie, un Frère énuméra ces espoirs et ces rêves enfouis profondément en moi. Je suppose que je les avais relégués dans un recoin inaccessible de mon esprit.

Ces désirs ne sont ni égoïstes ni inaccessibles. Ne pensez pas à mettre Dieu à l'épreuve, mais plutôt vous-mêmes. **Vous ne recevrez pas ce que vous estimez ne pas mériter.** Par conséquent, ouvrez votre esprit et votre cœur à la merveilleuse bonté de Dieu. De ce côté-ci du canal ouvert, nous vous visualisons en train de profiter de tout ce que votre cœur désire. Soyez sincère envers ces pensées. Ouvrez-leur votre esprit pour qu'elles deviennent réalité dans votre vie.

Il est important de comprendre ici que les gens essaient d'atteindre laborieusement leurs objectifs en excluant toute participation de Dieu. Il est possible de les atteindre en forçant votre chemin (en utilisant la vérité terrestre), mais pour que cette recherche soit agréable et qu'elle prenne tout son sens, il suffit pour manifester vos objectifs de les confier aux bons soins de Dieu et à Son grand pouvoir.

Je ne savais pas si je devais demander à Dieu d'épurer ces rêves redécouverts.

Cela a été accompli, et vous le savez par le fait que ces images sont restées telles qu'elles ont toujours été. Dieu les a clarifiées et vous les a offertes pour que vos espoirs deviennent réalité. Le temps est venu de raviver leur lustre parce qu'elles sont déjà la pensée la plus élevée de Dieu dans votre expression de vie. Amenez ces images en votre être intérieur, sachant que Dieu est en train de leur donner forme à l'extérieur.

Cette idée de la vérité qui oriente nos esprits vers l'action concrète est ici le concept important à comprendre. Notre propre vérité intérieure nous libère du souci de devoir ressortir de nombreuses vérités et de devoir constamment en faire le tri. Votre vérité n'appartient qu'à vous. C'est le point essentiel ici. Ne vous préoccupez pas de la vérité des autres, peu importe à quel point ils peuvent tenter de vous changer ou de vous convertir. Vous et Dieu déterminez quelle est la vérité de votre être. Ainsi marcherez-vous toujours dans la lumière du soleil de Dieu.

Je demandai si le mot signifiait "Fils", voulant dire Jésus au lieu de soleil*. Mais il n'y avait pas d'erreur.

Non. Le soleil dont nous parlons est l'illumination que Dieu nous donne tous. Le Fils dont vous parlez est la relation existant entre Dieu qui nous aime et notre Christ intérieur. Le soleil dont nous parlons n'est pas la relation, mais la pure lumière de Dieu qui nous illumine lorsque nous tournons notre esprit vers Lui pour favoriser la croissance de notre âme.

Est-ce que la religion consiste simplement à se tourner vers Dieu pour connaître notre vérité? Je voulais vérifier la justesse de ma définition avec celui avec qui j'étais en communication.

Selon notre définition de la religion, les hommes et les femmes font confiance au Dieu de leur être pour les guider sur le chemin de vie qu'ils suivront. La croissance est possible grâce à Dieu, et non grâce aux dogmes de l'homme. Dieu est l'Unique, la Puissance, la pure Croissance à laquelle nous aspirons tous. La religion consiste à recevoir la vérité de Dieu et à devenir un dissident qui est libre d'être lui-même, et non un simple rouage dans la machine de l'Église.

La vie nous offre de nombreux défis à relever, de nombreuses décisions à prendre, de nombreux chemins à suivre. Comment pouvons-nous utiliser la vérité pour nous aider jour après jour dans ces choix et ces crises?

Pour devenir Un avec Dieu, nous devons d'abord devenir Un avec notre propre schéma de croissance – le plan que nous élaborons avec l'aide de Dieu pour chaque existence. Alors nous pourrons faire face aux défis avec cette vérité intérieure s'appliquant à toutes nos décisions et à tout ce qui touche notre vie quotidienne.

Les membres de la Fraternité ne cessent de répéter qu'il nous faut devenir Un avec notre schéma de croissance. Je demandai une explication concise sur la manière de devenir Un avec ce plan.

* NDT: "sun" (soleil) est phonétiquement identique à "Son" (Fils) en anglais, d'où cette question de l'auteure.

Voici le plan en trois parties : prenez le moi véritable ou l'image du moi divin que vous comprenez. Joignez-vous à Dieu. Puis unissez-vous à Lui.

Comme pour toute explication concise, des éclaircissements complémentaires sont nécessaires et les voici.

Pour être une véritable personne de Dieu, nous devons entrer en contact avec Son plan parfait qui nous aidera à progresser dans nos vies. C'est ainsi que nous arriverons à comprendre comment utiliser l'énergie qui afflue sur terre sur simple commande. Cette commande est la loi qui est appliquée lorsque nous devenons Un avec notre plan divin ou plan de croissance. Pour mettre notre plan à exécution, nous devons arriver à ne faire qu'Un avec celui-ci. Pour faire usage de l'énergie qui amènera le plan à se manifester, nous devons être capables de nous débarrasser de notre ego afin que Dieu puisse nous combler.

De toute évidence, il y a ce que nous pourrions appeler une loi naturelle concernant notre aptitude à vivre notre vie conformément au plan divin et à la puissante énergie qui afflue vers nous pour que nous l'utilisions. Je demandai pourquoi cette énergie apparaît seulement dans ces conditions particulières.

La raison en est que l'énergie est la vérité du canal ouvert affluant à travers celui-ci. Seuls les gens qui s'y harmonisent et ceux qui ont conscience d'être sur la bonne voie pourront capter cette énergie pour l'utiliser. Les autres comptent sur leur propre ego et sur les promesses qu'ils se sont eux-mêmes faites. Ils ne cherchent pas ailleurs que dans leur ego pour trouver cette énergie.

Je demandai qu'on me donne des exemples.

On peut en trouver un exemple dans le domaine des arts de création où les gens parlent de leurs illuminations ou de leur inspiration. De leur propre aveu, ils affirment avoir reçu de l'énergie du canal ouvert pour réaliser leurs espoirs et leurs rêves, et ils ont pu ainsi mettre à exécution leur plan de croissance. Ils puisent à cette source aussi naturellement que l'eau dévalant une colline sur le plan terrestre. Ils se tournent vers le soleil de Dieu – l'illumination, la substance – pour être comblés.

Je leur demandai des éclaircissements à propos des aspects matériels de la vie – tels gagner sa vie, et assurer notre sécurité financière et celle de notre famille.

Comme pour tous les autres buts, vous devez confier votre pensée au canal ouvert. Autrement dit, l'image, le but ou la ligne de conduite que vous désirez avoir doivent être affinés par Dieu. Si ce que vous avez émis vous revient, alors puisez dans cette substance. Ce processus se déroule rapidement – aussi vite que la pensée. Nous l'avons expliqué étape par étape afin que vous puissiez comprendre comment il fonctionne.

Six mois après le début de ce projet entre la Fraternité et moi-même, on me demanda de mettre mon esprit dans un état neutre et d'essayer de ne rien forcer du tout.

Essayez de vous harmoniser avec notre tonalité. Pour y parvenir, essayez d'entendre le son juste, la tonalité que nous vous donnons. Essayez d'adopter un état d'esprit neutre et concentrez-vous sur le son. Le son, le son, le son.

La raison de cette introduction inhabituelle était de me préparer à recevoir des informations que j'allais avoir du mal à croire.

Ce que nous allons dire maintenant vous semblera fantastique parce que vous n'avez aucun moyen de comprendre les choses de notre point de vue en ce domaine. Essayez de croire sans comprendre afin de saisir le concept.

C'est ainsi que débuta la communication du jour et que je pris conscience d'un concept que j'en vins finalement à accepter, non sans une forte résistance mentale et émotionnelle.

La croissance acquise vie après vie témoigne de la progression d'une personne. Progresser c'est se développer. Pour se développer il faut vivre de nombreuses existences. Pour vivre ces existences, les gens doivent s'incarner via le ventre d'une femme. Mais certains peuvent s'incarner sur terre en empruntant une autre route. Cela peut se faire par l'intermédiaire du corps d'une autre personne qui, pour une raison ou l'autre, estime ne plus en avoir besoin.

Il revient de droit au donneur, à la personne qui ne

souhaite plus vivre sur le plan terrestre, de remettre son corps à une autre âme. Cette personne abandonne donc son corps pour redevenir esprit. Un autre esprit qui a besoin de ce corps le reprend et poursuit l'expérience de la vie. L'esprit qui pénètre dans ce corps a un nouveau plan, une nouvelle énergie et un désir ardent de mettre ce plan à exécution. Dès cet instant, cette existence humaine particulière commence à changer pour le mieux.

Cette *(nouvelle)* personne conserve les mêmes souvenirs, les mêmes liens avec les amis et les êtres chers. Par conséquent, la nouvelle personne nous présente exactement la même personnalité qui s'était exprimée auparavant, mais avec certains raffinements. Les raffinements de la nouvelle personnalité sont les vérités de l'âme qui s'interpose ici. De cette façon, l'âme qui arrive peut poursuivre la vie entamée sans plus de problèmes.

Ces âmes qui se réincarnent de cette manière essaient de ne déranger personne. Elles se donnent pour mission d'essayer de façonner les autres en de nouvelles créatures libérées des peurs, croyances et dogmes imposés qui obscurcissent leurs valeurs spirituelles. Elles exercent une meilleure influence autour d'elles que le premier détenteur du corps, et ce nouvel occupant a plus d'impact sur la croissance en général.

Cela *(ce transfert d'âmes)* est pratique, car les gens veulent parfois s'en aller – ils veulent réellement quitter cette existence. Soit ils se suicident, soit ils s'abandonnent au profond dégoût qu'ils éprouvent pour la vie. En d'autres termes, soit ils mettent fin à leurs jours, soit ils sacrifient leur plan de croissance. Évidemment, d'une façon ou d'une autre, ce n'est pas bien. Il est de loin préférable de céder votre place et de remettre votre corps à une autre âme qui s'en servira à bon escient. Cela *(cet échange)* est facile à faire. Premièrement, il suffit simplement de décider de laisser une autre âme assumer le contrôle de votre corps. Ensuite, attendez notre aide. Une date sera fixée pour le changement, et il y a habituellement un rêve qui indique l'imminence de l'échange. Puis survient une simple substitution d'esprits pour réaliser un échange parfait. Assurément, cet échange est de loin préférable au suicide ou à une vie misérable que l'on se contente de subir sans pouvoir se développer. Abandonner son corps à un autre, c'est comme faire une transplantation à frère humain.

Ces nouvelles personnalités ou âmes progresseront rapidement dans l'exécution de leur plan. Elles apporteront de l'aide aux autres personnes. C'est là une bonne occasion de faire un emploi très utile de votre corps en entier, et non une simple utilisation à la pièce après la mort. Réfléchissez bien à ce plan. Ainsi plutôt que de laisser un grand désespoir vous rayer définitivement de la carte, laissez un autre esprit prendre le relais. Votre personnalité corporelle continuera à prospérer et deviendra le noble instrument que vous aimeriez qu'elle soit. N'ayez absolument aucune inquiétude à propos des enfants ou d'autres problèmes, car la nouvelle âme sera tout aussi vigilante que vous à l'égard de ces responsabilités. Vous pouvez donc renoncer à votre corps sans la moindre crainte.

Ce concept est le meilleur plan que nous ayons ici pour mettre à contribution les âmes avancées qui peuvent apporter plus de paix sur le plan terrestre. Ces âmes peuvent être celles qui apporteront un nouveau savoir et une nouvelle sagesse dans la conduite des affaires terrestres. Ce seront elles qui guideront les gens dans les moments difficiles.

J'avais lu le livre de Ruth Montgomery "Strangers among us"* *(Des étrangers parmi nous) dans lequel elle décrit ce même plan avec de nombreux exemples et détails à l'appui. J'étais loin de m'imaginer à cette époque que je recevrais un jour une description similaire d'un procédé par lequel une âme abandonne un corps à une deuxième âme.*

Je demandai comment la deuxième personnalité était choisie. L'explication que me donna cet esprit avancé est que la seconde et la première personne ont pratiquement le même schéma de croissance (ou système de croyance). Cette même attraction qui

* Publié chez Ballantine Books en 1979.

nous regroupe sur l'autre plan de vie amène l'âme de remplacement vers la première âme. Il y a donc compatibilité.

J'étais certainement d'accord avec la Fraternité à l'idée que léguer son corps à une autre âme est préférable au suicide, ou en d'autres termes à un échec du plan de Dieu qui pourrait être source de tristesse non seulement pour la personnalité en cause, mais aussi pour les amis et la famille. Bien que le concept soit difficile à croire, j'ai dû me résoudre à l'accepter car je suis une de celles qui sont entrées dans un corps d'âge mûr. Quand les membres de la Fraternité m'avaient informée de ce changement, de cette ré-entrée dans la vie à travers ce corps, j'avais effectivement refusé d'y croire. Même si je savais avoir changé ces dernières années, je tentai vaillamment de trouver des raisons plausibles pour expliquer ces changements.

Puisque la seconde âme entre dans le corps et conserve la mémoire de ce corps, je n'ai pas eu conscience du moment précis où cela s'est produit. J'admets cependant avoir traversé une période difficile dans ma vie. Mon moral était très bas presque tout le temps, et la vie ne me semblait guère valoir la peine d'être vécue. Je souffrais de dépression, et j'avais la nostalgie du passé au lieu d'éprouver de la joie dans le présent.

Un jour, je pris conscience d'un nouvel optimisme et d'un vif intérêt pour ma vie. Je "savais" que le sucre était mauvais pour ma santé, et je commençai à réduire ma consommation. Plus tard, je découvris que j'étais diabétique, et je me documentai sur cette maladie, bien déterminée à contrôler mon taux de sucre en suivant uniquement un régime approprié. Je développai un intérêt soudain à jouer d'un petit instrument de musique, et je fus attirée par la flûte à bec ancienne, un instrument des quatorzième et quinzième siècles. Beaucoup de personnes me demandèrent comment je connaissais l'existence de cet instrument et pourquoi je voulais en jouer. Je n'avais pas de réponse satisfaisante à leur offrir, pas plus qu'à moi-même d'ailleurs. Je "savais" simplement que la flûte à bec était l'instrument que je voulais. Et bien sûr, il y a cette nouvelle activité d'écriture. Une amie intime me fit remarquer certains changements survenus en moi, et mon mari se demanda tout haut si j'étais bien la même personne qu'il avait épousée.

Différents Frères ont expliqué cette ré-entrée de la façon suivante :

La vérité est que l'entité qui occupe le corps, votre corps en l'occurence, n'est pas celle qui est venue à l'origine, le jour de la naissance, mais une nouvelle âme, une nouvelle entité qui se demande si elle parviendra à remplir sa mission ici d'écrire ce livre. Voilà pourquoi vous êtes venue. Voilà pourquoi vous vouliez être sur terre. Celle à qui je parle maintenant est cette personne, cette nouvelle personne. Ceci est la vérité.

Abasourdie, je laissai l'écriture se poursuivre, ayant à peine conscience de ce qui s'écrivait.

Vous apportez le meilleur de vous-même en ce corps afin d'élargir son champ d'action pour une meilleure utilisation. Pour réaliser votre plein potentiel, vous êtes venue dans ce corps pour essayer de stimuler une nouvelle croissance et pour être réceptive à notre aide. Vous y êtes parvenue. Vous l'avez été.

Je demandai quand ce transfert avait eu lieu.

Il s'est produit un jour alors que vous faisiez un petit somme. Ce jour-là, vous étiez découragée, déprimée, démoralisée. Puis c'est une nouvelle personne qui s'est levée. Vous étiez habitée par une âme nouvelle – nous parlons au corps ici. Ce jour-là, vous avez su faire naître un nouvel espoir, une nouvel élan de croissance, une nouvelle vie divine.

J'avais évidemment beaucoup de questions à poser, comme celle de savoir où était passée l'autre âme qui habitait auparavant ce corps de Jean Foster.

Telle est la puissante pensée qui vous vient parfois à l'esprit, celle de devenir la meilleure épouse possible pour Carl. Cet esprit est présent ici, vous observant et vous encourageant. Cette entité est heureuse de la situation. Elle vous transmet ses salutations dans votre nouvelle vie. Elle n'entretient aucune pensée de jalousie. Elle poursuit sa route comme elle l'entend, voyez-vous.

Je posai l'inévitable question terrestre : « Qui de nous sera la femme de Carl sur l'autre plan? » La Fraternité a probablement souri en chœur en donnant la réponse.

Cela n'est pas le grand problème que vous croyez être, car ici il n'y a pas d'amour et de mariage dans le sens d'un amour sexuel entre homme et femme. Seul le véritable moi compte ici.

Un Frère m'expliqua que j'aimais mon mari d'une manière différente de la première âme.

Elle l'aimait au point d'être prête à se sacrifier, et vous l'aimez assez pour faire plus confiance à votre moi divin qu'à votre mari.

Apparemment, je me suis couchée un jour déprimée et malheureuse, et je me suis levée heureuse d'être en vie et pleine d'espoir. Je ne puis nier qu'un changement soit survenu. Je sais que je suis moins dépendante de mon mari pour mon bonheur. Il doit en être soulagé. J'ai de nouveaux intérêts, et je me sens bien la plupart du temps. La vie me procure une profonde satisfaction.

Ces changements se sont produits graduellement dans ma vie. J'ai senti à maintes reprises que quelque chose en moi – mon esprit – entraînait mon corps à devenir plus mental et moins émotionnel. Ma source me dit que des esprits avancés ont pris contact avec mon être pour faire comprendre à ma première âme qu'elle n'avait nul besoin de souffrir comme elle le faisait, et alors mon corps est devenu disponible.

Ensuite vous – la nouvelle âme – êtes entrée. La situation qui avait causé le désespoir s'est rétablie d'elle-même. Vous avez apporté la paix à ce corps, à ce mariage, à toute la maisonnée.

Plus tard, je m'informai au sujet des lectures de vie qu'ils m'avaient faites auparavant, en me demandant à qui elles se rapportaient.

Ces lectures de vie auxquelles vous faites référence se rapportaient bien à vous. Le corps n'a rien à voir avec ces lectures de vie. Ce n'est pas une question d'ordre physique mais une question d'ordre spirituel.

Le nombre de questions surgissant dans mon esprit semblait illimité. Devrais-je, pourrais-je jamais accepter comme vraies toutes ces informations sur la ré-entrée? J'appris que puisque le cerveau avait enregistré la vie terrestre, j'avais des souvenirs qui me semblaient réels. Je suis toujours la mère affectueuse, la grand-mère passionnée. J'apprécie la bonté de mon mari, et je m'émerveille de sa stabilité peu commune et de sa bonne humeur. Je l'aime.

Je demandai si l'un ou l'autre des membres de la Fraternité avait quelque chose à ajouter sur ce sujet.

C'est en vivant de nombreuses existences que la véritable croissance devient possible. Mais il y a plus d'une façon d'entrer dans un plan de vie. L'une est par la naissance, l'autre par la ré-entrée lorsque la première âme en a assez de la vie, pense au suicide, et désespère de pouvoir résoudre ses problèmes. Il est alors temps d'abandonner son corps à une autre entité qui s'attaquera aux problèmes et les résoudra. Cette nouvelle personne apporte avec elle les pensées de ce plan et met en pratique le processus permettant de recevoir notre aide. La seconde entité assumera les responsabilités de la première et les difficultés se dissiperont. Ensuite la nouvelle âme accomplira la tâche pour laquelle elle est venue sur terre. Toute la question du canal ouvert servant de moyen de communication est encore fraîche à l'esprit divin de la seconde âme, et elle cheminera plus rapidement vers la vérité. Puis viendront le but véritable et la pure substance paisible dont Dieu dispose pour celles et ceux qui souhaitent manifester des choses.

Il n'a pas été facile pour moi de partager le côté personnel de ce concept parce qu'il est difficile de lâcher son ego et sa fierté personnelle. « Que diront les gens? » me demandai-je. « Mes amies penseront-elles que je suis étrange? » Et finalement : « Que pensera de moi ma famille? » Mon guide/conseiller dit que je suis une femme honnête et que j'ai la responsabilité envers celles et ceux qui liront ce livre de raconter cette histoire personnelle. Maintenant c'est fait.

Le messager de la Fraternité a ensuite résumé ainsi le concept de ré-entrée.

La vérité de notre être est que nous venons sur terre dans un but précis. Puis nous abandonnons notre corps, soit à la mort, soit à une autre personne qui vient pour atteindre un objectif différent du premier. Dans les deux cas – naissance ou ré-entrée – il est préférable d'avoir l'occasion de tenter à maintes et maintes reprises d'y parvenir. La croissance qui en résulte (le développement réellement effectué) est ce qu'il y a de mieux.

Pour comprendre la ré-entrée, il faut commencer par accepter le pur amour de Dieu qui nous offre ces nombreuses chances de devenir Un avec Lui. Pour accepter pleinement la vérité de cette ré-entrée, soyez dans la pensée de Dieu qui unifie la vérité de nos âmes. Il nous donne plus de Lui-même à chaque pas de notre développement. Il veut que nous soyons Un avec Lui tout comme Jésus l'était et est Un avec Lui. Cette unité est possible, pas improbable.

Cette unité, le potentiel optimal pleinement exprimé, nous donne la pure compréhension qui nous libère de notre ego personnel et nous donne la pure vérité grâce à laquelle nous vivons. Puis nous ouvrons nos yeux à toute la vérité universelle, la grande ouverture de Dieu qui nous donne une liberté d'expression illimitée. Il n'y a pas d'autre façon de qualifier cette pure unité avec Dieu que de la décrire comme la pure liberté d'exprimer les merveilleuses choses qui sont en nous.

• • • • • • •

Stimulateurs de pensée

1. *Dieu nous aidera à purifier nos plans de vie terrestre. Dressez la liste de vos espoirs, rêves et ambitions, en demandant l'aide de Dieu pour affiner chacun d'entre eux. Quel nouvel éclairage recevez-vous intuitivement?*

2. *Réaliser vos buts avec Dieu comme partenaire vous apporte l'unité avec Dieu. Comment cela peut-il vous être bénéfique?*

Travail intérieur : *La Fraternité de Dieu est prête à vous apporter son aide et attend votre appel. Ensemble, travaillez avec Dieu pour recevoir votre propre vérité intérieure qui vous libère d'avoir à distinguer le vrai du faux dans la vérité des autres.*

Se fier aux promesses de Dieu

Vingt-trois promesses de Dieu. Ce qu'elles sont et comment en bénéficier.

Les membres de la Fraternité nous assurent que les promesses de Dieu en ce qui a trait à nos vies terrestres et notre vie éternelle sont vraies et dignes de confiance. Mais, comme toute promesse, rien ne se produit tant que les personnes qu'elles visent ne font pas les premiers pas pour en bénéficier. Nous avons le choix. Nous pouvons nous adresser directement à Dieu ou encore demander l'aide de la Fraternité qui nous montrera comment tirer parti des promesses de Dieu.

Dieu est tel une porte ouverte lorsque nous Le contactons directement. Mais beaucoup ont de la difficulté à s'adresser directement à Dieu. Ils **veulent** s'unir à Dieu, mais en même temps ils ont **peur** de Lui. Et la peur les maintient séparés de Celui qui ne demande qu'à s'unir à eux.

Prenez la question d'avoir une plus grande ouverture d'esprit, par exemple. Le Dieu de l'univers porte en Lui un message d'espoir, mais beaucoup de ceux qui prétendent Le connaître ne S'en approcheront pas pour recevoir le message. Ils se tiennent à distance et jettent des regards de-ci de-là. Ils rejettent complètement l'idée même que toute union avec Dieu soit possible. Ils se disent que Dieu les considère comme indignes ou trop mauvais. Ils ne croient aucunement en leur immortalité. Ils croient au corps. Ils croient à la matière. Ils croient que Dieu est trop loin d'eux et trop indifférent à leur sort, qu'Il est trop grand pour satisfaire leurs besoins. Ils s'en détournent donc tristement. C'est pour cette raison que Jésus a dit qu'il y avait un Conseiller, l'Esprit Saint, qui vous enseignera, vous réconfortera et vous libérera des malentendus existant entre vous et Dieu.

La Fraternité a énuméré nombre de promesses dont nous pouvons tirer avantage si nous ouvrons notre esprit au potentiel que nous avons tous de devenir Un avec Dieu. Comme le disent ces esprits avancés, nous pouvons aller directement à Dieu pour que ces promesses s'accomplissent, ou nous pouvons demander leur aide.

La première promesse dit qu'en s'alliant avec la Fraternité de Dieu, on s'unit à l'énergie bienfaisante de Dieu. Oui, Dieu vous donnera toute l'énergie dont vous pouvez avoir besoin pour exposer vos besoins et vos désirs, et la Fraternité vous fournira l'aide nécessaire pour les satisfaire. Nous donnons seulement ce que Dieu Lui-même a pour vous.

La seconde promesse dit que l'alliance entre vous et la Fraternité établira un canal ouvert qui vous connectera avec Dieu. Cette communication avec Dieu fournit l'inspiration, l'aide et l'espoir qu'il faut pour vivre vos jours et vos nuits. Le travail d'équipe que nous ferons vous apportera de nouvelles idées, de nouvelles pensées, de nouvelles façons d'obtenir ce dont vous avez besoin pour accomplir votre plan divin. La foi est nécessaire dans cette relation, car les conseillers travailleront avec chaque personne qui le demande et qui se joint à nous avec la foi en notre existence et en notre volonté d'aider.

La troisième promesse que Dieu fait est d'enseigner à celles et ceux qui désirent apprendre qu'Il est bien l'être tout-puissant qu'Il nous a affirmé être. Ce Dieu tout-puissant, ce Dieu éternel de l'univers vous dit que Sa puissance vous amène à la maîtrise de votre monde, de votre vie et de votre être intérieur. Ce Dieu tout-puissant vous prend là où vous êtes et vous donne le pouvoir de faire avancer vos vies à pas de géant. Il vous inspirera avec des systèmes de pensée qui vous donneront pour toujours la véritable force qui triomphe des problèmes de ce monde, quels qu'ils soient. Tout cela est possible lorsque vous formez une alliance avec la Fraternité qui a par-dessus tout à cœur les meilleurs intérêts de chacun.

La quatrième promesse concerne notre espoir pour les choses qui rendront la vie agréable. Ce Dieu de l'univers vous promet que vous aurez tout ce dont vous avez besoin. La faim ne devrait pas exister, pas plus que la maladie ou les traumatismes résultant de quelque manque que ce soit. Dieu promet de pourvoir aux besoins de celles et ceux qui se joindront à la Fraternité pour faire connaître leurs besoins. Chaque personne peut demander l'énergie qui lui fournira la substance nécessaire pour satisfaire tous les besoins. Cette substance n'est pas une illusion, pas plus que ne l'est l'énergie. C'est une promesse qui donne des résultats.

Les Frères signalent que ce sont les pensées erronées qui sont la cause de tout manque, et que c'est en nous servant correctement de la pensée que l'on peut récolter les fruits de cette promesse. En réponse à mes questions, on me donna pour réponse que nous devons être en harmonie avec le Dieu de l'univers si nous voulons recevoir la substance qui produit la manifestation. Je me suis harmonisée, me dit-on, en allant à Dieu avec mon esprit que l'on appelle aussi le moi divin.

Arriver à se mettre en harmonie avec Dieu ne me paraît toutefois pas être une chose facile; je me tournai donc vers les conseillers pour recevoir de l'aide. Voici ce qu'ils ajoutèrent au sujet de la quatrième promesse :

Il ne devrait plus jamais y avoir de famine ou même d'insuffisance d'une nourriture adéquate si les gens veulent bien accepter de collaborer avec nous pour apprendre à utiliser l'énergie-pensée illimitée que Dieu réserve pour toute l'humanité. Il n'y a pas de manque. Il y a seulement l'illusion du manque sur le plan terrestre. Seules des pensées erronées engendrent le manque. Les gens comprennent si peu la grande abondance que Dieu nous offre qu'ils en viennent même à tenir Dieu responsable du manque, ce qui est franchement ridicule. Dieu nous offre la substance. Pourquoi ne pas s'en servir? Pourquoi ne pas appliquer la loi, le principe de la manifestation?

La cinquième promesse concerne le développement de votre moi divin. Selon la promesse, vous pouvez développer votre personnalité pour qu'elle reflète la bonté, la puissance et l'illumination d'un esprit créatif. Croyez-nous, il n'y a aucun moyen de dénombrer toutes nos vérités qui aideront chaque personne à atteindre ses objectifs. Il n'y a que bonheur et bonne énergie pour celles et ceux qui collaborent avec la Fraternité pour devenir les personnes qu'elles veulent être.

La sixième promesse vous assure de pouvoir connaître vos buts permanents dans votre vie – les buts de votre âme, pas les buts de votre chair. De nouvelles idées pourront alors émerger parce que vous comprendrez quel a été votre développement, et vous saurez dans quelle direction vous allez. Ces nouvelles idées qui viennent de l'intérieur refléteront ces buts spirituels, voyez-vous, et vous serez assurés d'être sur la bonne voie dans votre schéma de croissance.

La septième promesse vous dit que vous ne manquerez pas votre coup dans cette vie si vous vous associez à la Fraternité. Cette promesse vous ouvre les yeux et le cœur; elle vous donne ce qui est bon pour vous. Les gens qui s'unissent à nous seront les juges de leur propre vie et ils seront satisfaits de ce qu'ils auront appris et du chemin parcouru dans leur évolution. Telle est la promesse faite.

La huitième promesse que Dieu a faite est que vous pouvez choisir vos propres parents. Vous entrez dans la vie terrestre à partir de ce côté-ci en unissant votre moi divin au corps du bébé tout juste avant sa naissance. L'âme choisit les parents et sa nouvelle condition de vie. Vous devez avoir un motif précis pour avoir choisi ces gens-là et il doit y avoir une raison pour laquelle vous avez choisi ce corps-là. Grâce à la Fraternité vous pourrez comprendre pourquoi votre âme a fait ces choix précis pour cette existence, et elle vous aidera à interpréter cette action.

La neuvième promesse de Dieu concerne votre moi intérieur, votre âme et le pouvoir de développer vos talents particuliers. La Fraternité vous aidera à établir la connexion avec Dieu afin qu'Il puisse vous donner l'énergie qui se combinera avec votre talent. Ainsi, tournez-vous vers ceux qui se tiennent prêts à favoriser l'expression de vos talents cachés.

La dixième promesse nous assure que nous pouvons contribuer à ce qui est bon pour la terre. Nous pouvons tous faire beaucoup de choses durant notre vie pour faire de la terre un meilleur endroit où vivre. Mais beaucoup se contentent de parler de ce qu'il faudrait faire. Peu de gens passent à l'action pour améliorer la situation. En conséquence, cette promesse affirme que Dieu dispose de moyens dont les gens peuvent se servir pour créer une meilleure vie sur terre afin que tous puissent prospérer et en profiter. Cette énergie que Dieu possède affluera vers ces projets si les gens apprennent comment diriger vers eux cette énergie. La Fraternité sera le canal ouvert pour vous donner les moyens, pour vous donner cette vérité.

La onzième promesse oblige votre moi divin à stimuler vos propres talents, votre vérité et vos pensées pour contribuer à créer les choses que les gens désirent et dont ils ont besoin – des choses qui produiront de grands bienfaits dans leur vie. Cette promesse venant de Dieu s'adresse à tous ceux et toutes celles qui s'allieront avec la Fraternité de Dieu pour apprendre comment cette promesse se réalisera. Personne ne peut manifester ses qualités sans l'énergie que

Dieu possède, sans cette substance à partir de laquelle tout est fait. Votre collaboration avec ces aides permet de donner à cette énergie, à cette substance, la forme que l'esprit de la personne attend désormais d'elle. Telle est la vraie promesse de Dieu.

À ce stade je demandai quelle était la différence entre la quatrième et la onzième promesse. La quatrième promet tout ce dont nous avons besoin et la onzième promet tout ce dont nous avons besoin plus tout ce que nous désirons. Elles me paraissaient en tout point semblables.

La quatrième promesse indique que les gens ne seront pas dans le besoin, qu'ils auront tout ce qui est nécessaire pour leur corps. La onzième promesse dit que les gens peuvent manifester tout ce qu'ils désirent manifester. La quatrième promesse est celle que la majorité des gens accepteront. La onzième va un peu plus loin, puisqu'elle va jusqu'au Dieu infini de l'univers qui peut faire toutes choses. Quand nous embrassons cette vérité, ce concept, et le mettons en œuvre dans notre vie, nous manifestons grâce à Dieu le désir de notre cœur.

La douzième promesse vous pousse vers la vérité de votre être – que vous deviendrez Un avec Dieu lorsque vous accepterez enfin de mettre Dieu au centre de votre vérité. Le canal ouvert – la pensée bénéfique de la Fraternité s'ouvrant à chacun – apportera l'union parfaite entre Dieu et l'individu. Cette union vous donne l'assurance que votre moi divin s'exprimera en une parfaite liberté surpassant même les lois naturelles, et que vous comprendrez pourquoi les pensées sont des choses. Cette union vous apporte la joie la plus profonde qu'une âme puisse connaître, et représente le summum de ce à quoi les gens aspirent. On ne peut la comparer à aucune autre expérience, et aucun autre état n'atteint une telle qualité. Il n'y a pas de comparaison possible. Être Un avec Dieu, c'est être la quintessence de la vérité en expression.

La treizième promesse dit que l'amour de Dieu sera à la mesure de ce que vous pouvez concevoir de Lui. Cette promesse vous demande d'élargir votre conception de Dieu, d'accorder à la pensée que vous avez de Dieu toute l'ampleur qu'elle mérite. Cette promesse signifie que cet amour merveilleux vous enveloppera proportionnellement à ce que votre âme peut en concevoir. L'amour de Dieu est éternel, mais la capacité de la personne à le recevoir peut poser problème. Avec l'aide de la Fraternité, vous pouvez élargir votre propre compréhension et recevoir les bienfaits de cet amour dans votre vie.

La quatorzième promesse est destinée tout spécialement à certaines personnes à qui Dieu veut faire connaître la valeur du canal ouvert. Cette promesse permet aux personnes handicapées de comprendre que Dieu fera en sorte que leur vie soit digne d'être vécue, d'être endurée, et qu'elle sera source de croissance intérieure. S'allier à la Fraternité apportera à ces personnes très spéciales la compréhension, la réalisation intérieure de ce qu'elles accompliront dans cette existence particulière. En s'associant avec ceux qui les aideront, elles gagneront en retour cette compréhension et cette illumination qui jailliront dans leur esprit.

La quinzième promesse vous assure de trouver l'empathie que vous cherchez pour donner un sens à votre vie. Cette empathie est la compréhension que Dieu est réellement avec vous en esprit, avec vous pour vous aider à comprendre vos épreuves, avec vous pour vous réconforter. La Fraternité ouvrira les esprits de celles et ceux qui souhaitent voir cette promesse se réaliser.

La seizième promesse dit que Dieu donne le meilleur de Lui-même à chacun de vous, et non à une ou deux personnes de-ci de-là. Beaucoup parmi les gens qui invoquent Dieu pensent qu'Il accorde son attention uniquement à quelques personnes, mais Il a promis d'être avec tous. Pour croire, pour avoir foi en cette promesse, vous devez vous allier à la Fraternité, au Conseiller pour recevoir Dieu dans votre cœur.

La dix-septième promesse vous donne l'assurance d'un Dieu compréhensif à qui vous pouvez confier vos soucis. Les gens pensent souvent que ce Dieu qu'ils honorent est trop bon pour Lui confier leurs problèmes, mais Il promet de tous les prendre en Son sein pour les soulager de leur fardeau. Le message de Jésus-Christ disait à tous ceux qui souffraient de venir à lui, mais en fait Jésus voulait dire qu'il faut confier ses difficultés à Dieu car Il possède le pouvoir de les dissoudre et de les recréer en circonstances positives. Vous décharger de vos problèmes est le premier pas vers la confiance en Dieu. Cette promesse de Dieu est celle qu'il vous faut comprendre pour vous tenir droit, et non pas courbé sous le poids des soucis.

La dix-huitième promesse est destinée à ceux qui essaient de tout faire à la sueur de leur front. La promesse que Dieu fait est d'écarter les embûches du chemin de celles et ceux qui Le laisseront agir. L'intention de Dieu est d'alléger les souffrances, les épreuves difficiles, les pensées qui privent votre esprit de tout espoir. Dieu rendra heureux les désespérés et fera voir la beauté de la vie aux accablés. La Fraternité se tient prête à aider chacun de vous à réaliser cette promesse, pour que votre vie soit faite de beauté et de bonheur.

La dix-neuvième promesse ouvre l'esprit à des possibilités telles que ce type particulier d'écriture pratiqué par l'auteure de ces lignes. Voici la promesse de Dieu : vous guider, vous donner espoir et de bonnes pensées. La Fraternité peut ouvrir l'esprit à toute personne qui vient à elle avec le désir de comprendre. Si vous le désirez, vous pouvez pratiquer le même genre d'écriture que celui pratiqué par l'auteure. Dieu promet d'être là d'une façon personnelle pour chacun d'entre vous. Nous, qui sommes associés à Dieu, vous aiderons à trouver l'approche personnelle vous convenant le mieux.

La vingtième promesse est celle qui apporte à tous le plus de réconfort. Dieu promet à chacun le cadeau de la vie éternelle. Cette vie éternelle n'est pas une récompense; elle est une promesse. Avoir l'assurance de l'éternité, c'est croire que Dieu gouverne, qu'Il exprime ce qu'Il veut dire, et que ce qu'Il veut dire est la vérité. L'éternité est une certitude et c'est pour toujours. Votre âme vit à jamais. Le jugement n'a rien à voir avec la survie de votre âme. Votre âme survit! Voilà la vérité, et la Fraternité vous confortera dans cette certitude.

La vingt-et-unième promesse révèle le rôle de la Fraternité qui est d'enseigner et d'aider. La promesse de Dieu dit qu'il y a un Conseiller dont le rôle est de vous rappeler l'enseignement de Jésus et de vous donner encore plus. Cette promesse se réalise aujourd'hui à travers notre présente communication dans ce livre. Cette promesse se manifeste ici. Mais chaque personne peut prétendre à cette promesse de façon individuelle. Il n'y aura pas d'ignorance ni de grand manque de compréhension pour vous qui nous ouvrez votre esprit afin que nous le remplissions.

La vingt-deuxième promesse annonce que Dieu donne à toute personne qui peut le comprendre le moyen de revêtir son corps et ses biens de l'esprit incorruptible qui leur donne une réalité durable. Ainsi pourrez-vous emporter votre corps et vos biens sur l'autre plan d'existence. Cette promesse exige de faire un effort pour être comprise, et pratiquement personne sur le plan terrestre n'accorde d'intérêt à son pouvoir. Mais avec l'aide de la Fraternité, cette énergie est mise à votre disposition pour rendre cette indestructibilité possible.

La vingt-troisième promesse est celle que le monde entier attend. Cette promesse commence là où les autres finissent, car elle vous emmène sur l'autre plan d'existence pour vous unir au moi divin que vous avez fait naître. La Bible promet que Dieu sera toujours à vos côtés, même jusqu'à la fin des temps. Mais nous disons, Dieu sera toujours avec vous, même par-delà la fin des temps. Cette promesse de Dieu est du genre **éternelle**; on ne peut y échapper même si on le voulait. Dieu, le Grand Dispensateur, le Père, l'Innovateur, le Créateur, le Véritable Principe d'Énergie, la Meilleure Pensée Connue – ce Dieu est avec vous pour toujours. Ce Dieu est Celui vers lequel vous vous tournez pour devenir le véritable moi divin qui est la personne que vous voulez être.

Nous terminons là ce chapitre sur les promesses. Que Dieu existe pour toujours est la parole qui veut dire ce qu'elle exprime. Que Dieu SOIT n'est une surprise pour personne. Pour que Dieu et vous puissiez tirer le meilleur parti possible de chaque vie, c'est là que la Fraternité doit entrer en jeu. Nous aidons à vous apporter l'énergie, la vérité, la compréhension, afin que vous profitiez d'une bonne existence sur le plan terrestre.

Je demandai si ces vingt-trois promesses étaient les seules existantes. On me dit qu'il y en avait d'autres*.

• • • • • • •

* Note de l'éditeur : Dix autres promesses de Dieu sont incluses dans un autre livre de Mme Jean Foster – *Divine Partnership*, chapitre 17 – publié par **TeamUp** en 1991.

Stimulateurs de pensée

1. Vous pouvez vous adresser directement à Dieu ou demander à la Fraternité de vous montrer comment bénéficier des promesses de Dieu. Quelle promesse vous semble être celle dont vous aimeriez le plus tirer avantage en ce moment?

2. Sachant que toutes les promesses de Dieu sont fiables et vraies, que signifie pour vous la seizième promesse?

3. La sixième promesse vous assure que vous connaîtrez les buts de votre âme. Quelle est votre compréhension de cette promesse?

Travail intérieur : *Avec l'aide de vos esprits conseillers, examinez une des promesses au sujet de laquelle vous aimeriez en savoir plus. Travaillez avec vos guides pour recevoir des explications supplémentaires.*

Retrouver notre identité

10

Voici l'histoire des entités spirituelles qui se séparèrent de Dieu. Nous avons la liberté de choisir Dieu ou de Le rejeter.

Dieu est BON. Tout ce que Dieu crée est BON. De plus, Dieu est incapable de créer autre chose que le bien. Ces concepts fondamentaux que la Fraternité met de l'avant par l'intermédiaire de la Conscience divine constituent la base de toute compréhension de Dieu telle qu'expliquée dans ce livre.

Selon ces esprits avancés, c'est le contact de la Conscience divine qui nous éveille à la vérité que Dieu nous réserve. Ils disent que le fait de communiquer avec cette Conscience divine nous donne accès à beaucoup de choses que nous ne pourrions connaître en nous-mêmes et à notre sujet. « Même cette Fraternité ne peut obtenir cette vérité, si ce n'est grâce à la Conscience divine », affirment-ils. Dans ce chapitre, ces guides expliquent pourquoi les entités spirituelles quittèrent le giron de la Conscience divine et vinrent plutôt s'incarner dans des corps terrestres pour rechercher leur vérité.

Dieu, Dieu merveilleux, pensa faire de l'univers un endroit vraiment formidable. Des esprits brillants se déplaçaient librement dans l'immensité des galaxies. Ces esprits possédaient un pouvoir véritable, le pouvoir qui leur donnait la maîtrise d'eux-mêmes. Mais beaucoup n'ont pas reconnu cette maîtrise de soi comme la quintessence de la vérité.

Ils croyaient que l'énergie leur était refusée, et ils décidèrent alors de s'attribuer un plus grand pouvoir de domination en faisant des expériences avec les bêtes qu'ils avaient créées sur cette terre. Ils entrèrent donc dans ces bêtes, donnant libre cours à leurs désirs d'accouplement, de nourriture, et se permettant de croire à l'idée outrageuse qu'ils étaient effectivement les maîtres de tout. Il s'en est suivi qu'ils se retrouvèrent piégés dans ces créatures. Le néant qu'ils atteignirent fut absolu. Ils se plongèrent totalement dans la forme animale et perdirent leur capacité à utiliser l'énergie de l'univers. Ils étaient enfermés dans ces corps, et ils ne pouvaient plus s'en échapper.

Qu'est-ce qui les empêchait de s'échapper, me demandai-je. Était-ce Dieu qui les punissait d'avoir été déloyaux?

À vrai dire, Dieu fit preuve d'une grande bonté en essayant de libérer ces esprits, mais ils se renfrognèrent et s'immergèrent complètement dans la vérité du corps. Ils voulaient que Dieu leur donne beaucoup d'énergie, oubliant que toute énergie ne peut entrer dans un esprit que lorsque celui-ci se tend pour la capter. **L'esprit dans lequel nous sommes est la clé, pas la générosité de Dieu.**

Il y eut un incroyable tollé, une terrible confusion partout sur terre! Les animaux se détruisirent eux-mêmes afin de redevenir des entités spirituelles libres. Mais une fois libres, ils se dirent que toute l'expérience n'avait pas été si mauvaise après tout. Ils rigolèrent un bon coup et s'unirent à d'autres entités spirituelles partageant leur perception des choses. Puis ils revinrent dans la vie terrestre de la même façon révoltante. Ils rejetèrent leur divinité pour devenir des animaux. À ce stade-là, ils collaborèrent ensemble pour former la première conscience terrestre.

Ils mirent leur propre vérité dans cette conscience terrestre collective. Ils croyaient que le Dieu dont ils étaient une partie n'était pas le vrai Dieu. Ils se jetèrent à corps perdu dans l'énergie qu'ils avaient engendrée, dans la conscience qu'ils avaient créée. C'est ainsi que les entités spirituelles se retrouvèrent enfermées dans la forme animale, et leur seul moment de liberté ne survenait qu'à leur mort. Voilà comment ils vécurent, perdant de plus en plus leur énergie divine jusqu'à ce qu'ils n'aient même plus aucune pensée pour le Dieu de l'univers.

De nombreux cris s'élevèrent de la terre. L'indignation qu'ils éprouvaient devant leur fâcheuse situation était terrible. Ils ne cessaient de se répéter qu'ils n'étaient pas responsables de ce qui leur arrivait. Le Dieu qu'ils s'imaginèrent, le "Dieu leur invention", ne leur enseigna rien. Ce Dieu n'eut aucun impact sur leur vie. Ce Dieu qu'ils s'étaient créé ne leur apporta aucun réconfort, ni aucune pensée pour les encourager. Ils se crurent abandonnés et se laissèrent aller au désespoir.

Parce qu'ils se laissèrent aller au désespoir, même leur mort ne les libérait plus. Ils se crurent pris au piège, peu importe où ils se trouvaient. Dans cet autre plan d'existence, leur conception erronée persista. Ils se regroupèrent en fonction des schémas de croissance qu'ils avaient développés et s'inculquèrent encore plus de fausses vérités.

Par conséquent, lorsqu'ils revenaient sur terre, ils partaient sans plan ni espoir. Ils revenaient simplement pour revenir – parce qu'il n'y avait rien d'autre à faire. Ces personnalités enfermées dans des animaux étaient les formes-pensées les plus misérables sur terre. Elles s'imaginèrent qu'il n'y avait pas d'autre moyen. Elles ne purent donc ainsi en découvrir aucun autre. Leurs pensées sur ce second plan d'existence matérialisaient tout ce en quoi elles croyaient, voyez-vous. Il leur était donc impossible de tirer quelque leçon de la très fâcheuse situation où elles se trouvaient.

Le Dieu de l'univers fit cependant quelque chose pour changer leur vie. Ce Dieu, dont le principe fondamental est la bonté, incita les autres entités spirituelles à aller sur terre pour les récupérer. Survint alors la création de l'homme, cette merveilleuse créature dotée d'un cerveau capable d'utiliser la Conscience divine accessible à tous. Cette créature était belle au delà de toute comparaison. Les entités spirituelles prirent ces formes avec un immense plaisir. Elles travaillèrent à les perfectionner, afin qu'elles deviennent de dignes formes-pensées en expression. Ces esprits fidèles mirent de l'ordre sur terre. Ils enfermèrent dans un enclos les bêtes qui étaient habitées par des entités spirituelles, celles qui s'étaient incarnées dans ce genre d'existence avilissante. Les esprits fidèles leur parlèrent et leur dirent qui ils étaient en réalité. Les bêtes écoutèrent, attristées par la vérité, mais reçurent néanmoins l'espoir de connaître des jours meilleurs. Ces esprits commencèrent à penser différemment. Ils commencèrent à comprendre la vérité selon laquelle ils étaient réellement les rejetons du merveilleux Dieu de l'univers. Ils essayèrent d'améliorer leur condition. Ils – l'homme et la bête – s'intéressèrent aux problèmes de la création. Ils prirent les vérités qu'ils connaissaient, les établirent sur la terre et commencèrent à séparer l'homme de la bête. Les moi divins qui avaient habité les bêtes commencèrent à partir – certains par la mort, d'autres en utilisant les principes de la vérité.

À ce point du récit, j'espérais ardemment que l'évolution de l'humanité avait alors pris un tournant positif. Cependant, les esprits qui avaient à l'origine habité dans des corps d'animaux puis s'y étaient retrouvés piégés, n'avaient pas appris grand-chose. Comme le diraient les membres de la Fraternité, leur croissance ne s'était pas développée. Ils entrèrent à nouveau dans la vie – cette fois en tant que femmes et hommes.

Lorsqu'ils revinrent, ils folâtrèrent encore plus, n'ayant semble-t-il tiré que très peu de leçons de leurs expériences. Ils allèrent même jusqu'à faire des croisements avec les bêtes, et les événements prirent alors un tour épouvantable – le mélange de la forme humaine avec la forme animale, ce qui resserra encore plus l'emprise de la chair sur eux. Or, les esprits qui s'incarnèrent dans cette progéniture souffrirent à un point inimaginable. Les hommes et femmes les soumirent à leur autorité, faisant d'eux leurs esclaves, et les empêchèrent de se reproduire. Il leur fallait transformer certaines de ces créatures en homme ou femme en leur enlevant leur queue, leurs cornes ou leurs sabots, peu importe ce qui les rabaissait à un rang inférieur à l'homme. Mais le principe fut finalement établi que personne ne devait plus s'accoupler avec un animal. Alors cette espèce mi-humaine, mi-animale disparut. C'est alors que l'humanité prit conscience que ces créatures, hommes et femmes, étaient la vérité de Dieu incarnée dans ces beaux corps. Cette prise de conscience fut le début de la période d'adoration, mais pas la fin de la division régnant entre les humains et Dieu.

La vérité de toute cette histoire est que les entités spirituelles qui vivaient auparavant en étroite communion avec Dieu choisirent de quitter cette félicité pour devenir des créatures qui allaient plus tard devenir les femmes et les hommes de la terre. Ce sont ces entités spirituelles qui enseignèrent aux autres esprits que la terre leur appartenait avec toutes ses richesses. « Cette terre », disaient-ils, « est à nous et non à Dieu. Cette terre nous donne notre vérité, notre prospérité, et tout ce qu'il faut pour subsister. Cette terre nous appartient et nous apporte l'abondance. » Ils désignèrent des chefs. Les chefs formèrent des tribus. Ces tribus se répandirent sur toute la terre. Cette fois, la vérité inférieure – celle selon laquelle la terre leur apportait tout – les ouvrit à la conscience collective de la terre et les détourna de la lumière qui serait venue par l'entremise de la Conscience divine.

Selon la Fraternité, c'est à ce stade du développement de l'homme que débute l'histoire connue de l'homme. Cependant, l'histoire du progrès de l'humanité pour revenir à la vérité, à l'unité avec Dieu, est rapportée au lecteur par la Fraternité à travers la Conscience divine.

Le concept amélioré de "Dieu la Pensée" a finalement amené les tribus à se tourner vers la lumière. Ce "Dieu la Pensée" leur donna l'espoir d'une vérité éternelle pour les aider à s'allier à ce qui était bon, ce qui était productif, ce qui était vrai. Ils commencèrent à développer des concepts de Dieu qui devinrent par la suite les différentes religions que l'on retrouve partout sur terre. Ils y mirent un peu de lumière, un peu de leurs traditions, et ils s'inspirèrent aussi de certaines choses venant de chefs éclairés. Ils façonnèrent leur religion – un système de croyances englobant ce qu'ils ressentaient et ce qu'ils pensaient.

Leur religion les conduisit à exprimer le Dieu qu'ils connaissaient par des voies douces ou brutales, selon la tradition qu'ils avaient. Chaque tribu voulait que sa propre religion soit dominante. Leur vérité était donc basée sur la force : celui qui pouvait s'imposer aux autres par la force devenait le plus puissant. La puissance de vérité était démontrée par la puissance de la tribu. Les femmes étaient mal perçues dans ces tribus car elles n'étaient pas de valeureuses guerrières. Ainsi, entrer dans la vie en tant que femme constituait la position la moins désirable possible. Les hommes et les garçons étaient ceux qui obtenaient le plus de tendresse et d'attention. La force physique avait pour eux tant d'importance que la vieillesse et la perte de sa force signifiaient nécessairement une mort prochaine, soit naturelle, soit par la mise à mort des vieux et des faibles. Ces coutumes et d'autres encore apportèrent l'ordre aux gens, mais ne leur enseignèrent rien qui puisse les mener à l'unité avec Dieu.

Alors le Dieu de l'univers envoya des esprits éclairés vivre parmi eux. Les membres de la tribu n'avaient d'autre choix que de nier ce qu'ils voyaient démontré sous leurs yeux, ou d'accepter la vérité qui était dorénavant évidente pour tout le monde. De cette façon, les tribus cheminèrent lentement vers la vérité.

Au fur et à mesure que la vérité commençait à se manifester, une véritable prospérité s'amorça – prospérité dans la croissance spirituelle, prospérité dans la qualité de la vie, prospérité au plan de la créativité. Ces changements survinrent pour que la prospérité puisse démontrer les possibilités de la Conscience divine en action. Cette Conscience divine qu'ils commençaient à capter donna aux gens la vérité pouvant un jour les mener à l'unité avec Dieu.

La vérité que les gens commençaient à apprendre leur apprit l'existence d'un canal ouvert par lequel ils pouvaient accéder à une plus grande conscience, à cette Conscience divine. La collaboration avec la Fraternité les conduisit au canal ouvert, le moyen grâce auquel ils pouvaient s'unir à la

Conscience divine. C'est ainsi que les gens ouvrirent leur esprit à la vérité que Dieu avait pour eux. Or, la conscience terrestre commença alors à perdre de l'importance, et les habitants de la terre commencèrent à s'en remettre à la Conscience divine pour trouver leur sagesse, leur vérité et leurs magnifiques pensées.

Le moi divin qui avait été si terriblement déformé s'éveilla aux possibilités qui s'offraient à lui. La terre entière s'éveilla à la beauté. Les entités spirituelles occupant les corps élargirent leur conception d'elles-mêmes, du Dieu qu'elles vénéraient, et de leur vérité. La Conscience divine leur insuffla un ardent désir de bonté, de beauté et de musique dans la vie. Ils se tournèrent enfin vers la lumière. La vérité de leur être s'allia avec la Fraternité pour envahir toute la terre.

Mais tout ne fut pas aussi facile que cela en a l'air. Les luttes de pouvoir se poursuivirent alors que des despotes cherchaient à s'assurer une position d'autorité. Certains se tournèrent vers le côté obscur de la vie en revenant au "Dieu de leur invention" (ce qui est évidemment un très médiocre concept de Dieu). Néanmoins, la vie en général progressa. La Conscience divine s'épanouit une fois qu'elle eut trouvé la lumière, et rien ne pouvait plus jamais la faire basculer dans l'obscurité totale.

Sur cette note d'espoir, ceux qui nous confiaient ces mots dirigèrent leur attention vers le temps présent, vers la vie terrestre et le besoin toujours pressant qu'éprouvent les gens de résoudre leurs problèmes.

Les gens doivent comprendre le passé afin de pouvoir comprendre le présent. Les gens doivent connaître l'origine des difficultés des entités spirituelles afin de comprendre comment arriver à s'en débarrasser. Cette période actuelle de l'existence est le temps du CHOIX, le temps où l'on choisit de se tourner vers la lumière ou vers les ténèbres. Pour devenir Un avec Dieu, il n'y a qu'un seul choix : la lumière. Il n'existe pas d'obscurité **partielle**. Le seul CHOIX possible, c'est entre la lumière et les ténèbres, entre la pureté de Dieu et une existence tourmentée.

Un CHOIX existe parce que le Dieu de l'univers ouvre nos yeux à la vérité pour nous permettre de voir plus distinctement qu'auparavant. La vérité nous apporte la totalité du spectre de la lumière qui fait disparaître les mauvaises intentions engendrant une existence perturbée. La vérité est évidente pour beaucoup – que le CHOIX nous appartient aujourd'hui d'utiliser à bon ou mauvais escient ce plan de vie terrestre. La vie terrestre peut s'unifier avec Dieu, ce qui ferait un genre de paradis dans le monde matériel, ou elle peut devenir le chaudron bouillonnant de haine qui solidifie l'atmosphère et étouffe la vie. La vérité commence par l'incontournable réalité que Dieu EST. La vérité trouve ses racines dans les croyances de l'homme et de la femme. La vérité se développe par l'utilisation de la puissante énergie que Dieu donne sur simple demande. La vérité tire son existence de son utilisation par un nombre croissant de moi divins habitant des corps humains. Cette formidable vérité grandit dans l'immensité de l'éternité en orientant la planète terre vers la vérité en expression, ce merveilleux endroit que Dieu avait conçu à l'origine.

Je demandai pourquoi tous ne reconnaissaient pas la divinité en eux, pourquoi bien des gens vivaient une existence ne laissant place à aucun espoir.

Même aujourd'hui s'élèvent de la terre des cris d'entités spirituelles qui sont prises au piège dans un corps d'homme ou de femme. Ces entités crient leur volonté d'être libres, de trouver la paix de Dieu, d'exprimer leur vérité. Mais parce qu'elles s'adressent à la conscience humaine collective plutôt qu'à la Conscience divine, elles se tournent dans la mauvaise direction. Elles s'expriment uniquement dans le domaine physique et oublient toute la vérité de l'esprit qui est enracinée dans l'immensité de Dieu. Elles rampent alors qu'elles pourraient voler. Elles sont affamées alors qu'elles pourraient festoyer. Elles deviennent sauvages alors qu'elles pourraient devenir des génies créatifs.

La grandeur de ce Dieu de notre compréhension ne peut être communiquée ici. Ce mot-ci ou ce mot-là ne peuvent contenir toutes les possibilités. Le Dieu du vaste univers ne se laisse pas décrire aisément. Dieu ne situera pas Son entité dans un objet ou une personne. Dieu possède la merveilleuse force de bonté et de pureté, la seule force positive qui se régénère elle-même par le simple contact de la Conscience divine.

Mais comment, demandai-je tout haut, les êtres humains peuvent-ils se protéger de la multitude de pensées négatives se déversant sur eux en provenance de la conscience humaine collective? Comment pouvons-nous résister à ce que les hommes et les femmes ont accepté comme vérité depuis le début de l'histoire connue – et auparavant? Comment faisons-nous pour contacter cette Conscience divine qui connaît les réponses à toutes nos questions et qui possède la substance capable de satisfaire à tous nos besoins?

Pour devenir Un avec Dieu, vous devez faire le vide total en votre ego. Cet ego vide retiendra la vérité que Dieu donne, la seule vérité digne d'être possédée, et la seule vérité que vous voulez connaître. La conscience humaine collective ne vous affectera pas plus qu'une mouche se trouvant par hasard devant vous et qu'un simple mouvement suffit à chasser. Vous devez comprendre cette vérité concernant votre ego, car vous seuls êtes capables de le vider. Mais votre ego doit se vider de par sa propre volonté, et non par la force. On ne doit jamais recourir à la force. Cela doit toujours se faire sans contrainte.

Il y en a beaucoup qui croient que Dieu devrait s'imposer contre le libre arbitre des entités spirituelles qui habitent un corps. Toutefois ce principe – selon lequel les gens doivent disposer du libre arbitre – ne peut être et ne sera jamais outrepassé. La raison de l'existence de ce principe est qu'il ne saurait y avoir de force positive ou de bonté si cette bonté ne résulte pas d'un choix fait en toute bonne volonté – la volonté à l'origine de la décision de faire quelque chose. Lorsqu'une personne veut bien exprimer la présence de Dieu dans son existence, une grande explosion d'énergie survient alors en cet esprit. Cette explosion est l'énergie de Dieu en train de s'exprimer. Le bien qui arrive prend forme de façon explosive. Cette formidable force dont nous parlons est la conséquence naturelle de la juste expression qui survient grâce au libre arbitre des individus.

Dieu est là, mais tout le monde a le CHOIX d'accepter son grand pouvoir ou de le rejeter. Nous, de cette Fraternité, avons fait nos choix pour ce Dieu de l'univers, ce Dieu de Vérité. Ce CHOIX doit être fait par chaque individu, et non par le Dieu de l'univers. Chacun est entièrement libre de créer son être et le monde où il veut vivre. Cette vérité demeure, et le canal ouvert que nous vous offrons vous apporte la vérité de Dieu que vous pouvez choisir d'utiliser ou non. Voilà notre bon message. Prenez la vérité de Dieu afin que vous puissiez prospérer, mener une vie facile, et pour que ce qui est bon pour vous se manifeste, vous prouvant ainsi que Dieu qui vous aime sera pour toujours votre coéquipier.

• • • • • •

Stimulateurs de pensée

1. *La conscience terrestre est notre conscience humaine collective qui s'est développée à partir de notre histoire sur terre. Le temps du choix est maintenant arrivé, nous dit-on. Quelle est votre compréhension du CHOIX relativement à votre vie?*

2. *Notre vérité divine commence lorsque nous reconnaissons notre divinité intérieure et acceptons la vérité de ce que Dieu EST. Nous avons le choix entre la conscience terrestre et la Conscience divine. Comment le choix de la Conscience divine peut-il nous mener à l'unité avec Dieu?*

3. *La seule substance positive qui satisfait nos besoins est générée par la Conscience divine. Nous pouvons devenir Un avec la Conscience divine en vidant notre ego. Qu'est-ce qui est nécessaire pour vider notre ego? Qui doit vider l'ego?*

Travail intérieur : *Ce que Dieu EST n'assume pas la responsabilité de nos vies. Nous sommes libres de choisir. Ainsi, lorsque nous faisons appel à notre connexion avec la Conscience divine, nous faisons appel à la puissance. Notez la différence entre faire appel à la puissance de Dieu et compter sur Dieu pour diriger votre vie. Invitez la Fraternité à vous aider. Servez-vous de l'énergie de Dieu pour accomplir de grandes choses dans votre vie.*

Crier dans le désert

11

La Fraternité explique la différence entre la "conscience terrestre" et la "Conscience divine". Elle présente une image des gens qui veulent le meilleur dans leur vie, mais qui acceptent le pire parce qu'ils n'écoutent pas la bonne source.

La conscience terrestre englobe la pensée humaine depuis le début des temps jusqu'à aujourd'hui. La Conscience divine collabore avec le Dieu de l'univers pour mettre chaque personne en contact avec la vérité qui est éternelle. C'est en cela que réside la différence entre la conscience terrestre et la Conscience divine. Ce qui ne veut pas dire que la conscience terrestre soit entièrement mauvaise, car elle renferme une vérité élémentaire que l'on appelle le bon sens. Et c'est ce bon sens qui vous aide d'un point de vue pratique à réussir ce que vous entreprenez durant votre existence.

Les membres de la Fraternité nous avertissent cependant que la conscience terrestre renferme aussi un ensemble de soi-disant vérités qui sont à l'origine de la plupart des difficultés de l'humanité. Ils expliquent que cette conscience contient de puissantes pensées auxquelles les gens réfléchissent, au sujet desquelles ils écrivent, et qui monopolisent leur attention. Ils font remarquer que, malheureusement, la plupart de ces pensées se rapportent à la négativité. Par conséquent, la conscience terrestre engendre peur, cupidité, méfiance, haine et vengeance.

Puisque la conscience terrestre déverse sans arrêt son contenu sur nous, je me demandai comment il était possible à qui que ce soit d'échapper aux pensées qui engendrent misère et souffrance.

En réponse à ma préoccupation, un Frère me donna ce conseil : Annoncez à votre conscience individuelle que vous êtes sous la protection et la guidance du Dieu de l'univers. *Selon cet esprit avancé, les pensées erronées de la conscience terrestre seront ainsi rejetées et seules les idées sensées qui sont réellement utiles seront retenues.*

Un matin, après que l'esprit communiquant avec moi eut débuté en disant « Voici la Fraternité de Dieu », l'annonce fut faite que des informations commenceraient maintenant à être données sur notre monde implorant le Dieu de nos espoirs, et non le Dieu de nos pensées négatives.

Les gens veulent connaître ce Dieu de l'univers, le Dieu qui collabore avec eux et entre dans leur vie. Pour arriver à être en mesure de devenir Un avec Dieu, il doit y avoir cet espoir prétentieux que Dieu est ce qu'Il dit être – la pure et tendre équipe œuvrant en votre faveur. Par conséquent, faites confiance à la vérité qui jaillit en vous et qui enseigne de façon individuelle à votre être, **et non à la vérité que les gens vous donnent.**

Ces gens qui professent le mensonge selon lequel Dieu apporte la famine ou déchaîne Sa vengeance sur les gens érodent la puissance mise à leur disposition, la puissance divine qui tonifie leur corps pour le maintenir en santé et qui fait croître la moisson dans leurs champs. Ceux qui nourrissent par leurs pensées et leurs paroles ce concept erroné de Dieu s'unissent pour provoquer la dévastation. Les pensées, tant positives que négatives, se transforment en choses; c'est là un principe divin. La famine, la guerre et les conflits se manifestent donc lorsqu'ils deviennent de puissantes pensées qui s'allient avec la substance de l'univers.

Selon les membres de la Fraternité, c'est par l'usage qu'ils font de la pensée que les gens créent le ton général de leur vie. Il est donc tout à fait possible d'inverser la vérité, et ainsi d'annuler la puissance de Dieu. Une puissante pensée de destruction peut entrer dans la conscience terrestre où elle continue à se manifester, et le monde demeure plongé dans le chaos.

C'est pourquoi Dieu, qui a cette puissance à sa disposition, ne peut agir. Cette puissance de Dieu ne peut se manifester que par l'entremise des gens qui croient en elle et qui acceptent que cette puissance fasse son œuvre. Quant aux autres, ils ne perçoivent que le désespoir le plus profond. Ils fabriquent les résultats du désespoir, et le désespoir devient réalité.

La vérité de Dieu est donnée ici et là pour essayer de percer des trous dans cette pénible pensée qui s'est solidifiée comme du béton. La vérité pourrait faire disparaître en quelques heures ce "béton" conçu par l'homme s'il y avait suffisamment de gens qui acceptaient la vérité dans leur esprit et leur cœur. La vérité, très simplement, signifie que Dieu a fourni la merveilleuse substance qui crée toutes choses. Les gens ont le pouvoir de contrôler cette substance mais ils ne l'utilisent pas. Ils apprennent ce qu'est la substance de l'univers, mais ils ne voient pas le lien entre la façon dont est composé tout matériau et la puissance qu'ils possèdent pour créer ce matériau. Celles et ceux qui y croient souhaitent qu'un plus nombre de personnes utilisent cette puissance car il n'y a pas de limite; il n'y a pas une certaine quantité seulement de cette puissante substance qui soit allouée à chaque personne. Prenez-en, reprenez-en et reprenez-en encore. Il n'y a pas de limite à ce que vous pouvez avoir.

*Je ne peux m'empêcher de comparer cette disponibilité illimitée de la substance de Dieu avec le concept typique de la conscience terrestre selon lequel la quantité d'argent et de ressources disponibles est limitée, justifiant ainsi dans l'esprit de plusieurs la pauvreté que certaines personnes doivent subir. C'est pourquoi, lorsque nous n'acceptons que la vérité de la conscience terrestre, nous ne pouvons alors penser à l'**abondance**. Nous pensons à la **rareté**. Mais lorsque nous acceptons la vérité de la Conscience divine, nous pensons qu'il y a des réserves illimitées, une prolifération de substance que nous utilisons de manière créatrice.*

Selon les membres de la Fraternité, les gens puisent au sein de la conscience terrestre pour trouver la sagesse et l'ignorance collectives. Apparemment, beaucoup d'entre nous ne savent pas faire la différence entre la sagesse et l'ignorance. La Fraternité nous donne pourtant un moyen pour savoir faire le bon choix parmi ce que nous acceptons comme étant la vérité dans notre vie quotidienne.

Les pensées qui s'accumulent dans la conscience humaine ou terrestre s'implantent dans le néant de la personne qui leur offre un espace vide où s'établir. Le vide est le problème, voyez-vous. Le vide aspire en lui les pensées que cette conscience terrestre humaine accumule et il n'offre aucun moyen de mettre de l'ordre dans ces pensées. Le vide a simplement besoin d'être rempli avec quelque chose – n'importe quoi. Si la vérité de Dieu y était déjà établie, les pensées en provenance de cette conscience collective seraient triées et classées par catégories. Celles ayant une quelconque valeur y demeureraient et les autres seraient soufflées au loin comme paille au vent.

Chaque jour, les pensées qui s'infiltrent jusqu'au cerveau humain tentent de s'y incruster. Il n'y a qu'un seul moyen de transformer ce processus en l'aventure créatrice qu'il peut être, à savoir : soumettre ces pensées à l'examen critique de la Conscience divine. Cet examen est simple. Dites à la conscience individuelle que l'âme est soumise à la vérité de Dieu. L'esprit répondra à cet ordre. Puis, chaque personne doit alors se tourner vers le Dieu qu'elle connaît peu importe où elle en est rendue dans sa découverte de Dieu.

Le Dieu que chacun reconnaît soumettra alors ces pensées à Son examen, acceptera celles qui réussissent le test de vérité et purifiera les autres. De cette façon, l'individu est protégé des ravages causés par des pensées erronées. En outre, il contribue ainsi à l'enseignement contenu dans la conscience terrestre collective. Voici comment cela fonctionne. L'énergie de Dieu transforme les pensées erronées en vérité et la personne, à son tour, enseigne cette nouvelle vérité à la conscience terrestre collective.

L'énergie de Dieu canalisera les pensées erronées vers la Lumière. Ainsi, la conscience terrestre collective s'améliore et s'épanouit dans la vérité qui apporte beaucoup d'espoir à la terre. Chaque personne peut contribuer à la vérité et à la croissance de la connaissance de Dieu. Mêmes les personnes qui, pour une raison ou pour une autre, ont l'impression qu'elles ne peuvent guère faire plus que penser, peut-être du fait d'un mauvais fonctionnement de leur corps, peuvent tout de même contribuer à la conscience terrestre collective qui apportera la bonne vérité aux gens.

L'un des Frères parla à nouveau de cette partie de la conscience collective appelée bon sens ou sens commun.

C'est la conscience que tous ont en commun parce qu'elle s'est formée au fil des ans pour donner à l'humanité la pensée intuitive pouvant accorder protection et aide physique, et apporter des bienfaits terrestres pratiques dans la vie de bien des gens.

Et, une fois de plus, on m'expliqua que même si la conscience terrestre comporte une bonne part de sens commun, elle a également une abondance de « fausses vérités, cette soi-disant vérité qui passe pour être la vraie. » Apparemment, la conscience terrestre rapporte tout ce que les gens en sont venus à croire.

Le message provenant de la conscience terrestre est fréquemment dénué de tout espoir. Le désespoir est parfois relié à la croyance selon laquelle les hommes et les femmes se détruiront inévitablement eux-mêmes. Cette vérité ne vient pas de la Conscience divine. Elle appartient à la conscience terrestre collective. Cette soi-disant vérité enseigne que les gens se dirigent vers leur destruction parce qu'ils souhaitent être détruits. Ils pensent n'avoir aucun choix. Ils se font dire le mensonge que nous ne travaillerons pas pour la cause de la paix. Pour corriger une telle vérité issue de la conscience terrestre, il doit y avoir un enseignement intérieur sur la différence entre la Conscience divine et la conscience terrestre.

Le Dieu dont les gens parlent souvent n'est rien de plus que le Dieu qu'ils conçoivent à leur propre image. Ils voient la haine, le châtiment et la méfiance. Il est donc logique pour eux de croire que ce Dieu de leur invention détruira des gens tels qu'eux. Ce genre de mensonge entre dans la conscience terrestre où il réside et se développe, car les gens accordent du pouvoir à ce qui est dans leur cœur.

Ainsi, la conscience terrestre, qui contient à la fois des bribes de vérité et de mensonge, touche tout le monde de la même façon. Le mensonge apporte le désespoir à beaucoup de gens parce qu'il les atteint avec son terrible message de désespoir. Les pensées pleines d'idées fausses accumulées dans la conscience terrestre causent beaucoup d'inquiétude aux gens, car elles produisent des peurs, donnent à croire que l'univers entier est plongé dans le chaos et présentent l'idée que leur planète court à sa perte.

La conscience terrestre rejette la Conscience divine et prétend qu'il n'existe rien de tel que la Conscience divine. La Fraternité évalue les terribles difficultés que les gens affrontent, et se demande bien pourquoi cette conscience terrestre, qui distille aveuglément la vérité et le mensonge, exerce autant de pouvoir sur les gens.

Le fait de s'unir à Dieu, voyez-vous, représente cette Lumière qui est la vérité de Dieu en manifestation. Cette vérité dit qu'il existe une perspective plus vaste, un contact de la Conscience divine qui est supérieur autant à la vérité qu'au mensonge se déversant de la conscience terrestre. C'est la Lumière faisant sentir Sa présence. C'est l'enseignement de Dieu se manifestant à travers les êtres humains qui prouve qu'ils ne peuvent se tourner ailleurs que vers la Conscience divine.

Un des Frères s'adressa alors directement au lecteur.

Faites maintenant entrer cette idée dans votre esprit. Placez cette pensée dans le vide qui ne demande qu'à être rempli. La vérité suivant laquelle Dieu comblera chaque personne ayant des besoins est absolument juste. Il n'y a aucun besoin connu de l'homme que la Conscience divine ne puisse satisfaire. Cette vérité doit être acceptée pour que la manifestation puisse se produire. Cette vérité – à savoir que le pouvoir divin s'efforce d'atteindre chaque personne afin de lui permettre de manifester la chose ou la condition qui comblera le besoin – a préséance sur toutes les autres.

L'idée que les hommes et les femmes doivent se soumettre

à la souffrance, au chagrin et à la solitude est fausse. Servez-vous de ce pouvoir. Fiez-vous à la vérité de la Conscience divine selon laquelle ce pouvoir existe. Utilisez-le pour combler votre besoin. Faites-le maintenant. **Personne ne devrait accepter l'idée qu'il y a des situations auxquelles même Dieu ne peut faire face.**

À nouveau le message s'adresse directement au lecteur.

Cette idée fausse d'un Dieu limité provient de la conscience terrestre, pas de la Conscience divine. Prenez cette vérité à cœur. Acceptez le contact que l'amour de Dieu vous apporte. Recevez le bien que ce pouvoir vous donnera. Ne vous demandez pas si vous le méritez ou si Dieu vous croit digne de le recevoir. Pensez seulement au pouvoir. Imaginez-le en train de travailler à satisfaire le besoin ou la condition qui conduit la personne vers la vérité.

Cette idée du pouvoir est si importante que nous pensons nécessaire de la démontrer d'une manière terriblement tentante. Voici la promesse que nous faisons. Faites entrer la vérité dans votre esprit, dans votre cœur. Ensuite, unissez-vous à nous pour exprimer votre besoin ou votre désir. Présentez ce besoin ou ce désir au Dieu de votre compréhension. Puis, placez-le dans le temple intérieur de votre âme où Dieu le raffinera et l'embellira de telle sorte qu'il deviendra encore meilleur que ce que vous souhaitiez à l'origine. Ensuite, laissez-le aller. Présentez au monde ce que vous recevez comme étant ce que Dieu vous donne. Dites aux autres comment vous avez procédé. Saisissez cette chance. Utilisez la vérité à votre avantage. Ce Dieu suprême de l'univers désire vous donner de bons cadeaux. **Prenez-les!**

Je demandai des exemples tirés de la vie terrestre auxquels les gens peuvent s'identifier. Lorsque les gens prient pour communier avec Dieu et ne s'adressent à la Conscience divine que pour connaître leur vérité, qu'est-ce qui peut se produire?

Il y en a certains sur le plan terrestre qui prient pour que leur situation change. Lorsqu'elle est changée, ils ne perçoivent pas ce changement comme leur étant favorable. Ils disent : « S'il vous plaît, mon Dieu, prenez ma vie et faites en sorte qu'elle se déroule conformément à la vérité que Vous me donnez. Mon Dieu, prenez le contrôle de ma vie. Prenez mon énergie, mes talents, mes pensées.» Alors la vie change. Lorsqu'ils remettent ainsi leur vie entre les mains de Dieu, ils désirent sincèrement qu'un changement survienne. Mais ils ne veulent pas vraiment des nouveaux intérêts, une nouvelle position, ou de nouvelles pensées. Ils ont la nostalgie du passé, et rejettent tous ces nouveaux bienfaits. Ils s'allient à Dieu pour faire de merveilleuses choses de leur vie, mais ensuite ils font demi-tour parce qu'ils ont peur de la nouvelle situation.

Un Frère me cita en exemple.

Cette auteure veut être celle qui consacre sa vie à Dieu et à Son œuvre. Puis, une fois cette offre faite, elle se demande souvent si cette nouvelle vie ne l'éloignera pas trop de son passé. Avons-nous raison de dire cela?

Je dois malheureusement avouer qu'il avait vu juste. Je demandai si je ferais un meilleur usage du pouvoir divin en me consacrant plus résolument à cette occasion qui m'était donnée.

Ce pouvoir est offert à tous, peu importe leur état d'esprit. Toutefois, la réaction est plus forte lorsque l'individu parle avec autorité plutôt que s'il plaide ou parle de façon hésitante. Aucun de ceux qui s'adressent à ce pouvoir n'en est privé. Mais pour les gens qui donnent à leur vérité la chance de remplir leur cœur , il y a alors cette force explosive qui déclenche une réaction immédiate. C'est cela la vérité.

Il y aura toujours ceux qui n'ont dans la bouche que de bonnes paroles au sujet de Dieu, mais qui pensent tout le contraire en leur cœur. Leurs paroles ne deviennent alors qu'une suite de mots vides de sens qui ne tirent aucune puissance de l'univers. Elles tombent par terre sans devenir manifestées. Ces gens en viennent à laisser le doute monter en eux, à croire que Dieu a refusé leur requête. C'est la totalité de la pensée ainsi que la personne entière qui doivent entrer en jeu – et pas seulement dans la parole qui effleure l'oreille. L'oreille entendra la parole. Le cœur se rattache au moi divin, à cette entité spirituelle qui veut s'unir à Dieu. Il n'y a pas d'union avec Dieu à moins que la personne ne consacre la totalité de son être à cette vérité.

Il y aura les incorrigibles qui recevront ce pouvoir dans leur vie, mais qui ne l'utiliseront que dans le seul but de recevoir de l'inspiration, et non pour manifester ce dont ils ont besoin. Ils semblent satisfaits de ne faire appel qu'à l'inspiration. Ils parlent de cette inspiration. Ils parlent de la vérité qui leur a donné ce merveilleux sentiment, ce grand contact magique. Mais ils ne manifestent rien.

Il y en aura qui appelleront à l'aide! Ils supplieront Dieu de leur donner l'énergie dont ils ont besoin pour travailler, pour vivre, pour jouir de leur vie. Ils ne cessent de réclamer de l'aide à grands cris. Mais ils n'arrivent jamais à rassembler leurs idées. Que veulent-ils? Une guérison? L'union avec Dieu? L'alliance avec la Fraternité pour apprendre plus de vérités? Ils lancent simplement leurs cris dans le désert de leurs pensées creuses, de leurs désirs futiles et de leurs besoins superflus. Ils pensent avoir besoin de quelque chose, mais ils ne savent pas quoi. Comment le pouvoir divin peut-il combler un besoin ou un désir sans que ce besoin ou ce désir ne soient exprimés? Pourquoi les gens se contentent-ils de réclamer à grands cris et gémir la nuit ou le jour sur leurs malheurs sans définir clairement les besoins ou désirs qui amèneront un changement à leur situation? Il leur faut des objectifs. Il leur faut avoir une idée claire à l'esprit. Alors leurs demandes pourront être entendues.

L'un des Frères s'adressa ensuite directement au lecteur.

Soyez fidèles envers le temple en vous. Pensez à ce que vous y avez mis. Dévoilez les désirs de votre cœur durant les instants que vous passez avec Dieu. Dites à Dieu que vous souhaitez manifester ces buts et ces rêves sacrés. Alors Son pouvoir fendra l'espace jusque dans ce temple, et manifestera ces intentions dans votre propre expérience de vie. Elles se manifesteront parce que la puissante énergie de Dieu veut qu'elles se manifestent. L'attraction entre ce qui est vrai en vous et ce qui fera se réaliser ces idées est irrésistible. Faites entrer ce message dans le centre de vérité de votre être, dans votre moi divin pour qu'il soit mis à exécution. Aucune personne souhaitant utiliser le grand pouvoir de Dieu n'en sera privée. Telle est la vérité qui est ignorée, ridiculisée, enseignée comme une folie qui transforme les hommes en rêveurs. Pour que le lecteur ne tienne pas compte de l'opinion de la conscience terrestre à ce sujet, nous lui recommandons de s'en remettre au Dieu de l'univers et de Lui dire qu'Il a dorénavant le contrôle. Il n'y a pas d'autre parole que la Sienne. Il n'y a pas d'autre puissance que la Sienne. Le Dieu de l'univers sera présent, vous touchant de Son pouvoir, de Sa vérité. Telle est la vérité que nous affirmons ici.

Un esprit avancé admit que les gens peuvent prospérer sur terre sans la Conscience divine, du moins pendant une partie de leur vie.

L'idée que certaines personnes se transforment en l'opposé de ce que Dieu représente est un fait que nous devons regarder en face. Que ces gens semblent détenir un pouvoir est indéniable. Que ceux qui s'accrochent aux mensonges dérivent leur croissance de la conscience terrestre est un fait que nous comprenons. Ils s'en remettent entièrement à la conscience terrestre, à la pensée qu'il n'y a pas de Dieu, ni de divinité ou de vie éternelle.

Le fait de s'identifier à la conscience terrestre et de rejeter la Conscience divine vous plonge dans l'énergie émanant par la terre. Cette énergie vous mènera loin puisqu'elle comporte maintenant beaucoup de vérités authentiques, mais tôt ou tard cette énergie s'épuisera et vous laissera vide. Ceux qui emploient cette énergie ne peuvent arriver à comprendre où est passée leur énergie. Ils pensent qu'ils sont finis et, comme ils essaient de retrouver cette énergie, ils se demandent s'ils pourront encore jamais penser avec créativité. L'énergie terrestre a beaucoup de force au début, et puis elle s'écoule au loin pour ne plus jamais revenir.

Les membres de la Fraternité expliquent que la conscience terrestre est réceptive au changement. Ils essaient donc de rehausser la qualité de l'énergie de la conscience terrestre en lui transmettant leur meilleure vérité. Ils affirment que nous aussi pouvons contribuer à cet effort à mesure que nous comprenons mieux la vérité émanant de la Conscience divine. Toutefois, peu importe à quel point la vérité de la conscience terrestre s'améliore, celle-ci n'est rien de plus qu'un "répit temporaire" qui peut nous servir pendant un certain nombre d'années – et même jusqu'à un âge avancé. Cependant, tôt ou tard, cette énergie particulière nous abandonnera.

La raison de cet abandon, selon ces entités avancées, est que la conscience terrestre nous donne connaissance des faits seulement **dans la mesure où nous les percevons.** Cela veut dire que même si nous pouvons fort bien réussir pendant un certain temps, la conscience terrestre finira par nous abandonner parce qu'elle ne détient pas toute la vérité. Elle est limitée tout comme nous sommes limités. La conscience terrestre n'est pas la source de toute vérité; elle est seulement la source de la vérité que l'humanité a découverte jusqu'à ce jour.

Un Frère projeta cette pensée au sujet de l'écriture de ce livre.

Cette auteure s'allie à nous pour écrire ce que le Dieu de l'univers désire voir écrit. Elle n'avait aucune intention d'écrire de cette façon, mais l'entité qui est entrée dans son corps l'a fait dans le but d'écrire ce livre. Elle s'est donc maintenant alliée à nous pour accomplir sa mission. Ce livre sera écrit sur terre pour réaliser l'objectif de donner aux gens l'occasion d'évaluer l'ensemble de la situation, afin de pouvoir choisir la conscience à laquelle ils veulent se brancher – celle de la terre ou de Dieu. Tel est en fait le but de ce livre.

La Fraternité souhaite extirper les pensées erronées de la conscience de l'humanité. Nous voulons annuler les effets de la pensée véhiculée par la conscience terrestre. Il n'existe aucune pensée sur le plan terrestre qui puisse ouvrir l'esprit à de plus grandes possibilités que celles transmises par la vérité de Dieu, car cette vérité est individuelle. Le Dieu de l'univers ouvre la voie à ce qu'il y a de plus grand en chacun de nous grâce aux pensées de vérité émanant de la Conscience divine.

Dites aux lecteurs que le point le plus important dans tout

ceci est qu'ils soient les personnes divines qu'ils sont destinés à devenir. Ils trouveront ainsi la meilleure expression, le véritable don que Dieu détient pour chacun de nous. De cette manière, les gens prospéreront et deviendront les êtres qu'ils souhaitent devenir. Ils devraient maintenant faire une place à ces vérités en leur cœur afin d'accomplir tout leur potentiel.

Je fis remarquer que les membres de la Fraternité parlaient en général de groupes de personnes, et qu'ils n'avaient que rarement écrit des choses se rapportant à un seul individu. Je demandai quelques exemples de gens qui n'avaient recours qu'à la seule conscience terrestre pour prospérer au cours de leur existence. Je demandai aussi des exemples de gens qui avaient découvert la Conscience divine.

Sur ce, je reçus des exemples individuels pouvant nous éclairer sur la conscience terrestre et la Conscience divine.

Il y avait une personne qui s'était adonnée à la pratique de l'immersion totale dans la conscience terrestre. Elle était une lettrée qui enseignait la philosophie, et elle était honorée pour son enseignement. Elle réussissait dans sa profession et avait écrit des livres.

Puis l'énergie s'épuisa. L'expression de son plan de développement eut besoin de la véritable énergie de Dieu afin de se poursuivre. Le plan qu'elle avait compris était seulement le plan terrestre, et non le plan de Dieu. Ainsi, une fois qu'elle eut accompli tout ce qu'elle avait à faire, inspirée comme elle l'était par la conscience terrestre, il n'y avait tout simplement plus rien à faire, plus rien pour susciter sa réflexion, plus rien pour l'inspirer. Le plan était achevé. Quand elle perdit tout intérêt pour l'existence, elle décida donc de s'enlever la vie pour s'enfoncer avec le néant qu'elle croyait découvrir après la vie terrestre.

Ainsi s'acheva sa vie; mais lorsque la nouvelle vie s'ouvrit à elle ici, lorsqu'elle mit sa vérité en perspective, elle en fut vivement attristée. Cette nouvelle vie lui montra combien elle avait perçu la vie terrestre sous l'éclairage d'une vérité inférieure, avec la vérité qui ne soutenait pas la véritable croissance. Alors cette entité se repentit. Elle voulut revenir pour amener ce nouveau discernement avec elle, afin de mettre en pratique la vérité de la Conscience divine qui jamais ne serait épuisée.

Elle revint, en s'incarnant cette fois parmi les gens avec qui elle avait travaillé. Elle aimait ces gens, croyant qu'ils pourraient l'aider. Mais ils ne voyaient rien d'autre que la vérité terrestre, la conscience terrestre. Ceux qui avaient été ses propres étudiants n'avaient que trop bien appris leurs leçons. Ils enseignèrent à cette enfant leur façon de penser. Cette personne grandit alors une nouvelle fois dans la croyance absolue en la conscience terrestre. Elle se servit encore une fois de la conscience terrestre comme elle l'avait fait auparavant. Toutefois, l'idée lui vint à l'esprit que ce chemin lui semblait familier, qu'il ne paraissait pas devoir satisfaire à tous ses besoins. Cette fois, elle se mit à la recherche d'autres réponses, d'autres vérités, et elle les trouva. Ce faisant, cette entité s'opposa aux croyances de ses parents, à ses propres croyances antérieures. Mais alors, elle déçut tous ceux qui avaient été ses propres étudiants parce qu'elle se tourna vers la vérité de Dieu.

Il y avait une autre personne qui entra dans la vie dans le but de s'unir à Dieu en se vouant à la Conscience divine. Cette entité, douce au point de paraître efféminée, puisa sa vérité dans la Conscience divine. Cette existence lui apporta assez d'énergie pour se fusionner à la grande vérité de l'être, la grande vérité de cet univers. Il étudia les cieux et acquis un grand savoir sur l'extraordinaire galaxie dont la terre fait partie.

Cette merveilleuse personne enseigna aux autres ce qu'elle avait découvert. Même si elle n'accomplit aucune des prouesses viriles que les gens admiraient, même si elle était beaucoup trop gentille au gré de la plupart des gens, ils acceptèrent malgré tout son merveilleux enseignement. Les gens ne s'arrêtèrent pas à son apparence extérieure et s'intéressèrent au cœur même de la vérité qu'il exprimait à travers son travail et sa personnalité. On peut tout faire avec cette formidable vérité que Dieu communique à nos esprits lorsque nous le demandons.

Le mot "vérité" est utilisé à la fois en relation avec la conscience terrestre et avec la Conscience divine, ce qui peut être une source de confusion pour certains. Pourtant, ces esprits avancés expliquent que tout ce à quoi nous croyons devient notre vérité. La conscience terrestre renferme une "vérité temporaire" qui nous sert à court terme; toutefois, la "vérité durable" émane de la Conscience divine et nous sera utile durant toutes nos existences.

Une autre explication d'un esprit avancé indique qu'une vérité temporaire peut apporter la gloire et la fortune, mais pas forcément une véritable satisfaction intérieure. La vérité temporaire nous aidera à manifester nos objectifs, mais lorsque le but est atteint, nous croirons que rien d'autre ne peut l'être. Toutefois, la "vérité durable" nous conduira au delà de nos premiers objectifs vers des accomplissements encore plus grands et une satisfaction profonde.

Les membres de la Fraternité signalent que les gens du plan terrestre qui sont aveugles à la vérité de la Conscience divine seront totalement désemparés lorsqu'ils arriveront sur l'autre plan d'existence. « Ils ne savent pas qui ils sont », affirma un Frère. « Ils voient leur chair et leur sang et ils croient qu'ils ne sont que cela. » Ce groupe d'esprits inspirés par le Christ dispose d'une perspective pour voir beaucoup plus clairement la situation que celles et ceux d'entre nous qui vivent sur le plan terrestre. Ils disent que les entités qui viennent sur terre sans aucun plan mobilisent beaucoup leur attention. Ces guides voient que les personnes qui ne comprennent pas leur nature spirituelle se servent de la vérité de la conscience terrestre pour obtenir ce qu'elles veulent et se sortir du pétrin par tous les moyens possibles, sans tenir compte du tort qu'elles peuvent infliger aux autres.

Ces gens n'accepteront aucune vérité sauf celle qui correspond à la plus basse forme de la conscience terrestre. Ces personnes vides génèrent leur propre vérité et, de ce fait, se détruisent elles-mêmes tout autant que les autres. Ces vérités personnelles, qui ne leur donnent aucun avantage réel et durable, les comblent temporairement de richesses ou de plaisir dans le domaine de la sensualité.

Lorsque ceux qui s'adonnent au culte des vérités inférieures se mettent ensemble, leur brutalité évolue en une terrible réalité pour tout le monde sur le plan terrestre, affirme un Frère.

Cette grossièreté prend la forme d'une haine de tout ce qui est inhabituel, productif, ou beau. Cette vulgarité cultive sa vérité avec jalousie et comme elle engendre encore plus de cette même vérité, il en résulte un pattern de violence et de haine en action. Ceux qui s'adonnent à la haine deviennent souvent obsédés par leurs problèmes et dirigent toute leur colère contre les gens qui sont présumés être responsables de ces problèmes.

Le fait qu'ils combinent leur *(soi-disant)* vérité à leur perversion la transforme en laideur, mais elle demeure toujours la vérité pour eux. Ils doivent vivre avec elle. Malheureusement, les autres qui sont sur terre doivent aussi vivre avec elle. Cette vérité inférieure à laquelle certains croient s'infiltre dans la conscience terrestre. Ainsi, cette conscience est pleine de la négativité qui contrecarre les efforts des gens de bien, qui dénature la réalité et qui donne d'affreuses réponses. Ils faussent la vérité et y injectent leur propre énergie afin qu'elle entre dans l'esprit des gens et joue sur leur imagination. Cela leur donne d'effroyables pensées à méditer et génère la force qui détruit la vraie parole. Cette description présente le côté malveillant des choses. Mais il y a bien sûr l'autre côté.

Personne n'appartient à la conscience terrestre. Le libre arbitre existe. Les gens qui cultivent cette vérité malfaisante génèrent leur propre puissance, mais ils tentent aussi d'imposer leur vérité aux autres. Cet effort qu'ils font pour s'imposer leur enlève de la force et leur côté malveillant s'affaiblit. Cet effort pour s'imposer n'est pas de la force ou de la puissance – voilà le principe inviolable qui doit retenir notre attention. De fait, la puissance de Dieu réside dans le consentement, et non dans les efforts faits par la Conscience divine pénétrant dans les entités qui ouvrent leur esprit. Par conséquent, le mal que les gens manifestent par leurs pensées perd de sa force lorsqu'il se transforme en efforts déployés pour inciter les autres à penser et agir avec malveillance.

Contacter la conscience terrestre ne demande aucun effort particulier, car elle plane constamment au-dessus de vous. Elle donne généreusement de sa vérité parce qu'elle se déverse dans le vide que les gens ont en eux. La vérité de la conscience terrestre se déverse dans le vide qui s'emplit de tout ce qui se présente. S'emplir de la Conscience divine nécessite toutefois qu'une décision soit prise en ce sens. La Conscience divine n'absorbe sa vérité que de Dieu et d'aucune autre source, et elle la donne sur simple demande, pourvu qu'il y ait consentement à l'accepter. C'est alors, et seulement alors, qu'elle afflue dans l'âme d'une personne.

La différence entre ces formes de conscience est assez claire. Les pensées de la conscience terrestre se déversent continuellement sur nous, que nous en voulions ou pas. Elles sont comme la pluie qui tombe sur le juste et l'injuste. Lorsque nous accordons à Dieu le droit d'accès en notre esprit, seules les vérités utiles de la conscience terrestre pénètrent en notre esprit en même temps que la vérité complète de Dieu.

Je demandai qu'un membre de la Fraternité commente le concept de prospérité comme étant de Dieu ou de la conscience terrestre, et voici comment cela est expliqué.

La vérité de la prospérité est que Dieu donne la substance, le moyen par lequel les gens prospèrent. C'est la voie facile, le chemin de la foi. Mais la conscience terrestre enseigne aussi la prospérité. Elle vous dit que vous aussi vous pouvez être meilleur que les autres. Vous pouvez être riche quand les autres sont pauvres. La conscience terrestre enseigne que la pauvreté doit exister, qu'il y a une quantité limitée de prospérité sur terre, et que cette prospérité prend la forme de richesse. Alors les gens retiennent de cette vérité terrestre qu'être le plus grand, le plus puissant, le meilleur en n'importe quoi est le seul moyen de prospérer. Il n'existe pas d'autre moyen, selon la conscience terrestre. Plus précisément, il n'y pas d'autre moyen à moins d'obtenir la prospérité en prenant ce que vous voulez par des moyens malhonnêtes.

Il est étonnant que les gens acceptent cette fausse vérité de la conscience terrestre voulant qu'il y ait des limitations.

Cette conscience terrestre affirme qu'il n'y a qu'une quantité limitée de prospérité, et que si vous voulez avoir votre part, vous êtes mieux de trimer tout le temps. Faire équipe avec la Fraternité aidera les gens à manifester la prospérité sans toute cette presse, sans tomber dans de faux concepts, sans croire au mensonge selon lequel leur prospérité dépend de leur intelligence, de leur travail, ou de leur mendicité.

Beaucoup de gens traversent des crises d'identité dans leur vie. Je demandai comment ils pouvaient être influencés par la conscience terrestre.

Que des gens puissent vivre pendant des années tranquillement immergés dans la vérité de la conscience terrestre est un fait indéniable. Ces gens dépendent de choses matérielles pour les satisfaire. Ils se convainquent du mensonge selon lequel il n'y que cela dans la vie – l'accumulation d'objets précieux, la bonne vie. Mais inévitablement, la vérité de la conscience terrestre cesse de les satisfaire. Alors les gens essaient de trouver un sens à leur vie. Mais sans la Conscience divine, il n'y a pas de sens.

Chacun d'eux est un esprit. Telle est leur réalité. Par conséquent, les choses matérielles ne peuvent satisfaire que le côté matériel en eux. La plus grande partie d'eux-mêmes est l'esprit, ce qui émane de Dieu, ce qui est indestructible, ce qui touche le Dieu de l'univers. Avec cette étincelle de divinité en eux, ils devront finir par toucher un jour au divin. Soit cela arrive, soit ils se font dévorer par leurs soucis, leurs problèmes, la promesse que leur vie sera la meilleure. Les gens se promettent la bonne vie, mais lorsqu'ils l'atteignent, ils découvrent alors le vide qu'il y a en eux. La vérité de la conscience terrestre ne les comble plus, ne les contente plus, car elle n'est pas leur réalité.

• • • • • • •

Stimulateurs de pensée

1. La Conscience divine met chaque personne en contact avec l'éternelle vérité de Dieu. La conscience terrestre comporte une part de bon sens élémentaire qui englobe la pensée humaine depuis le commencement des temps. Comment pouvez-vous personnellement contribuer une vérité de la Conscience divine qui élargira la vérité contenue dans la conscience terrestre?

2. La conscience terrestre rejette la Conscience divine. La conscience terrestre enseigne que la Conscience divine n'existe pas. Beaucoup demandent de l'aide à grands cris. Pourquoi leurs cris sont-ils creux, et que faut-il pour transformer leur situation?

3. Dieu ouvre à chaque personne un chemin splendide pour devenir la personne divine que nous voulons être. S'emplir de la Conscience divine nécessite une demande et la volonté d'accepter l'aide offerte. Dans quelle mesure la Fraternité aide-t-elle Dieu et vous offre-t-elle son assistance grâce à la connexion qu'elle établit avec la Conscience divine?

Travail intérieur : *Dieu vous aide à affiner et embellir vos aspirations. La Conscience divine est capable de répondre à tous les désirs et besoins connus de l'humanité. Centrez votre attention sur le principe de la Conscience divine selon lequel les pensées sont des choses. Unissez-vous avec la Fraternité dans votre temple intérieur secret et explorez les plus profonds besoins, désirs et objectifs de votre âme.*

Histoires sur la Fraternité

12

Le récit des existences successives des membres de la Fraternité montre leurs échecs, leur progression et finalement leur évolution en des âmes avancées qui nous guident depuis l'autre plan d'existence.

Les gens pour qui la réincarnation est, selon toute vraisemblance, le plan de Dieu pour la croissance de leur âme veulent inévitablement connaître tous les détails précis s'y rattachant – noms, dates, lieux des vies antérieures. Ils veulent connaître leurs réalisations précises et leurs titres le cas échéant. Je demandai à quelqu'un de la Fraternité d'offrir un commentaire à ce propos.

Les détails, comme vous les appelez, ne nous disent rien de l'évolution de l'âme. Ils décrivent seulement une vie terrestre vécue pendant une seule période de temps fort brève. Cette existence n'a plus pour vous qu'une importance négligeable lorsqu'il vous a été donné de voir l'éventail complet de vos vies. La croissance spirituelle est ce qui importe avant tout – et non une existence particulière qui n'a peut-être que très peu contribué à votre évolution intérieure. L'histoire de ces existences, en fait, devient ennuyeuse à réciter. Ces détails précis que vous mentionnez ne nous donnent aucune idée, aucune estimation valable de la vérité de notre être.

Une seule existence – ça représente quoi au juste? Cette existence à laquelle vous accordez tant d'importance ne dure qu'un si court moment que son évaluation mérite à peine d'être faite. Que la vérité ait été recherchée, voilà ce qui compte. Que la vérité ait été démontrée par tous les moyens prévus dans le plan de vie, voilà le fait important à souligner. La croissance de l'âme – ce progrès régulier vers la vérité, vers le Dieu de l'univers – voilà l'aspect essentiel de l'histoire! *Ces esprits avancés offrent plusieurs histoires d'évolution tirées de leur propre groupe – des histoires qui montrent leurs échecs, leur progression, leur évolution. Le récit de chaque histoire donne au lecteur une perspective unique sur le but de la réincarnation.*

Le but visé est que les autres puissent comprendre que cette méthode que nous recommandons est aussi leur méthode. Le lecteur ouvre son cœur à la preuve de notre triomphe afin de parvenir au même genre de maîtrise intérieure.

Voici la première histoire au sujet d'un Frère qui est devenu la vérité en expression. Il est venu s'incarner sur terre pour être l'entité pure et intrépide que Dieu désirait avoir. Il a donné sa vie pour les gens afin d'être leur point d'entrée au royaume du Dieu de l'univers qu'il appelait le Père. Ce Frère a guidé les autres parce que sa vérité était irrésistible. Sa vérité leur donna l'espoir de trouver le chemin de la grande fraternité voulue par Dieu. Les gens vinrent à lui pour être guéris, pour voir leurs espoirs se réaliser, et pour que leur moi véritable soit touché par sa spiritualité. Ils l'honorèrent et l'estimèrent profondément.

Puis ils le pressèrent d'en faire encore plus. Ils voulaient qu'il les libère de la tyrannie de l'oppresseur. Mais ce Frère se refusa à faire cela, car sa mission n'était pas d'exercer un pouvoir temporel, mais un pouvoir spirituel. Pour comprendre cette vérité, les gens durent finalement le voir crucifié, mort, et puis ressuscité. Alors ils surent que ce pouvoir spirituel était réel, et ils en éprouvèrent beaucoup de joie et de bonheur. Cette résurrection, cette renaissance du corps, donna à ces gens un espoir qui devint réel. Au début l'espoir était faible, mais la réalité du corps ressuscité fut la preuve qui les convainquit.

Ils se rendirent un peu partout répandre la vérité que ce Frère leur avait apportée. Ils enseignèrent la vérité, la lumière, la Paternité de Dieu. Puis ils créèrent une religion qu'ils nommèrent d'après l'espoir qu'ils avaient eu du Christ qui devait venir les délivrer. Ils appelèrent cette nouvelle religion le christianisme . Cette religion incorporait la religion juive, mais englobait également l'entité ressuscitée appelée Jésus le Christ. Pendant une longue période de temps, les gens connurent une croissance spirituelle soutenue. Ils apprirent à aimer Celui qui était appelé Jésus, même s'ils ne l'avaient jamais vu. Ils lui furent loyaux et dévoués. Finalement, ils firent de lui un Dieu, et perdirent complètement de vue le sens de sa venue parmi eux.

Ce Frère vint sur ce plan d'existence, déterminé à élargir le champ d'action de ce Conseiller, de cette Fraternité, afin d'éviter que sa vérité ne soit perdue. Il espérait que les gens acceptent de faire une place à ce Conseiller dans leur cœur et leur esprit. Aujourd'hui encore, il nous confie de nombreuses missions visant à transformer la vie terrestre afin que les gens recherchent la vérité complète plutôt que la demi-vérité. Ce Frère n'a pour seul but que de favoriser l'émergence de la vérité divine en chacun. Pour y parvenir, il œuvre ici avec nous sur ce plan d'existence, même s'il peut maintenant poursuivre son évolution sur d'autres plans d'existence. Il est l'exemple parfait d'un alignement total avec le Dieu de l'univers, car il est véritablement Un avec Dieu.

Personne ne peut aller plus loin que Jésus ne l'a fait sur terre. Il montra le modèle parfait d'évolution. Mais qu'il ait été la seule personne capable de réaliser ce véritable alignement avec Dieu est tout simplement faux. Il est venu pour que les gens le prennent au mot : ce qu'il a fait, d'autres peuvent le faire et même plus encore. Jésus s'est allié à la Fraternité pour accomplir sa destinée comme fils de Dieu venu pour enseigner aux autres qu'ils sont eux aussi les fils et les filles de Dieu.

La perfection qu'il a atteinte déroute de nombreuses personnes parce qu'elles pensent ne jamais pouvoir être parfaites. Mais ces gens ne comprennent pas ce qu'est la perfection. Ils pensent que pour être parfait il faut avoir une voix douce, un visage inspirant la confiance ou rayonnant de bonté, ou encore poser des gestes fraternels. Ils croient que tout le monde est attiré par cette perfection, et qu'il y a une auréole qui apparaît pour en témoigner. Très certainement, pensent-ils, la perfection est un temple sans défaut. Mais cela n'est absolument pas la vérité. **Non. Cela n'est PAS la vérité.**

La perfection vient du moi divin intérieur, là où l'esprit de Dieu nourrit l'âme. Cette personne, cette entité, cet être qui manifeste la perfection n'a aucune intention de plaire aux hommes et aux femmes. Cette perfection-là ne plaît qu'à Dieu, qu'à la bonté totale qui se donne à cet être. Il n'existe pas de perfection qui plaise aux hommes et aux femmes de façon continue. Les gens se demanderont si cette bonté n'est pas le signe d'une pensée égoïste, la pensée qui peut causer un conflit, la pensée qui n'est pas dans la Bible, ou toute autre question du même genre que les gens se posent. Il faut ignorer ce genre de questions.

Le Frère dont nous parlons ignora les pensées qui tendaient à l'éloigner du moi divin qui connaît la vérité. Il ignora les questions en leur apportant des réponses simples et en poursuivant son chemin. Il n'y a pas moyen d'éviter ces questions, mais on peut éviter de leur accorder de l'importance. La merveilleuse vérité intérieure sera notre guide, l'aide et le consolateur le plus sûr qui soit. La vérité intérieure est la seule qui soit digne de notre attention, et non les vérités des autres. Ce Frère était parfait à tous égards. Il s'est donné au Dieu de son être, le Dieu de l'univers, le Dieu dont la bonté surpasse le meilleur concept de l'homme.

La Fraternité commença par l'exemple suprême – Jésus le Christ – parce qu'il est l'exemple ultime. Ses membres ont expliqué comment il est parvenu à s'unir avec Dieu en suivant son plan de vie terrestre exactement de la façon dont lui et Dieu l'avaient conçu. Ensuite, ils ont fait le lien entre la réalisation atteinte par Jésus et la possibilité que nous avons de parvenir à une telle perfection. Jésus est, comme ils l'ont appelé plus haut, "le Frère des Frères". Mais Jésus n'est pas dépeint comme une perfection distante et vaporeuse. Ils le présentent comme une réalité, l'esprit avancé que chacun de nous essaie de devenir. Toutefois, la plupart d'entre nous s'identifieront plus facilement avec les histoires d'autres entités spirituelles – des histoires qui font autant la chronique des échecs que des réussites.

L'autre Frère dont nous parlerons maintenant débuta son existence dans l'univers comme étincelle de divinité possédant la liberté parfaite dont nous avons fait mention dans le chapitre précédent. Cette entité consacra son étincelle divine à son projet de collaboration avec notre Fraternité pour apporter de l'aide durant sa vie terrestre. Il essaya de devenir un parangon, un modèle de perfection, mais le canal ouvert qu'il pensa créer devint obstrué par son ego. Il n'avait pas de Dieu à imiter, ni de Dieu à vénérer.

Il érigea un grand monument au Dieu qu'il adorait, mais il oublia la vérité qu'il était venu enseigner parce qu'il travailla à la réalisation de ce monument. Ce monument devint la grande pyramide d'Égypte. Cette pyramide devint son monument dédié au Dieu qu'il connaissait, mais il oublia la vérité qu'il était venu apporter aux autres.

Puis à sa mort et dans sa nouvelle vie ici, il se consacra à l'étude de sa vie précédente. Il vit alors ce monument comme une chose dont la terre n'avait nul besoin. Il avait engendré la misère lors de la construction, et il n'avait rien enseigné de la vérité qu'il avait l'intention de dire aux gens. Par la suite, il retourna à la vie terrestre, plus déterminé encore que jamais à transmettre aux gens la vérité de Dieu. Mais une fois de plus, il fut absorbé par l'idée d'un monument et construisit encore un autre mémorial, un autre tombeau où son corps reposa. Et une autre pyramide surgit des sables. Cette fois, la pyramide n'était pas située en Égypte mais dans un autre endroit, à l'autre bout du monde.

Puis il s'incarna sur terre pour tenter à nouveau de dire la vérité aux gens. Cette fois, il s'ouvrit à la Fraternité, et son temple intérieur dispensa sa vérité aux gens où qu'ils soient. L'idée du monument se transforma en vérité qu'il insuffla dans les grandes idées qui se répandirent en maintes contrées pour présenter le message de Dieu. Le message s'enrichit à mesure qu'il tournait son esprit vers nous, vers son aide, vers ses guides. Ce message enseignait que Dieu donne la vérité. La vérité ne découle pas des observations faites par l'homme. La vérité est la croissance qui vient de Dieu, et non de l'approbation des gens. Le message qu'il apporta donna aux gens un nouvel espoir quant à l'esprit qui habitait leur corps, lequel esprit avait accordé son attention à la vérité des hommes plutôt qu'à la vérité de Dieu. Cette nouvelle vérité, qu'ils allaient devoir rechercher à l'intérieur d'eux-mêmes, leur donna une nouvelle maîtrise de leur vie, et fit d'eux de nouveaux résidents de leurs vieux corps.

Le troisième Frère dont nous parlerons avait projeté d'être le messager envoyé par Dieu pour parler aux gens de la vérité de leur être. Mais une fois incarné, il s'abandonna plutôt à son désir égoïste d'être la seule personne capable de témoigner de la vérité aux gens. Cette expression égotiste de Dieu donna un peu d'espoir aux gens, mais guère plus. Ils se fièrent à ce Frère pour obtenir de l'aide, mais ne cherchèrent pas en eux-mêmes. Au lieu de leur dire la vérité, ce Frère la garda pour lui tout seul. Il laissa les autres dans l'obscurité, et échoua dans le but qu'il s'était fixé.

Lorsqu'il revint sur terre, son but était alors de satisfaire le moi divin qui proclamait à tous la vérité de Dieu. Cette fois, il se mit à enseigner, mais il s'égara trop loin dans les vastes méandres de l'esprit, à tel point que les gens le prirent pour un fou. Ils ne s'occupèrent pas de ce qu'il disait, ne lui accordant que peu d'attention sauf pour dire de lui qu'il était l'homme qui essayait d'être le Dieu des gens anormaux. Ce Frère, en contemplant sa vie une fois revenu dans l'autre plan d'existence, voulut faire une nouvelle tentative avec ce même plan.

Il se réincarna sur terre pour donner son message. Mais il revint sans ego, sans son égoisme. Il vint pour servir, et réussit effectivement à servir. Cette fois, il livra le message de Dieu dans les endroits calmes de la terre – à la campagne, dans les petits villages. Il se promena de-ci de-là, transmettant la vérité, sans penser à ses propres besoins sauf pour trouver de quoi boire et manger lorsque le besoin s'en faisait sentir. Sa spiritualité intérieure s'affirma de plus en plus, et il progressa même au point où il pouvait faire passer son corps d'un plan à l'autre, et ainsi déplacer son corps vers des endroits éloignés. Cette âme, ce Frère, était le vrai gourou qui parcourut les immensités de l'Inde.

Le quatrième Frère vint pour comprendre les besoins des personnes qui s'écriaient de douleur dans la maladie. La maladie que cette âme voulait soigner était du type de celles qui empêchent l'individu de devenir un membre à part entière de la société. Cette maladie donnait des cicatrices aux personnes atteintes et leur faisait craindre de mourir. La maladie les laissait sans force, sans la vigueur d'une vie saine. Ce Frère devint un médecin pour aider ces gens à vaincre cette maladie, cette infirmité. En enseignant aux gens comment prendre soin d'eux-mêmes, il essaya de les mener vers l'expression de leur unité. Cela, il y réussit, et il continua à le faire tout au long de sa vie sans penser à son profit ou à ses désirs personnels.

Lorsque l'esprit de cette entité revint sur ce plan pour contempler sa dernière vie, il réfléchit à son existence sur terre, à la façon dont il avait aidé les personnes atteintes de cette maladie. Il réalisa alors que sa mission était de repartir sur terre enseigner aux gens non seulement comment se guérir, mais aussi comment demeurer en bonne santé – tout cela sans l'aide d'un médecin. Il revint donc sur terre pour réaliser son plan. Cette fois, il se préoccupa de dispenser la vérité selon laquelle le corps obéit à l'esprit. Cet esprit, bien sûr, est l'esprit qui capte les pensées de l'humanité entière pour former ce que l'on appelle la vérité collective de la conscience terrestre. La vérité de la conscience terrestre donne aux gens la vérité qu'ils observent, mais elle ne leur donne pas la vérité spirituelle intérieure. La vérité de la conscience terrestre donna aux gens l'idée que toute maladie est grandement possible.

Ce Frère essaya de changer le concept de maladie issu de

la conscience terrestre. Mais il ne put le faire. Il essaya, mais ne put rien y changer. Alors il commença à enseigner la méthode de guérison spirituelle que les Frères lui avaient donnée comme outil. Il utilisa cette méthode, mais ne put convaincre les autres d'en faire autant. Ils le considéraient comme un "guérisseur", mais ne voulaient pas accepter ces pouvoirs de guérison pour eux-mêmes. Il essaya de transmettre la vérité, mais n'y parvint pas. Toutefois, il fit exactement ce qu'il s'était destiné à faire, et pour cette raison son évolution spirituelle lui permit de devenir une âme avancée capable d'œuvrer au sein de la Fraternité.

Lorsque nous utilisons le mot Frère, nous entendons aussi par là l'aspect féminin de la personne. Mais le langage que nous utilisons ici considère généralement la forme masculine comme étant plus commode.

Le prochain Frère dont nous voulons parler était en fait une femme. Sa vie terrestre lui donna la chance de devenir un esprit avancé qui œuvre maintenant au sein de la Fraternité. Cette entité spirituelle consacra sa vie à la vérité qui favorise le développement de l'esprit de Dieu dans des corps possédant un cerveau déficient.

Elle se consacra à développer la collaboration entre la Conscience divine et la conscience du corps humain. Les personnes avec qui elle travaillait pensaient toujours comme le font les enfants; leur cerveau ne leur permettait pas d'exprimer des pensées matures, une vérité mature. Mais lorsqu'elle travaillait avec ces gens, elle leur enseignait que leur cerveau, qui ne les servait pas bien, pouvait quand même leur permettre de comprendre qu'ils étaient des entités spirituelles possédant l'étincelle divine. Cette étincelle, comme elle leur expliquait, pouvait être nourrie s'ils dirigeaient leur attention sur elle à l'intérieur de chacun d'eux.

Ces expressions de pensée, ces entités dotées de cerveaux sous-développés, se consacrèrent à la vérité présente en elles, et elles évoluèrent spirituellement durant cette existence. Ce membre de la Fraternité ne perdit pas de vue le fait que ces personnes étaient des étincelles divines issues de Dieu Lui-même. Ces entités conscientes commencèrent à évoluer, à se manifester spirituellement. Certaines commencèrent à agir sur le plan matériel, en améliorant leur capacité d'utilisation du cerveau. Elle se dévoua inlassablement à son travail et communiqua la vérité sans craindre l'opinion des autres.

Elle donna aussi sa vérité sans avoir peur de ce que les autres lui prêchaient, à savoir que ce qu'elle enseignait la mènerait à sa perte. Elle transmit son message à ces cerveaux déficients, et ceux qui le reçurent avancèrent à grands pas dans leur propre croissance. Ceux qui vivent avec des cerveaux déficients s'unissent facilement à Dieu. Ils acceptent la merveilleuse vérité sans poser de questions. L'acceptation de cette vérité leur montre comment participer au travail d'équipe de Dieu, et ils évoluent sans se cacher tout comme le font les vrais croyants.

Le prochain membre de la Fraternité s'incarna directement dans un corps d'adulte, celui d'une femme en fait. Elle résolut les difficultés et influença la vie des personnes qui étaient affectées par l'incapacité de la première âme à surmonter les problèmes qu'elle rencontrait. Cette âme, ce second possesseur de ce corps, mit de l'ordre dans les affaires de cette personne avant de s'occuper de mettre en œuvre le plan qu'elle avait amené sur terre.

Cette nouvelle âme communiqua sa vérité aux gens qui n'avaient aucun plan en eux, ceux qui retournaient trop hâtivement sur terre sans penser à élaborer un nouveau plan. Cette âme se consacra aux personnes qui restaient démunies jusqu'à ce que la vérité emplisse leur esprit et forme un plan qui les mène à réaliser leur objectif de croissance spirituelle dans cette existence.

Cette âme apporta sa vérité aux personnes qu'elle trouva enfermées en prison, à celles qui vivaient en des endroits désolés sans espoir pour le lendemain. C'est à ces personnes qu'elle enseigna la vérité de leur être, à savoir qu'elles étaient des entités spirituelles possédant l'étincelle divine en elles. Leur condition désespérée montrait bien qu'elles n'avaient plus conscience de cette vérité, car les personnes qui connaissent leur véritable grandeur, celle qui leur permet de communier avec Dieu, mènent une vie heureuse et réussie. En collaboration avec la Fraternité, elle enseigna avec autorité et avec l'énergie que Dieu accorde sur demande. Son enseignement posa comme généreux principe que la vérité pouvait atteindre même les gens sans espoir.

Parmi ces esprits avancés, beaucoup commencèrent leur existence en pensant être eux-mêmes des dieux. Ces Frères parcoururent le monde pour faire l'expérience des diverses formes de vie, et s'y retrouvèrent pris au piège. Puis lorsqu'ils acquirent une véritable compréhension de leur expérience, ils devinrent des âmes avancées. Cette compréhension ne vint qu'après de nombreuses existences successives. Ceux qui arrivèrent sur terre et se firent prendre au piège de la matérialité se convainquirent du mensonge selon lequel ils étaient les seuls à connaître le bien, croyant que ce qu'ils vivaient était entièrement bon, que leur errance sur terre pour y vivre dans les différentes formes de vie était ce qu'il pouvait y avoir de mieux. Cet ego les fit tomber dans leur propre piège, les mena à leur propre égarement et à l'acquisition d'une nouvelle vérité – la vérité de la conscience terrestre – qui leur rendit la vie pénible.

Mais les Frères qui connurent ces débuts apprirent à reconnaître les erreurs liées à cette façon de penser et ils vécurent de nombreuses existences à évoluer et à mûrir en des âmes avancées. Les histoires que nous racontons ici donnent quelques notions sur la façon dont mûrissent les âmes et dont elles vont au delà de leur vérité pour comprendre que l'unité avec Dieu est la seule vérité méritant leur attention.

L'autre Frère dont nous allons maintenant parler est présent en ce moment sur ce plan et donne son énergie pour développer la pensée selon laquelle chaque personne a quelque chose de spécial à offrir à la vie terrestre. Il fait équipe avec Dieu pour offrir les dons qui aident chaque esprit à exprimer son plan de croissance.

Cette entité spirituelle est venue sur terre à maintes reprises pour parvenir à son niveau actuel d'évolution. Ce Frère s'est incarné autant en homme qu'en femme et s'est finalement servi de ses talents pour exprimer l'énergie divine de la beauté. Cette entité est maintenant capable d'encourager l'expression des talents - de tous les talents. Elle stimule l'expression de ces talents lorsqu'on lui demande de le faire, lorsque l'âme désire cette aide. Puis, elle entre dans l'esprit de la personne pour donner ce que les gens sur terre appellent de l'inspiration. Cette inspiration amène l'individu vers de nouveaux sommets d'expression. Le Frère conduit la personne à la connaissance intérieure du Dieu de l'univers qui ne refuse rien de ce que la personne peut demander au nom de la bonté de Dieu. Ce que nous disons ici est vrai.

Étant comme des colporteurs de vérité qui interviennent dans la vie terrestre pour aider les gens à exprimer leur véritable personnalité, nous croyons avoir besoin de plus de travail, de plus de gens demandant notre aide. Dieu nous confie cette tâche spéciale, celle d'aider par tous les moyens possibles à relier les vies terrestres à la vie divine. Mais nous avons besoin de plus d'action, d'un plus grand nombre d'esprits à conseiller, d'un plus grand nombre de personnes avides de vérité et demandant notre aide.

Mon interlocuteur s'adresse alors directement au lecteur.

Ouvrez-vous à cette aide. Cette aide est meilleure que les richesses, meilleure que n'importe quel but terrestre de nature matérielle. Cette aide accomplira encore plus que ne le feraient un ou deux buts terrestres. Ces objectifs terrestres perdent toute importance face à la vérité selon laquelle Dieu fournira l'énergie pour manifester TOUTES les choses qui sont bonnes.

J'utilise souvent le mot "ils" en parlant de la Fraternité. Il me semble - mais ce n'est qu'un sentiment - que je travaille avec un groupe d'esprits. Je demandai un commentaire à ce sujet.

La Fraternité est constituée de nombreux esprits, mais il y a un seul esprit qui travaille plus particulièrement avec vous. Cet esprit est celui qui vous guide afin de recevoir ces

messages, celui qui vous aide à capter cette vérité
*Je demandai si cet esprit particulier avait un nom. Il y eut une
hésitation avant que la réponse ne vienne. Il semble que le nom de
ce Frère ait quelque chose à voir avec son caractère et qu'il ne soit
pas traduisible. Plus tard, j'en vins à la conclusion qu'un nom
nous aurait placés sur un niveau très personnel et il est clair pour
moi que ces enseignants/conseillers veulent que je me concentre
sur la Conscience divine et non sur une personnalité en particulier.
Toutefois, je demandai si le Frère travaillant avec moi avait raconté
sa propre histoire ici.*

Cette histoire possède les mêmes éléments que celles des
autres. L'histoire commença lorsque j'étais Un avec Dieu,
vivant dans une totale liberté. Il est vrai cependant qu'un
jour je me retrouvai sur terre et que je devins l'un de ceux
qui furent pris au piège. Il est également vrai que je vécus
maintes et maintes existences pour exprimer la vérité et que
mon esprit évolua. Il est vrai aussi que je devins finalement
une âme avancée. C'est ma propre vérité que je livre ici, mais
ce n'est pas un portrait complet. La vérité que je donne ne
comporte que certains éléments. Cette vérité est celle que j'ai
manifestée. La vérité que l'on manifeste est celle qui fera
désormais partie de soi.

*J'étais quelque peu déçue. J'avais espéré en apprendre plus sur
cet esprit avec lequel je travaille jour après jour. Plus tard au cours
de la journée, je reçus une histoire, une histoire racontée à la
troisième personne avec, semble-t-il, quelques hésitations.*

La Fraternité veut que je vous raconte l'histoire d'un autre
Frère encore. Celui-ci possède les éléments des trois plus
grandes âmes qui se sont jamais manifestées sur terre. Cette
âme fit le voyage sur terre à nombreuses reprises mais ne
parvint jamais à exécuter son plan dans toute son ampleur.
Puis lorsque cette âme intégra finalement en elle le concept
du grand pouvoir de la vérité, son existence sur terre
produisit la grandeur qu'elle voulait exprimer. Cette âme
intégra la vérité qu'elle connaissait, l'appliqua à son plan et
transforma la situation en manifestation de la bonté qui
émane de Dieu. Puis cette âme, satisfaite de la mise en œuvre

de son plan, subit nos examens ici et les réussit avec brio.

Cette âme ouvre son cœur aux êtres qui entrent dans la vie pour devenir des spécialistes, ceux qui se spécialisent dans certains aspects de la vérité telle que cette écriture. Cette âme veut que les spécialistes qui prennent part à cette communication deviennent de véritables récepteurs et non pas uniquement des autorités ayant la capacité de contacter ce plan d'existence. Cet aspect de la vérité est sa véritable vocation ici. Je suis moi-même cet esprit, celui avec lequel vous communiquez. Cet esprit est le point d'entrée des êtres du plan terrestre qui veulent établir une communication avec ce plan dans le but d'évoluer.

« Ce fut votre propre appel à l'aide, ce besoin d'un maître », me dit mon messager. « Ce maître est notre personne, notre moi spirituel, celui avec lequel vous communiquez en ce moment. »

Comme n'importe qui, je suis souvent remplie de pensées angoissées à propos des personnes qui me sont chères. Au cours de l'écriture de ce chapitre, ces paroles arrivèrent pour m'encourager :

Le Frère avec qui vous communiquez sait qu'il n'est pas toujours facile de faire le vide en votre esprit pour recevoir ces informations mais il veut que vous sachiez que ce travail est la vérité qui vient à travers vous. Considérez cette vérité comme ce qu'il y a de mieux pour les autres. Alors, vous connaîtrez la véritable bonté s'exprimant à travers vous. Ne pensez pas aux ennuis survenant dans votre vie ou dans la vie des autres. Bénissez les situations, videz votre esprit des soucis ou des inquiétudes. Pensez seulement à nous confier vos inquiétudes, car nous nous en chargerons pour vous encourager à travailler ici. N'accordez aucune pensée à tout tracas qui pourrait vous venir à l'esprit, car il n'y a rien qui puisse venir à bout de notre vérité, de nos bienfaits qui s'expriment en vous et en Carl *(mon mari)* relativement à ce qui vous inquiète.

Après avoir été rassurée de façon si convaincante, nous avons poursuivi la rédaction de ce chapitre.

Certaines âmes nous disent être assez évoluées pour faire partie de la Fraternité mais, en fait, elles ne le sont pas.

Certaines veulent aider, veulent appartenir à ce groupe de guides mais elles ne possèdent pas les qualifications requises. La compréhension de ce fait est l'essence de la Fraternité, à savoir que le Dieu de l'univers choisit les personnes qui sont l'incarnation même de la vérité pour être des nôtres. Les autres postulantes peuvent tenter leur chance, mais elles n'entrent dans notre groupe que pour en ressortir aussitôt, car leur compréhension est inférieure. Seules les âmes illustres et avancées se chargent du travail et l'exécutent ici. Il doit y avoir une compréhension avancée de la vérité, du contact et de la puissance que procure la vérité. La Fraternité s'ouvre à chaque personne, chaque entité, mais seules les âmes qui sont capables de réussir les grands examens peuvent œuvrer auprès des êtres du plan terrestre. Les autres s'en détournent par manque de compréhension et manque de compétence. Elles peuvent choisir d'essayer à nouveau, c'est-à-dire de revenir à la vie terrestre pour évoluer encore plus. Alors elles pourront revenir nous voir pour tenter une nouvelle fois de réussir les grands examens de la vérité.

Le prochain Frère dont nous allons vous parler s'est uni avec le Dieu de son incroyance. Puis, il vint sur la place publique où il influença les autres avec ses croyances, les entraînant dans ses activités impies. Il s'adonna à la perversion qui consistait à prendre la vie des autres tel un juge. Il chercha à jouer le Dieu de la vie et de la mort pour les autres. Son plus grand regret est d'avoir enseigné ses mensonges aux autres et de les avoir menés dans la voie de l'incroyance en la vérité de Dieu. Ces deux trahisons se produisirent parce qu'il avait écouté la conscience terrestre plutôt que la Conscience divine.

Mais lorsqu'il arriva sur ce plan d'existence, il vit et comprit la vérité du canal ouvert qui l'éclaira sur ses grandes trahisons. Alors il s'incarna à nouveau sur terre pour devenir l'opposé de ce qu'il avait été autrefois. Ce Frère se consacra à enseigner la vérité de Dieu aux autres, élargissant leur conception de la vérité selon laquelle ils sont de vrais esprits de Dieu, les meilleures entités de Dieu. Cet être éveilla l'étincelle divine de nombreuses personnes. Il devint lui-même un canal ouvert pour connaître la vérité. Il n'entreprit rien qui ne fut pour le bien. Il s'offrit pour être la récompense pour les autres qui pourraient tenter de condamner la vérité. Jusqu'à la fin de sa vie, il dit toujours la vérité sans se soucier des punitions qu'on lui infligeait, ni du mal qu'on lui faisait. Il demeura loyal. Puis, lorsqu'il revint sur ce plan d'existence, il avait transformé son moi divin en l'âme avancée qui pouvait maintenant se joindre à la Fraternité pour apporter l'aide dont les gens ont besoin. Cette croissance est parfaitement possible si une personne demeure l'incarnation même de la vérité, la vérité en action.

La Fraternité est constituée de ces âmes qui ont emprunté des chemins tortueux pour revenir au Dieu de l'univers. Ces âmes s'incarnèrent une multitude de fois pour amener leur vérité avec elles. Parfois elles échouaient, parfois elles réussissaient à moitié, parfois elles accomplissaient leur mission et n'avaient plus alors à retourner sur terre, à moins de décider de se réincarner dans le corps d'un adulte pour accomplir une tâche particulière. Pas étonnant que la vérité ne pénètre que si lentement sur terre. C'est un long chemin ardu, parcouru une vie après l'autre. Ce qui est merveilleux c'est que nous, les âmes qui avaient perdu leur chemin , ayons pu revenir à Dieu.

• • • • • • •

Stimulateurs de pensée

1. *L'évolution régulière et progressive de notre âme est le but de nos nombreuses vies. Quelle impression les expériences de vie des membres de la Fraternité vous ont-elles faite?*

2. *Jésus s'est allié à la Fraternité pour accomplir sa mission. En prêtant attention à notre vérité intérieure, nous pouvons nous réserver le même destin. Quelle est votre compréhension de la perfection de ce moi intérieur divin?*

Travail intérieur : *La Fraternité est formée d'âmes qui ont difficilement retrouvé leur chemin vers le Dieu de l'univers. Seules celles qui ont réussi les grands examens peuvent travailler avec les gens du plan terrestre. Contemplez votre propre retour à Dieu. Communiquez vos pensées profondes en ce qui touche la confiance, l'honnêteté, l'intégrité et le bien que vous voulez exprimer. Faites appel à la Fraternité pour vous aider à définir votre propre chemin et votre propre croissance vers la vérité pour cette présente vie.*

Stimulateurs de pensée supplémentaires

Nos pensées sont la substance que nous utilisons pour construire notre personnalité et créer notre vie. Notre état d'esprit mental manifeste notre réalité.

Centrez-vous sur les merveilleuses ressources que Dieu nous offre. Il n'y a pas de manque, pas de limite à ces ressources. Utilisez librement ces ressources en sachant que la source ne peut pas s'épuiser.

La onzième promesse oblige notre moi divin à stimuler nos propres dons... qui font jaillir le bien dans notre vie.

Notre objectif est d'avancer dans notre plan de vie et de vider notre ego personnel pour acquérir la pure liberté dans l'unité avec Dieu. C'est ainsi que nous exprimons les merveilles qui sont en nous.

Nous avons la possibilité de dire à nos consciences individuelles que nous sommes sous la guidance de la vérité issue de Dieu. De cette façon, la Conscience divine filtre les pensées de la conscience terrestre qui affluent constamment en notre esprit. Seules demeureront les pensées qui réussissent l'examen de vérité.

Notre vérité vient à nous de façon individuelle. La Fraternité nous aide à ouvrir notre moi divin au Dieu de l'univers. Notre vérité est la croissance qui vient de Dieu et non de l'approbation des gens.

La perfection de notre moi divin provient de l'esprit de Dieu nourrissant notre âme. Cette vérité en nous est le seul guide digne d'attention.

Recevoir la vérité de la Conscience divine

13

La Fraternité explique comment la communication s'établit entre elle et l'auteure. Seul le point de vue de la Fraternité est présenté ici avec la méthode d'apprentissage par étapes que d'autres personnes peuvent utiliser.

Dans le second chapitre intitulé "Devenir des partenaires", j'ai relaté de quelle façon se déroulait, de mon point de vue, cette communication avec la Fraternité de Dieu. Dans ce chapitre, l'être avec qui je communique m'explique de quelle façon se fait la réception des informations que j'écris.

Cette vérité que nous vous confions au sujet de notre communication sera notre vérité, et non la vôtre. Vous ne comprendrez pas comment tout cela peut réellement être possible, mais ne vous en faites pas, car nous vous apportons la vérité comme toujours. Nous avons notre point de vue sur cette communication qui doit être ajouté au vôtre, car nous vous donnons ici la façon dont cette transmission de pensée se produit réellement, et non la façon dont elle semble se produire. Maintenant placez l'entité spirituelle que vous êtes à l'écoute de notre message. Ne prêtez plus attention à la partie physique.

Je me concentrai sur l'image d'une charrue prête à entrer dans un sol meuble. J'étais aussi prête à la réception que d'habitude, mais rien ne vint. J'attendis, mais rien ne se produisit. Puis je reçus : « Nb Nnnn? Nv : NgNnnnnn. » Qu'est-ce qui n'allait pas? J'attendis encore un peu.

La Fraternité a recours à un vocabulaire inusité mais tout de même approprié pour décrire différentes situations. Il y avait en effet une sorte "d'humidité" brouillant la communication. Et malgré mes efforts pour de me brancher à cette vérité, je n'arrivais pas à le faire à partir de ma seule énergie.

C'est la Conscience divine même qui donne Sa force à ce message. À moins qu'une personne ne se mette à l'écoute de cette Conscience, il y aura une incapacité de compréhension.

Et les Frères firent la preuve de ce fait lorsqu'ils retirèrent le canal ouvert à la Conscience divine. Ils expliquèrent qu'ils avaient tenté de poursuivre la communication par le seul contact de nos êtres. Il est cependant tout à fait impossible de recevoir ces grandes vérités si ce n'est par l'intermédiaire de la connexion avec la Conscience divine.

Je demandai si les Frères et moi communiquions de personne à personne, tout comme deux individus sur terre se parlant l'un à l'autre. « Sommes-nous simplement deux entités partageant chacune notre vérité avec l'autre? » demandai-je.

C'est ainsi que ça se passe. La vérité dont nous disposons ici peut être tout à votre avantage, mais la vérité émanant de la Conscience divine que nous apportons par l'entremise du canal ouvert est la vérité **absolue**. Aucun de nous ne peut détenir à lui seul cette vérité, et c'est la même chose collectivement. Dieu seul possède cette vérité. Servez-vous de ce canal ouvert, et vous découvrirez une mine d'or de vérité.

Pour recevoir cette vérité de la Conscience divine, ces esprits avancés expliquent que vous et moi devons faire trois choses. D'abord, reconnaître le principe de la Conscience divine. Cela signifie que nous devons intégrer ce concept en notre moi intérieur où le Dieu de l'univers nous communiquera la vérité que nous serons à même de comprendre.

En second lieu, nous devons consacrer du temps au travail nécessaire pour établir cette communication. Cela ne réussit pas à la première tentative. Il doit s'y exercer régulièrement, et on doit fait preuve d'ouverture. Nous devons aussi recourir à l'énergie de Dieu pour faire ce travail. Et enfin, l'essentiel pour rendre cette communication possible est de croire à la réalité de l'autre plan d'existence.

Vous devez réaliser que ce plan d'existence, invisible aux êtres vivant sur le plan terrestre, est bien réel. Ce plan d'existence découle de la vérité selon laquelle la vie continue après ce que vous appelez la mort. Ceci est la dernière partie.

Il y a bien sûr diverses considérations dont il faut tenir compte afin de devenir un bon intermédiaire pour communiquer avec la Fraternité de Dieu et de ce fait avec la Conscience divine. Et comme la Fraternité l'affirmait : « Il y a également la question de devenir le genre de personne qui soit capable de vivre sa vie de façon autonome. Si vous sentez devoir faire votre vie d'après les conditions imposées par les autres, ce travail d'écriture ne pourra s'épanouir. » Selon cette explication, la confiance doit régner entre la source de vérité, la Conscience divine, et votre être intérieur. Si vous et moi devons tenir compte de l'opinion des autres avant de considérer le message comme étant réel et vrai, nous ne recevrons pas un message clair.

Il y a un autre aspect que la Fraternité considère être très important pour une bonne communication, c'est notre compréhension de la pensée.

La pensée s'allie à la substance. Elle est réelle, vitale, et réceptive à toute suggestion de votre part.

Un autre point mentionné concerne la bonne compréhension de notre véritable nature qui est esprit et non matière.

Il est naturel pour la personne qui accepte ce point de vue de communiquer avec d'autres entités qui sont aussi des esprits. La problématique de l'esprit qui est réalité et du corps qui est transitoire doit mener à l'acceptation de cette communication. Le fait de vouloir devenir une personne capable de s'exprimer avec autorité est lié à notre détermination d'accepter la vérité par laquelle chacun de nous existe.

Pour que cette communication fonctionne, votre pensée doit s'ajuster à notre pensée et être ensuite canalisée par l'entremise de la Conscience divine. Nous devons positionner nos pensées dans les longueurs d'ondes appropriées, dans les bonnes sphères de contact. C'est ce contact que nous établissons ici.

La vérité ou la preuve de notre contact est ce livre. Ce transfert de pensée de nous jusqu'à l'auteure puis au papier par l'intermédiaire de la machine à écrire nous procure beaucoup de joie. Nous avons beaucoup appris sur la façon dont cette entité (Mme Jean Foster) pense.

Je me sentis quelque peu mal à l'aise, car je ne suis pas encore habituée à la complète transparence d'une communication par la pensée.

Cette entité essaie souvent de faire entrer ses propres croyances en jeu, mais nous lui donnons une sorte de rappel à l'ordre. Nous retirons notre message, et elle se retrouve sans plus rien à dire. Alors elle se rend compte qu'elle est en train d'écrire par elle-même. À ce moment-là, elle revient en arrière et raye l'information provenant d'elle comme elle peut le constater.

Cette relation de maître à étudiant prend la place d'un contact possible avec la Conscience divine qu'elle pourrait établir d'elle-même si elle le pouvait. Si elle en était capable, elle copierait ces mots que nous lui donnons en voyant simplement les mots se former dans son esprit. Mais elle ne les voit pas, et nous les lui transmettons donc par l'intermédiaire de sa personnalité divine. Il est impossible de détourner cette auteure du droit chemin par ces écrits. Elle est centrée sur la bonne longueur d'onde lui donnant accès à la Conscience divine. Il n'y a rien à craindre, car aucun mal ne vient se dissimuler dans la Conscience divine.

La mauvaise influence que certaines personnes craignent en s'adonnant à ce type d'écriture provient de ces esprits qu'elles considèrent comme des sources de vérité simplement parce qu'ils vivent sur cet autre plan d'existence. Le fait d'appartenir à cet autre plan d'existence ne confère aucune sagesse particulière. Nous y allons tous un jour ou l'autre.

Selon ce Frère, si nous consacrons toute notre attention à ces seules entités spirituelles de l'autre plan d'existence, nous n'évoluons pas. La raison pour laquelle nous n'apprenons pas de grandes vérités est que « beaucoup ici peuvent en savoir encore moins que les êtres du plan terrestre. » *Même si nous pouvons souhaiter entrer en contact avec un être cher parti sur l'autre plan, cette personne n'est pas la source de notre vérité absolue.*

Le canal ouvert formé par la Fraternité est le seul contact extérieur sur ce plan qui puisse aider quelqu'un à établir le contact avec la Conscience divine. Toutefois, il y a d'autres entités ici qui peuvent être d'une grande aide pour les personnes du plan terrestre. Elles aussi apporteront la vérité, non pas la vérité de la Conscience divine, mais la vérité qu'elles ont découverte pour elles-mêmes. Ces entités veulent aider les personnes du plan terrestre à cause de certains liens établis sur terre, de certaines relations ou de contacts d'amour. Elles viendront vers les personnes qui demanderont leur aide.

Selon cet esprit avancé, les entités spirituelles que vous et moi désirons entendre nous donneront de bons conseils. Elles nous inciteront à aller vers Dieu pour trouver notre vérité, et elles communiqueront également leur vérité si on fait appel à elles. Mais elles ne pourront rester indéfiniment là pour nous, car elles doivent poursuivre leur existence.

Voyez-vous, ce faisant elles prennent la place de la vérité de la Conscience divine, et cela ne peut durer longtemps. Elles prennent simplement la vérité qu'elles connaissent et aident les gens du plan terrestre à se tourner plutôt vers Dieu pour obtenir des réponses. Elles tentent de les mettre en garde contre les mauvaises pensées, les mauvaises actions ou les mauvaises décisions. Elles influencent des vies dans le sens du bien, mais il ne faut pas qu'elles demeurent longtemps à faire cela. Ces entités spirituelles doivent se consacrer à leur propre vérité, leur propre existence, leur propre travail. Elles doivent continuer à évoluer, voyez-vous, et non se contenter de jouer les nourrices pour les êtres du plan terrestre.

Ce travail du canal ouvert impose d'apporter la vérité émanant directement de la Conscience divine aux entités qui le demandent. La Fraternité détient la clé, pour ainsi dire, de la vérité qui libérera les gens des mensonges de leur être. Ces esprits se consacrent à ce travail sur le plan terrestre.

La Fraternité travaille maintenant avec l'auteure pour

apporter ces informations. Elle ne dispose pas en elle de l'entière vérité de son entité. Elle enseigne ce qu'elle sait, ce dont elle fait l'expérience, ce qu'elle voit dans le monde et ressent en elle. Voilà les choses au sujet desquelles elle a écrit dans ses articles. Mais elle n'aurait pu écrire seule la vérité présentée ici parce qu'elle ne la connaissait pas. La seule voie par laquelle ce qu'elle écrit lui vient, c'est à travers son esprit ouvert qui est branché à ce canal à travers lequel circule la vérité de la Conscience divine. Ensuite seulement peut-elle mettre tout cela par écrit.

Il lui arrive de diriger l'écriture en posant des questions. Ensuite viennent d'elles-mêmes les réponses et les explications. C'est la Fraternité qui a rédigé le plan du livre, le schéma d'ensemble, la vérité de ce livre. Il est impossible à cette entité de se passer de notre aide. Il ne lui est pas encore possible de contacter d'elle-même cette Conscience divine. Elle le sait, car au début de ce chapitre, nous avons fermé le canal et sommes demeurés en retrait. Plus rien alors n'avait le moindre sens – il n'y avait plus qu'une suite incohérente de lettres et de mots. Voilà de quoi ce livre aurait l'air sans notre canal ouvert qui lui permet de capter la Conscience divine. Il lui sera un jour possible d'entrer dans un état de conscience avancé dans lequel elle pourra elle-même établir le contact. Alors elle pourra elle-même former le canal ouvert et communier avec Dieu.

Il est impossible d'entreprendre un projet comme celui que nous avons ici à moins que l'individu n'en prenne lui-même l'initiative à partir du plan terrestre. Nul ne sera réceptif à moins de croire à la possibilité de ce contact. C'est la bonne volonté qui rend le projet possible. Celle qui écrit ce livre a mis son énergie dans ce projet même si elle éprouva à maintes reprises une certaine gêne à parler de ce qu'elle faisait. Chaque jour elle a consacré du temps à ce projet. Elle estima que notre existence sur ce plan était bien réelle, que nous avions un plan à lui dévoiler, que nous allions respecter notre promesse de l'aider dans tous ses problèmes personnels tout autant que pour la rédaction de ce livre.

Nous nous sommes réunis à maintes reprises pour résoudre des problèmes entraînant la fermeture du canal entre elle et nous. Ces problèmes, s'ils ne sont pas résolus, tendent à faire obstacle à la réceptivité parce qu'ils semblent prendre toute la place dans la vie d'un individu. Mais les problèmes peuvent se résorber grâce à l'illumination conférée par la Conscience divine, et les gens sont alors libérés de leurs soucis terrestres.

Enseigner à cette personne comment écrire de cette façon c'était comme d'enseigner à écrire à quelqu'un qui ne l'a jamais fait auparavant. La première étape a été le contact de ses doigts sur le stylo. L'étape suivante a été le contact sur les touches de la machine à écrire. Nous allons peut-être un jour nous parler face à face si elle parvient à apprendre comment s'harmoniser à notre présence pour nous voir avec ses yeux terrestres. Cela est possible, mais elle n'y est pas encore parvenue.

Abordons le sujet de la communication d'un esprit à l'autre. En premier lieu, nous captons l'attention de l'auteure, puis nous discutons du sujet qui l'intéresse ou du nôtre. Puis, nous passons à la vérité qui vient de la Conscience divine. Voilà comment ça se fait – c'est une progression. Pour devenir prolifique dans ce mode d'écriture, il faut prendre les mots qui viennent sans essayer de les comprendre sur le moment. Conservez l'esprit loin en retrait pour laisser fonctionner ce canal ouvert. Nous avons donné à cet auteure une image sur laquelle se concentrer. Nous lui avons dit de visualiser la terre meuble, et puis la charrue qui fend la terre. « La terre », lui avons-nous dit, « c'est vous. La charrue est cette Fraternité. C'est ainsi que vous écrirez lorsque nous serons ensemble – en vous concentrant sur cette visualisation, cette image dans votre esprit qui chasse toute autre pensée. » Puisque cela a effectivement marché, nous avons commencé à communiquer.

Plus tard, d'autres obstacles ont surgi. L'auteure s'est opposée à certaines des vérités qu'elle recevait. Elle nous transmettait ses objections par la pensée, et cessait d'écrire, en proie à une grande consternation. Elle portait en elle sa propre version de la vérité, voyez-vous. La vérité que nous lui apportions était nouvelle, et elle était choquante par rapport à ce qu'on lui avait enseigné dans sa vie. Son esprit voulait la rejeter, la corriger, la rendre conforme à ce qu'elle savait déjà. Elle s'accrochait à son ancienne vérité plutôt que d'accepter la vérité provenant de la compréhension de la Fraternité et émanant de la Conscience divine, parce qu'elle ne s'était pas encore totalement alliée à nous.

Il fut impossible pendant un temps de lui laisser essayer de capter la vraie vérité, et nous avons donc dû commencer par la conseiller à un niveau personnel. Puis elle nous accorda sa confiance. Elle vit que nous voulions seulement l'aider, et non l'induire en erreur. Comme l'auteure a décidé de poursuivre l'expérience avec nous, elle nous a donné la permission de contacter son esprit. Puis elle s'est tournée vers la Conscience divine pour encore s'améliorer. Et finalement, elle s'en est entièrement remise à la Conscience divine pour recevoir la merveilleuse vérité qui touchera tout le monde de ses bienfaits.

Il y a la vérité que Dieu apporte. Il y a la vérité que chaque personne pense posséder. La vérité de chacun est un mélange de vérités réelles et de demi-vérités issues de la conscience terrestre. Mais cet être s'en est remis à nous pour contacter la Conscience divine, parce qu'elle voulait se consacrer à ce projet, au travail de rédaction ce livre. Lorsque nous lui avons parlé pour la première fois du projet de ce livre, elle eut une réaction de stupéfaction. Elle nous a dit qu'elle ne pouvait le faire, qu'elle n'était pas qualifiée, qu'elle n'avait pas d'expérience, mais il nous fallut ignorer ces pensées.

Nous l'avons donc encouragée, nous lui avons communiqué l'espoir que ce livre allait bien voir le jour. Mais elle a longtemps refusé d'entendre ce message – du moins en apparence. Elle croit que sa résistance fut de courte durée. Mais nous ne saurions vous dire quelle fut notre joie lorsqu'elle a finalement cédé à nos requêtes et accepté de se laisser utiliser pour cet important travail.

À ce stade dans nos relations, j'étais certaine que personne ne me connaissait mieux que les membres de la Fraternité. Après tout, ils entendaient mes pensées. Je m'en remettais de plus en plus souvent à eux pour être conseillée et guidée.

Elle commença à penser que nous étions la source de la vérité, et nous avons dû lui enseigner qu'il en était tout autrement. Elle croyait que c'était nous qui entrions en son esprit avec la vérité, et elle réagissait comme si tel était bien le cas . Mais finalement nous avons pu lui faire comprendre que nous sommes des instruments, que nous ne sommes pas la Conscience divine.

Cette Conscience puise sa vérité dans le Dieu de l'univers, le Dieu illimité, le Dieu qui poursuit imperturbablement les objectifs du Bien absolu. Cette idée que c'est nous qui lui donnions la vérité la fit écrire de travers pendant quelque temps. Nous lui avons alors gentiment expliqué que l'idée centrale était que la vérité vient de Dieu, pas de nous ni d'elle. Il n'y a pas d'ego ici. Les ego se retirent lorsque la vérité jaillit.

Je me souviens du jour et des paroles qui me firent comprendre que Dieu est la source. J'eus une réaction de stupéfaction, je m'en souviens très bien. Peut-être avais-je commencé à mettre la Fraternité sur le même pied que Dieu. Quoi qu'il en soit, leurs discrets encouragements me poussèrent dans la bonne direction, même si j'étais quelque peu déçue de mon erreur.

Lorsqu'elle cherche à capter la vérité, pas une seule pensée n'entre dans l'esprit de cette auteure qui ne provienne de la Conscience divine.

Bien sûr, dans ma vie de tous les jours, je suis aux prises avec de nombreuses pensées qui, sans aucun doute, proviennent de la conscience terrestre.

La vérité a pour seule fin d'éclairer les gens qui la lisent. Nous avons ce livre à l'esprit, et de tendres pensées de l'excellent travail qu'elle peut faire la guident. De bienveillantes pensées à son égard la détournent de sa compréhension limitée de son travail vers l'entité qui est en contact avec la Conscience divine. L'idée que cette auteure unit sa pensée à la nôtre pour accomplir cette tâche persiste. Pour atteindre cet objectif, nous lui suggérons quand travailler, comment formuler ses questions, et même de se procurer un ordinateur pour faciliter et accélérer le travail.

C'est la témérité de l'auteur, son audace avec les mots qui l'a aidée à faire de ces écrits une expression de la vérité. Elle nous a incités à donner des explications plus complètes afin de pouvoir parfaitement comprendre et pour que le lecteur puisse lui aussi comprendre. Le livre est plus riche en raison de cette procédure.

L'auteure fait entrer ses propres sentiments en jeu dans cette transmission de pensée, mais elle ne les laisse pas interférer avec la rédaction de ce livre. Il lui arrive parfois de projeter d'écrire la vérité à laquelle elle croit. Mais lorsque cela ne se produit pas, elle nous interroge pour obtenir des éclaircissements ou pour voir si elle a correctement noté la pensée communiquée.

Son approche est honnête, et ainsi nous pouvons consacrer notre attention aux questions normales qui pourraient survenir durant la lecture de ce livre. Nous pensons que le livre devient plus digne de confiance de cette façon. Peut-être le lecteur veut-il plus de preuves sur le travail de cette auteure. Écrit-elle vraiment ce que nous lui disons? C'est là une question tout à fait naturelle, pensons-nous. Mais il n'y a aucun moyen de prouver notre position. Non, nous ne pouvons prouver aucune théorie, car il y a cette invisibilité, voyez-vous. Lorsque les gens vivant sur terre apprendront à aligner leur bonne vérité avec la vérité de Dieu, ils seront peut-être capables d'avoir notre compréhension. Offrir une preuve – nous chercherons à le faire, bien sûr, mais nous ne savons pas encore comment.

Le jour suivant, le message devint encore une fois personnel. Le Frère qui se spécialise dans cette correspondance, celui qui a le pouvoir de transmission, prit la parole.

Le canal ouvert sera notre meilleur moyen de saisir la vérité que la Conscience divine veut nous donner. La Conscience divine présente la vérité qui est éternelle, c'est à dire celle qui est transmise sans aucune pensée de l'ego, la vérité qui nous apporte la compréhension de l'unité avec Dieu. Une douce brise soufflant sur votre esprit vous apporte cette vérité. La vérité ne vient pas par des moyens pénibles. Il n'y a pas d'angoisse touchant l'esprit, ni aucune pensée selon laquelle la vérité vienne à travers l'esprit qui est vidé afin que des entités spirituelles entrent en vous pour prendre le contrôle. Il n'y a personne prenant le contrôle de votre esprit, n'est-ce pas?

J'approuvai. Je suis toujours en plein contrôle de moi-même, sinon comment pourrais-je avoir des doutes et chercher davantage d'éclaircissements?

Il n'y aucune pensée relative à la vérité surgissant en vous qui ne soit autre chose qu'utile, n'est-ce pas?

Encore une fois la réponse est « non. » L'information qui me vient améliore ma vie à tous égards.

Cette vérité ouvre votre esprit à de nouvelles perspectives, n'est-ce pas?

Oui, j'ai certainement de nouvelles perspectives qui vont beaucoup plus loin que tout ce à quoi j'ai pu penser avant de recevoir cette vérité. La perspective de la réincarnation est suffisante pour élargir mon horizon, pour me donner de nouvelles considérations concernant qui je suis, pour m'aider à trouver un sens et un but à la vie.

Il y a l'entité pensante – vous – qui se consacre à cette écriture afin que sa vie se conforme au schéma avec lequel elle est venue.

Avec cette dernière affirmation à mon sujet, mon interlocuteur s'adressa à nouveau au lecteur.

Telle est la vérité que nous voulons offrir dans ce livre. Cette communication, bien qu'elle prenne du temps, exige moins de temps que les interminables soucis et tensions qui prennent de votre énergie, dérobent les réserves du corps et épuisent les forces intérieures. Cette façon d'agir prend beaucoup plus de temps que nous n'en prenons en ce moment pour communiquer. Ce contact vous réussira immédiatement, vous guidera vers votre plus grande force, vers Dieu. Ce centre de vérité, cette Fraternité, ce Conseiller, ce guide promis par le Christ, cette équipe d'êtres dévoués à vous apporter leur aide, choisissent ce moment pour vous offrir leur contact, leur aide, leur travail d'équipe afin que votre vie soit une réussite.

Il est impossible de vous enseigner à tous, comme dans une classe, la pratique de cette communication. La connexion que nous établissons entre vous et notre vraie tonalité est le contact individuel que nous donnons. Ce travail doit être fait de personne à personne, et non entre une classe et un enseignant ou entre un enseignant et une classe. Consacrez-vous **personnellement** à cette communication.

Chaque fois qu'une personne me demande comment ces informations viennent à moi, j'essaie, mais sans jamais réussir, de donner une explication satisfaisante. Je sais ce que je ressens, et maintenant je connais l'explication qu'en donne la Fraternité. Pourtant... comme ce Conseiller, cet Enseignant, cette Fraternité le dit, la seule façon de le découvrir est de l'essayer soi-même.

• • • • • • •

Stimulateurs de pensée

1.   La vérité qui est reçue de la Conscience divine est la vérité absolue que Dieu seul détient. Pour recevoir cette mine d'or de vérités en action :

- *reconnaissez le principe de la Conscience divine;*
- *consacrez du temps à cette communication;*
- *acceptez la réalité de l'autre plan d'existence.*

Quelle est la signification de chacune des conditions énoncées ci-dessus? Comment pouvez-vous personnellement appliquer chacune d'entre elles dans votre vie?

2.   C'est vous qui initiez la communication avec la Fraternité. Pourquoi est-ce ainsi?

3.   Il arrive que nos problèmes, nos émotions, notre savoir plein de bon sens issu de la conscience terrestre entravent la communication avec la Fraternité. Si vous rencontrez une difficulté, que pouvez-vous faire pour la résoudre immédiatement?

Travail intérieur : *La communication avec la Fraternité demande du temps, de la pratique, et de la sincérité. Ce travail d'équipe se fait de personne à personne. Ouvrez-vous pleinement en demandant l'assistance de la Fraternité pour la poursuite de votre travail d'équipe. (Avez-vous demandé à avoir un guide personnel?)*

S'allier à la Fraternité de Dieu

14

La Fraternité rappelle les points clés de ce livre et révèle de quelle façon le lecteur et la Fraternité peuvent s'unir pour profiter d'un service d'assistance spirituelle enrichissant et satisfaisant.

Nous vous saluons paternellement, cher lecteur. Nous voulons faire partie de votre expérience, du cœur de votre être, de votre réalité. Mais nous ne pouvons communiquer avec vous pour vous offrir notre aide à moins que vous ne nous preniez au mot.

La confiance, le mot-clé implicite dans l'ensemble du message de la Fraternité, est la clef d'une excellente relation entre nous et notre Conseiller. Ils n'ont cessé de répéter qu'il est de notre responsabilité de demander l'aide que nous voulons obtenir. **Nous devons prendre l'initiative de demander leur aide.** *Pas seulement une fois, vous comprenez, mais chaque fois que vous et moi voulons de l'aide, nous devons la demander. Sans aucun doute, la requête active le facteur confiance qui à son tour éveille l'énergie de l'univers en notre nom.*

La permission doit être accordée pour que la porte s'ouvre. Personne ne peut s'imposer à vous sans votre permission. Pour ouvrir la porte, une pensée doit être émise pour faire savoir que la Fraternité est autorisée à établir le contact. Alors nous entrons.

Pour faire partie de ce que mon interlocuteur appelle "le projet espace/temps", nous devons faire trois choses : premièrement, accorder à la Fraternité la permission d'entrer; deuxièmement, l'accueillir avec un esprit ouvert; troisièmement, une fois dans votre

temple intérieur, conserver la pensée que la Fraternité est présente.
« *Alors vous serez prêt à recevoir, et vous recevrez* », *m'assure-t-on.*

Si cela semble exagérément simplifié, c'est parce que vous ne comprenez pas le pouvoir de la pensée. La pensée est le pouvoir de l'univers. La pensée donne l'impulsion au travail d'équipe entre nous. La pensée transfère son généreux don de puissance dans le travail que l'auteure et nous-mêmes faisons ensemble ici dans ce livre. La pensée que nous émettons établira le contact nécessaire avec la pensée qui vient à sa rencontre pour que l'une et l'autre puissent échanger. Lorsque ces deux pensées se rencontrent, la communication s'établit.

Vous devez comprendre que pour atteindre la vérité issue de la Conscience divine, nous formons un canal ouvert par lequel la connexion peut se faire. Ce canal de vérité se vide de tout ego, de toute pensée temporelle de gain ou de pouvoir et il présente la vraie, la pure vérité de Dieu. La vérité pour l'amour de la vérité, voilà ce qui est requis de la part des gens qui veulent être des récepteurs. Le canal donne la pureté de la vérité, les merveilleuses révélations, la perfection qui est la vérité pour cette personne.

La communication telle que décrite par mon professeur est remarquable. Mais si nous n'intégrons pas la vérité de la Conscience divine en notre moi intérieur, elle n'aura guère de valeur permanente pour nous. Les gens auxquels j'ai parlé de cette vérité de la Conscience divine sont fascinés que je puisse obtenir cette information comme je le fais. En fait, ils sont emballés par la communication elle-même. Quant au message, ils le trouvent très intéressant, et même très beau. Toutefois, tant qu'ils n'auront pas eux-mêmes établi le contact avec la Fraternité et développé une communication dans les deux sens qui les amènera à se connecter au canal ouvert, les mots demeureront extraordinaires mais bien impersonnels.

Cela exige beaucoup d'efforts pour faire entrer la vérité dans votre conscience, car la conscience terrestre est puissante, et vous êtes probablement rempli de beaucoup d'idées issues de cette conscience. La vérité de la Conscience divine créera à la fois l'étonnement et le doute en vous; il vous faudra donc travailler dur pour surmonter le scepticisme. Lorsque vous considérerez ce que nécessite l'acceptation totale de la vérité de la Conscience divine, il se peut que vous laissiez tomber.

La vérité de la Conscience divine vous donnera une récolte abondante, mais il y a aussi beaucoup de choses à extirper avant de pouvoir faire la récolte. Soyez donc avertis du fait que la vérité de la Conscience divine vous mènera à une autre vérité, à une autre compréhension. Prenez cet avertissement au sérieux, car vous ne souhaitez peut-être pas que votre vérité soit exposée à l'influence du canal ouvert où elle sera à tout jamais transformée.

Une fois que vous aurez accepté la vérité dont nous parlons, elle deviendra votre vérité personnelle. Vous serez alors une nouvelle vérité en expression. Ce contact que nous vous établissons réaligne vos concepts de la vérité afin que l'ensemble de votre compréhension soit recréée. Il n'existe pas de "petite vérité". Prenez donc cette affaire de vérité au sérieux, et non à la légère.

Les membres de la Fraternité ont insisté sur le fait qu'aucun talent particulier n'est nécessaire pour travailler avec eux. Si vous avez besoin d'une preuve, je suis cette preuve, car je n'ai vraiment rien d'une mystique. Je n'ai jamais participé à une quelconque séance, ni ne suis entrée en transe. Toutefois je ne condamne pas ces pratiques. La Fraternité nous assure d'être prête à travailler avec tous les gens qui la cherchent.

Nous souhaitons vous voir venir et placer la vérité dont nous parlons sur la liste de vos désirs les plus chers. Cette vérité, aussi dévorante soit-elle, deviendra ce qui vous apportera la complète liberté dont nous avons tous besoin pour devenir ces merveilleuses entités que nous souhaitons être.

Pour être le meilleur récepteur possible, ces esprits avancés énumèrent plusieurs choses que nous pouvons faire. En premier lieu, leur dire la vérité. Dire la vérité peut sembler une chose évidente à faire puisqu'ils sont capables de lire dans nos pensées. Toutefois, le fait de dire la vérité crée une atmosphère de franchise dans nos rapports avec la Fraternité. Pour être honnête, vous devez dire sans détour ce que vous voulez obtenir de cette relation. Soyez honnête en notant chaque désir, chaque question, chaque pensée bonne ou mauvaise. Soyez sincère avec vous-même. Vous pouvez éprouver un sentiment d'antagonisme si vous trouvez cette vérité trop difficile à accepter. Alors exprimez-le. Donnez-nous la chance de vous faire nos commentaires là-dessus. **Nous ne rejetterons rien de ce qui vous semble être important.** La vérité qui viendra à vous en réponse à vos déclarations et questions est destinée à vous aider dans la conduite de votre vie.

Au début de ma relation avec la Fraternité, je me demandais quelle quantité de vérité j'étais en droit d'attendre. Certains jours, je recevais des pages et des pages d'informations. Étais-je égoïste? Jusqu'où cela irait-il?

Il n'y a pas de quantité de vérité qui soit correcte pour une personne donnée. Cela vient à vous indéfiniment, voilà tout. (*Apparemment, je ne demandais pas à en recevoir plus que ce qu'il fallait*) La vérité de la Conscience divine ne s'épuise jamais. La vérité de Dieu fait partie de l'univers, de l'immensité de ce qui est considéré par les entités comme les confins de l'espace terrestre. Sur le plan terrestre les gens croient que tout est limité, mais Dieu est illimité.

Cette relation entre nous apportera la stabilité dans votre vie. Elle lui donnera un point d'ancrage. La Fraternité veut vous donner cette vérité et même plus, en fait autant que vous pourrez en recevoir et vous en servir. Il n'y a pas de limite, souvenez-vous. Il n'y a pas de limite de temps ni même de limite à la quantité de vérité. Prenez tout ce que vous voulez. Quelles questions avez-vous sur la vie? Sur vos relations? Avez-vous besoin de conseils pour prendre décision? Voulez-vous savoir avec qui vous marier? La confiance que vous développerez envers cette vérité vous guidera pour beaucoup plus de questions et de plus importantes encore. En ce qui concerne la communication avec des esprits, n'allez même pas penser que notre relation soit autre chose qu'une relation inspirée par Dieu. Il y a l'esprit et il y a le corps. L'esprit, la réalité de la personnalité, tire sa vérité de l'esprit. Le corps doit puiser sa vérité dans la conscience terrestre. Mais qui exerce le contrôle ici? L'esprit ou le corps? L'esprit, bien sûr. L'esprit est ce qui domine dans le corps, et pas le cœur, le foie, ou la vessie. Ces organes existent seulement pour aider au métabolisme du corps. Ils ne prennent pas le pouvoir pour contrôler votre corps. Personne d'autre que vous ne dirige votre propre corps. C'est donc l'esprit qui dirige, n'est-ce pas? Alors l'esprit doit puiser dans l'esprit la vérité qui lui est bénéfique. Par conséquent, **communiquer d'esprit à esprit donne accès au royaume des grands, pas au royaume des imbéciles.**

Ce monde invisible, ce second plan d'existence est bien réel. Il est immuable. Mais qu'est-ce qui est immuable sur le plan terrestre? Rien! Par conséquent, n'ayez pas peur de ce qui est esprit. Craignez plutôt ce qui est matériel, car ce plan ne dispose d'aucune vérité pour le soutenir. Le plan terrestre engendre une croissance qui tire sa vérité de l'éphémère. L'éphémère va donc disparaître, tombera en désuétude, se transformera en une énergie sans valeur. Mais ce qui est esprit sera la substance qui stimulera chaque pensée, chaque concept, chaque entité avec ce qui est immuable.

Là-dessus la Fraternité mit fin à la première partie de ce chapitre. Le jour suivant ils commencèrent par le message habituel : « C'est la Fraternité de Dieu qui parle. »

Aujourd'hui, nous allons vous donner le reste du matériel pour ce chapitre. Écrivez ceci. La Fraternité se consacre au travail qui participe de la Conscience divine. Nous, qui sommes stimulés par le Christ et alliés à lui, nous avons notre propre rôle, celui de transmettre la vérité du Dieu de l'univers à celles et ceux d'entre vous qui la réclament. Il n'y a pas de vérité issue de votre expérience qui puisse combler vos besoins autant que cette vérité venant de la Conscience divine. Alors pourquoi hésiter? Acceptez cette offre maintenant. Acceptez cette vérité que nous vous donnons. *Ensemble nous pouvons accomplir n'importe quoi! Combien de fois vous et moi avons-nous entendu et dit cette formule d'espoir? La Fraternité élargit toutefois cette affirmation.* Avec la vérité de Dieu en eux, les hommes et les femmes entreprendront avec confiance les tâches les plus pénibles. *La première affirmation reflète la pensée de la conscience terrestre. La seconde reflète bien sûr la vérité de la Conscience divine. Il y a apparemment une loi spirituelle qui s'applique ici. Ces esprits avancés disent qu'il est impossible d'aller contre la loi qui dit : « Lorsque nous devenons une entité centrée sur la vérité, nous prenons ce dont nous avons besoin et ce que nous voulons, et nous vivons en parfaite liberté. » Et ceci est une autre façon de dire que nous pouvons, en fait, accomplir n'importe quoi – quand nous nous unissons avec la vérité de la Conscience divine.*

Combien d'entre nous croient que nous pouvons accomplir tout ce que nous voulons? Un Frère dit que seuls quelques-uns d'entre nous y croient.

Ils accueillent cette vérité avec suspicion. Ils travaillent pour gagner de l'argent, disent-ils. Ils travaillent, ils prennent, ils se regroupent avec d'autres pour obtenir ce qu'ils veulent. Mais puiser du sein de l'univers, en croyant en cette substance créatrice qui prendra sa forme selon votre pensée, votre croyance en elle, voilà qui est plutôt difficile à accepter. Ils travaillent dans l'ignorance de ce que n'importe quelle entité peut accomplir avec ses pouvoirs spirituels.

Ils travaillent parce qu'ils ne voient que des résultats terrestres avec leurs yeux. Mais ils verraient aussi des résultats spirituels s'ils manifestaient le pouvoir qu'ils possèdent en eux.

Je dis à mon interlocuteur que je devais faire partie des personnes qu'il décrivait – celles qui ne peuvent croire en toute confiance. Toutefois, je lui fis part d'un désir profond dans ma vie, et je terminai en demandant comment je pouvais manifester ce désir.

Ce désir que vous avez exprimé ici se trouve dans votre temple intérieur, et vous manifesterez ce désir ou tout ce que vous considérez comme important. Cette pensée persistera pour devenir une réalité, pas une dette, mais un résultat pour lequel rien ne sera demandé en échange. Observez attentivement cette pensée, et regardez ce qui se produit! *Mon désir était d'avoir un ordinateur, et le lendemain on m'offrait d'en utiliser un pour quelque temps.* Rien de ce que vous voulez ne vous sera refusé si c'est pour votre bien. Cette bonne pensée deviendra réalité rapidement ou lentement suivant l'importance que vous lui accordez. Les résultats viennent lorsqu'une personne a besoin de cette chose. Rien de ce qui entre dans votre moi divin ne sera mensonger. Rien de ce qui entre dans votre moi divin ne sera mauvais. C'est la promesse que nous vous faisons ici – c'est notre vérité. La Fraternité protège les personnes qui consacrent leur vie au Dieu de l'univers, celles qui cherchent de l'aide même si leur conception de Dieu est limitée.

Nous ne mesurons pas le degré de votre foi. Nous n'accordons pas notre aide uniquement aux gens qui en "valent la peine". Nous offrons de l'aide à tous ceux qui ouvrent leurs esprits à cette possibilité. Ce Dieu de l'univers n'est pas jaloux. Il n'insiste pas pour qu'on s'approche de Lui uniquement selon une ou deux méthodes désignées par la religion. Il n'est pas nécessaire de subir des épreuves ou d'endurer des souffrances. Dieu ne provoque pas d'événements négatifs dans la vie; Il ouvre les yeux de tout le monde au chemin facile, au merveilleux chemin de la vie.

Ces esprits avancés promettent de prendre en compte nos tempéraments dans la façon de nous transmettre la vérité. Aucun d'entre nous, selon ce Conseiller, ne peut accepter la vérité entière en une seule fois.

Cette vérité doit être présentée graduellement afin que votre croissance se fasse par étapes, pas à pas. Cette vérité est puissante, mais elle n'est pas dangereuse. Le seul motif de cette transmission progressive est de vous aider à l'absorber entièrement et à l'intégrer dans l'expérience de votre vie.

Je demandai si la vérité émanant de la Conscience divine est perçue par des entités de l'autre plan d'existence.

Cela est possible et se produit parfois, mais il est impossible pour les entités vivant ici de faire confiance à cette vérité autrement qu'en s'incarnant sur terre avec celle-ci. La vérité ne peut pas être mise à l'épreuve ici et doit être prise au pied de la lettre. Le meilleur plan, pensons-nous, est d'apprendre la vérité pendant que vous êtes incarnés sur terre, car vous pouvez alors la mettre en pratique dans votre vie quotidienne.

Je suggérai que nous examinions plus attentivement la vérité relative à la manifestation des désirs et des besoins à partir de la substance divine. Je demandai si quelqu'un de la Fraternité pouvait nous parler de gens qui avaient utilisé la vérité pendant leur vie terrestre pour manifester ce dont ils avaient besoin et ce qu'ils désiraient.

Il y a cette entité ici qui s'incarna avec cette vérité. Elle l'utilisa toutes les fois qu'elle avait un besoin ou un désir légitime. Ce Frère manifesta sa propre vérité sous la forme de biens matériels. La pensée prenait forme pour lui parce qu'il s'était incarné en croyant à cette possibilité.

Je demandai s'il y avait des gens sur le plan terrestre en ce moment qui manifestaient tous leurs besoins et désirs de la manière décrite plus haut – en se servant de la substance divine pour manifester les pensées. Je reçus une réponse intéressante et imagée.

Les maîtres enseignants du plan terrestre qui prennent ce message au sérieux transforment leurs pensées en manifestations. Ils font simplement entrer la pensée de cette manifestation dans le temple de leur véritable moi, le moi divin. Puis ils prennent conscience de la pensée qui entre dans cet endroit sacré. « La voici » disent-ils au Dieu de l'univers. « Allie-Toi à moi dans cette manifestation. » Puis ils dirigent leur esprit vers cette pensée sous sa forme achevée. La voici! Elle se manifeste.

Ces maîtres enseignants viennent de temps à autre sur ce plan et se joignent à notre Fraternité pour se débarrasser de ce qui fait entrave à la clarté de leurs pensées. Ces interférences surviennent lorsqu'ils sont trop étroitement liés à la conscience terrestre. Ils doivent se "purifier" pour ainsi dire. La conscience terrestre brouille la grandeur que produit la Conscience divine. L'image que nous avons ici de ce brouillage est comme de prendre de brillantes idées et de les transformer en une bouillie informe, en des formes-pensées non créatrices. Ces interférences s'emparent d'une forme brillante qui existe dans l'esprit, qui jaillit dans la conscience d'une entité, qui s'unit avec la Fraternité pour donner le grand don de la substance, et elles les transforment en cette bouillie dont nous parlions.

Mon interlocuteur parle de ces maîtres enseignants qui manifestent leurs pensées. Qu'en est-il des gens comme le lecteur et moi-même?

Celles et ceux qui manifestent les choses dont ils ont besoin et qu'ils veulent transforment leurs propres pensées en manifestation, mais ne partagent pas cette idée avec d'autres. Ils veulent bien partager, mais il n'y a personne pour les écouter. La manifestation n'est pas facile à accepter, mais elle est facile à faire.

Rendez-vous compte que la vérité est comme le contact délicat d'une plante qui effleure doucement votre jambe ou votre main. Les jeunes plantes fragiles ont besoin de votre attention et de nourriture pour devenir de grandes plantes qui offriront de l'ombre ou qui fleuriront. Cette même plante qui vous effleure va se dessécher et mourir si vous lui appliquez la vérité de la conscience terrestre selon laquelle cette plante est une mauvaise herbe. Vous la rejetterez, voyez-vous. La plante reviendra à la terre sans avoir exprimé aucune vérité.

Personne ne comprendra mieux cette vérité que les gens qui liront ce livre. Certains le liront peut-être pour le ridiculiser, ou pour en rire, ou pour s'en étonner, ou même pour le tourner en dérision. Mais celles et ceux parmi vous qui feront une place à cette vérité en leur moi divin en profiteront grandement. Les gens qui pensent que le livre est rempli d'absurdités se détourneront de la Conscience divine. Leur esprit captera toutefois une plus grand part de cette vérité qu'ils ne s'y attendent. Une certaine illumination survient toujours lorsque la vérité de la Conscience divine touche l'esprit d'une personne.

Les gens disposés à croire qui liront ce livre pour tenter de s'harmoniser avec le Dieu de l'univers se connecteront avec la vérité de la Conscience divine. Ils prospéreront alors de manière incroyable. Ils se libéreront des demi vérités, de la vérité de la conscience terrestre qui tente de les enserrer dans sa toile. Ils s'identifieront à ce concept de vérité pour devenir Un avec Dieu, et ils progresseront, évolueront, et deviendront ce qu'ils veulent être.

Il y a de merveilleuses nouvelles dans ce livre qui peuvent libérer les gens du piège de la vie terrestre. Ils veulent une plus grande liberté, et ils veulent une merveilleuse vérité. La vérité de la Conscience divine tempère cette aventure de la vie terrestre avec une sagesse éternelle. Une douce pensée jaillit en vous pour améliorer chaque journée. Oui, cette vérité parle de ce pur espoir qui réside en vous d'être éternel. Nous parlons de cette étincelle qui est votre divinité, de cette étincelle dont le rayonnement émane du Dieu de l'univers, de cette étincelle qui est le fruit de la croissance de votre esprit au fil de toutes ces existences.

De très belles métaphores fort appropriées enrichissent les messages que les Frères amènent en ce livre. L'une d'entre elles se réfère à deux des saisons, le printemps et l'hiver, pour expliquer encore comment fonctionnent la Conscience divine et la conscience terrestre dans nos vies.

L'hiver renferme l'âme, mais le printemps lui offre à nouveau l'espoir. L'hiver est la conscience terrestre qui déverse sa vérité, sa demi-vérité et ses mensonges sur chaque habitant de la terre. Le printemps est la nouvelle vérité de la Conscience divine qui vous réveille du long hiver de tristesse ou d'insatisfaction. La vérité de la Conscience divine s'allie à la Fraternité pour se présenter à toutes les personnes qui le demandent. Alors le printemps débutera pour cette personne apportant un nouvel espoir et une nouvelle manifestation. Plus jamais l'âme n'aura-t-elle à vivre un tel hiver. Il se terminera définitivement dès que l'entité s'unira à la Conscience divine.

Que tous entendent la vérité ou non, les membres de la Fraternité nous assurent que la vérité demeure la vérité. Le principe, le Dieu de l'univers, la vérité qui recherche ce qui lui ressemble, sera disponible pour chacun de vous qui la veut. C'est votre espoir d'un monde meilleur et d'une meilleure croissance de l'âme.

Certains des membres de la Fraternité s'inquiètent du fait que beaucoup de gens sont peu disposés à se détourner de la conscience terrestre. Ils se demandent pourquoi nous hésitons à accepter leur offre de nous aider à établir cette connexion avec Dieu. L'un d'eux demande : « Pourquoi auriez-vous même besoin d'y réfléchir? » Un autre Frère énumère les raisons possibles de notre hésitation. Par exemple, il est fait mention des Églises qui proclament que la vérité doit venir de leurs propres chaires, avec leurs propres concepts religieux.

S'il vous arrivait, vous qui lisez ceci, d'appartenir à un groupe prétendant posséder la vérité tout entière, prenez garde. Il n'y a pas de limite à Dieu. Il est impossible de limiter la vérité de Dieu en adoptant des lois religieuses ou en établissant des doctrines.

Le Dieu de l'univers donne Sa vérité à qui Il veut, où et quand Il le veut. Il communique Sa vérité par l'entremise des âmes qui parlent à cette auteure. Il communique Sa vérité à celles et ceux qui s'harmonise à la Conscience divine, et aucun prêtre, professeur ou ministre du culte ne pourra l'en empêcher. Il passe outre à la vérité de ces Églises pour présenter Sa propre vérité à chaque personne.

Il est impossible de vous mener au summum de l'expérience de la communion avec Dieu. Où irions-nous? L'expérience vécue par ceux qui deviennent Un avec Dieu est unique. C'est la vérité. L'expérience d'une personne ne peut s'appliquer à une autre. Voilà à quel point chacun de nous est si unique.

À cause de notre unicité la vérité ne peut être semée à tous vents comme des graines. La vérité doit être plantée dans la terre meuble que vous êtes. La semence doit convenir à votre sol, à votre compréhension. La vérité qui n'appartient qu'à vous seul doit vous être donnée de façon personnelle. Voilà ce que signifie le fait d'avoir une relation personnelle avec Dieu. L'unité avec Dieu ne se produit que dans la personne, jamais dans un groupe.

Rien ne sera refusé aux êtres qui se sont unis à Dieu. Ils sont libres de voyager dans l'espace, libres de se promener sur terre s'ils le désirent, libres de chanter, danser, ou devenir des maîtres de l'art. Ils disent aux autres qu'ils n'ont jamais connu une telle liberté absolue auparavant. Ils la comparent à une compréhension plus vaste, à l'union avec la substance universelle qui circule à travers eux sur commande.

Ils nous disent qu'ils parviennent à l'ultime excellence dans chaque expérience et dans tout ce qu'ils entreprennent. Ils ne s'opposent jamais à l'unité avec Dieu. Ils visent toujours plus haut pour exceller dans les merveilleuses manifestations que cette unité peut engendrer.

Finalement, mon interlocuteur indique qu'il n'y a pas de mots pour décrire convenablement cette union avec Dieu. Comment des mots peuvent-ils suffire à communiquer à qui que ce soit une expérience que l'on n'aurait pas vécue? Ils insistent sur le fait que, consciemment ou non, nous voulons être Un avec Dieu parce que nous sommes, après tout, des rejetons de Dieu destinés à retourner un jour vers Lui. Et pour conclure :

Nous ne pouvons rien faire de plus maintenant pour mieux définir ce concept. Il y a la vérité, il y a le lecteur, et il y a cette Fraternité qui attend de vous aider à vous unir à votre véritable identité, celle qui participe de Dieu.

• • • • • •

Stimulateurs de pensée

1. La "confiance" est la clef du succès dans notre relation divine avec notre Conseiller, avec la Fraternité. Nous initions une demande **chaque fois** que nous désirons de l'aide. Pourquoi notre confiance est-elle importante? Pourquoi devons-nous chaque fois demander de l'aide?

2. La Fraternité déclare : « Pour acquérir la vérité issue de la Conscience divine, nous formons le canal ouvert à travers lequel s'établit la connexion. » Quelles sont les trois étapes qui vous prépareront à recevoir votre canal ouvert?

Travail intérieur : La pensée est le pouvoir divin de l'univers. La Fraternité de Dieu, en établissant le contact avec notre pensée qui s'élance vers la leur, réalise notre connexion à la Conscience divine. Soyez totalement honnête avec vous-même. Notez chaque désir, chaque question, chaque pensée positive ou négative qui vous traversent l'esprit. Le plan consiste à faire totalement équipe avec le Dieu de l'univers et à devenir Un avec Lui.

Post-scriptum

Différentes personnes racontent comment elles ont pu établir leur connexion avec la Conscience divine et comment cela a transformé leur vie.

« La seule façon de le découvrir est d'en faire vous-même l'essai », soutenait la Fraternité. Peu après la première parution de "Connexion avec la Conscience divine" en 1987, l'association **TeamUp** *commença à recevoir des lettres et des appels téléphoniques de lecteurs et de lectrices qui avaient suivi les suggestions de la Fraternité et qui avaient établi une connexion consciente avec la Conscience divine.*

Vous trouverez ci-après des extraits et des résumés de lettres et de commentaires choisis au hasard parmi ceux reçus de partout aux États-Unis. Ils révèlent qu'il y a de fort nombreuses façons de se brancher à la Conscience divine et d'utiliser le savoir acquis pour améliorer sa vie sur terre.

ooooooooooooooooooooooooooooooo

Voici d'abord une lettre de David, de l'État de l'Ohio

« Mon expérience avec la Fraternité a débuté il y a quelques années, mais ce n'est que l'an dernier que j'ai vraiment pris conscience de ce qui se produisait. Je me rappelle de ma première expérience avec l'écriture, il y a environ quatre ans. Je ne me souviens pas d'avoir alors été en train de méditer ou de faire quoique ce soit du genre, mais à un certain moment où j'avais une tablette de papier devant moi, j'ai pensé qu'il serait intéressant d'écrire de façon subconsciente sans avoir à penser au processus... Ce que j'écrivis alors n'avait guère de sens, mais il faut dire que je ne voulais pas me retrouver à lire des choses que je ne contrôlais pas. J'oubliai tout de cet incident jusqu'au jour, l'an dernier, où je sentis le besoin irrésistible de prendre un crayon au cours d'une méditation. Et c'est alors que cela commença. Je reçus des réponses aux questions que je me posais.

Je me dis en moi-même qu'il me fallait en savoir plus au sujet de cette expérience inattendue, et je me rendis donc le lendemain à la librairie de mon quartier. En entrant dans le magasin, j'éprouvai l'étrange sensation de ne pas m'y trouver seul. Je ne savais pas exactement ce que je voulais y trouver, mais je n'avais pas l'intention non plus de demander l'aide du commis. Je pris quelques livres au hasard, les feuilletai et les remis sur le rayon. J'arrivai devant un rayon de livres qui semblait m'attirer. Je pris un livre et, sans même voir le titre ou savoir le sujet, je sus par le fourmillement dans mon corps que c'était LE livre dont j'avais besoin. Tandis que je payais à la caisse, je regardai quel était le titre du livre. C'était *Connexion avec la Conscience divine*.

Une fois revenu à la maison, je m'assis sur-le-champ devant une tablette de papier. La réponse que j'obtins était : « C'est bien la lecture que tu avais demandée. »

Jusqu'à tout récemment, j'ai conversé avec plusieurs guides. (...) En ce moment, je travaille à méditer de façon plus disciplinée et à obtenir une plus grande précision dans ma connexion. »

□□□□□□□□□□□□□□□□□□□□□□□□□□□□□□

Valérie, originaire de New York, dit qu'elle a mis en pratique les principes décrits dans "Connexion avec la Conscience divine" et qu'elle a décidé qu'il était temps pour elle de mettre de l'ordre dans sa situation économique. Elle a dit au Dieu de l'univers qu'elle voulait se mettre au service des gens, qu'elle aimait parler, qu'elle avait besoin de travailler à raison de trois jours par semaine, et pas plus, et qu'elle voulait un montant "X" d'argent pour vivre. Sa tonalité était forte et elle insista sur le fait qu'elle s'attendait à

recevoir ce qu'elle demandait. Elle se rendit à l'église et exprima
ladite requête dans le sanctuaire. Elle revint à son appartement,
ferma la porte, et le téléphone sonna. C'était une femme qui
s'identifia comme étant une conseillère en orientation profession-
nelle travaillant avec de petites entreprises ayant besoin de mieux
s'organiser. Elle dit avoir entendu parler de cette Valérie et qu'elle
voulait lui parler d'un emploi qu'elle avait à lui offrir. Elle ne
pouvait cependant se permettre de l'engager à temps plein, dit-
elle. Accepterait-elle de travailler les lundi, mercredi et vendredi à
un certain salaire? C'était parfait.

Qui plus est, Valérie dit qu'elle s'inquiétait de ne pas avoir les
compétences nécessaires pour faire face à toutes les situations. Mais,
raisonna-t-elle, elle pouvait faire appel à son Partenaire divin et
puiser dans cette extraordinaire source de Sagesse. Elle dit qu'il
lui arrive parfois de s'entendre parler sur des sujets dont elle ne
connaît rien – sauf par l'entremise de sa connexion avec la
Conscience divine.

□□□□□□□□□□□□□□□□□□□□□□□□□□□□□□□□

Bob, de l'Arizona, a écrit : « J'ai entrepris l'expérience de
la communication spirituelle avec une bonne part de doute.
J'éprouve encore certains doutes, mais cela n'a pas changé la
nature de l'expérience, pour autant que je puisse en juger...
Pendant plusieurs années, je me suis contenté de faire des
expériences (peut-être tous les deux ou trois mois). Mes
questions étaient simplement motivées par la curiosité et les
réponses obtenues étaient courtes. Certaines étaient
facétieuses. Je ne pouvais toutefois deviner ce que le crayon
allait former une fois qu'il avait commencé à bouger.

En 1987, je lus le livre *Connexion avec la Conscience divine*
et j'eus par la suite recours à mon crayon pour m'informer
au sujet de la Fraternité. À un moment donné, je mention-
nai : 'Je n'ai jamais écrit avec autant de clarté.' Et la réponse
fut : 'Vous n'avez jamais été aussi ouvert.'

Je devins de plus en plus intrigué par le genre d'information fort différente que vous (Mme Jean Foster) receviez,

comparée à ce que je recevais. Je fis le commentaire que :
'Mme Jean Foster en a long à dire au sujet de la gloire de
Dieu. Pour ma part, il semble qu'on me tient des propos plus
pragmatiques.'

La réponse fut : 'Elle est remplie d'admiration pour la
puissance de Dieu et la force de la Fraternité. Elle est inspirée
par cette prodigieuse réalité. Vous ne cherchez pas à avoir
des révélations; vous êtes plutôt une personne d'action qui
cherche quoi *faire*. Nous ne vous parlons donc pas de prodiges
mais de moyens d'agir. Vous entendez ce qui correspond à
vos besoins. Il ne vous est pas demandé de chanter les louan-
ges de Dieu. À elle, oui... Souvenez-vous que vous contrôlez
ce dont vous souhaitez vous servir. Si vous refusez d'ouvrir
votre esprit, vous ne pourrez le recevoir, et vous ne saurez
jamais ce que vous avez perdu. Vous créez votre propre
monde. Apprenez à accepter le pouvoir de Dieu, ou sinon
soyez assuré que vos pouvoirs limités seront tout ce que aurez
jamais. C'est par accident que vous avez découvert la grande
source. Découvrez-la maintenant par un choix conscient.'

Je passai un bon moment à me demander quelle était la
source de cette communication. Écrivais-je ce qu'une autre
entité pensait, ou bien captais-je simplement ce qui venait
de mon subconscient? À d'autres occasions j'écrivis : 'Je ne
cesse de me demander si c'est moi qui fournis les pensées
que je note', et 'Je suppose qu'il me semble presque
impossible de croire à la communication avec un plan
spirituel.'

Et j'obtins comme réponse : 'Vous êtes effectivement
méfiant... Si c'est votre subconscient qui a créé toutes les
vérités que vous avez recueillies, il a été certainement inspiré.
Que vous receviez une vérité grâce à l'inspiration ou via la
communication d'un esprit à un autre, cela revient au même.
Vos doutes peuvent empêcher d'autres bienfaits de se
manifester, mais ce doute particulier n'interférera pas avec
votre apprentissage.' »

◻◻◻◻◻◻◻◻◻◻◻◻◻◻◻◻◻◻◻◻◻◻◻◻◻◻◻◻◻◻◻

Une jeune femme, Roberta, qui vivait auparavant à New York mais qui réside maintenant en Californie, rapporta que sa vie avait incroyablement changé depuis qu'elle avait commencé à se servir, de façon délibérée et consciente, de sa connexion avec la Conscience divine. Elle mentionne, à titre d'exemple, un emploi qu'elle désirait obtenir à Los Angeles. Elle est réalisatrice d'annonces publicitaires pour la télévision. Sa guidance lui avait dit de préparer ses bagages. Pourtant, elle se disait qu'elle ne savait même pas encore si elle allait avoir l'emploi désiré. Une fois encore, il lui fut conseillé de préparer ses bagages. Elle fit donc sa valise et la plaça dans un coin près de la porte d'entrée de son appartement à New York. Deux semaines et demie plus tard, elle reçoit un appel et on lui dit de se rendre à Los Angeles. Mais ce n'est pas tout. Elle avait également demandé à la Fraternité de l'aider à faire en sorte que son projet se réalise sans excéder le budget alloué, et elle y parvint pour 3 000 $ de moins que le montant prévu.

ㅁㅁㅁㅁㅁㅁㅁㅁㅁㅁㅁㅁㅁㅁㅁㅁㅁㅁㅁㅁㅁㅁㅁㅁㅁㅁㅁㅁㅁㅁㅁㅁ

John, un autre résident de New York, nous a écrit ce qui suit :
« J'ai lu *Connexion avec la Conscience divine* il y a environ 18 mois et ça m'avait plutôt intrigué. J'ai alors tenté d'établir mon propre contact avec la Fraternité. Je fus agréablement surpris de pouvoir y parvenir. Depuis lors, leur aide et vos instructions on vraiment donné une toute nouvelle dimension à mon existence!

Depuis que cette aventure a commencé, j'ai vécu une merveilleuse expérience d'apprentissage. Je ne peux prétendre avoir complètement réussi sur-le-champ, mais les Frères ont fait preuve d'une grande patience à mon égard et, à mesure que le temps passait, j'ai continué à découvrir de nouvelles choses merveilleuses, pratiquement tous les jours. (...) Ce n'est qu'après avoir commencé à travailler avec la Fraternité que j'ai senti que je faisais de véritables progrès pour satisfaire la profonde soif de spiritualité que j'avais toujours ressentie. »

ㅁㅁㅁㅁㅁㅁㅁㅁㅁㅁㅁㅁㅁㅁㅁㅁㅁㅁㅁㅁㅁㅁㅁㅁㅁㅁㅁㅁㅁㅁㅁㅁ

Un jeune homme atteint du SIDA a partagé avec nous une histoire très positive au sujet de sa vie. Il avait vécu avec un homme qu'il avait aimé jusqu'au jour de sa mort. Durant les derniers jours de la vie de son ami, de nombreux médicaments devaient lui être administrés, et celui-ci souffrait beaucoup. Il nous a dit qu'alors qu'il était assis près du lit de son ami, centré dans son temple intérieur et attendant sa guidance, il fut enveloppé d'une chaleur rayonnante. Il comprit à cet instant qu'il pouvait envoyer un peu de cette chaleur à son ami, ce qu'il fit aussitôt. À partir de ce moment, son ami n'eut plus besoin d'aucun médicament et cessa de souffrir. Depuis la mort de son ami, cette homme a travaillé comme membre d'un groupe de bénévoles qui aident les mourants parce que, comme il dit : « Je semble posséder une sorte de pouvoir de guérison dans mes mains. »

Le même homme dit qu'il sentait avoir un livre en lui à écrire, ce qu'il commença à faire, mais il dut s'arrêter en raison de son propre état de santé. « Je suis au crépuscule de ma vie », disait-il sans émotion. « On me dit que le livre était déjà écrit dans l'autre plan d'existence et qu'on allait confier à quelqu'un d'autre le soin de l'écrire. Et c'est bien ainsi. » Il n'a cessé de répéter qu'il avait eu une très bonne vie et qu'il était très chanceux.

□□□□□□□□□□□□□□□□□□□□□□□□□□□□□□□□□□

Un homme du Michigan, nommé Frank, a écrit :

« J'ai fait de bonnes méditations. Je dois admettre que pendant une période de trois mois je me suis abandonné au découragement typique de la vérité de la conscience terrestre; mais j'ai depuis recommencé à me rendre régulièrement dans mon temple intérieur. Lorsque je médite, je reçois des informations, habituellement en un flot continu. Toutefois, lorsque je m'installe pour les mettre par écrit, l'information cesse de venir jusqu'à ce que j'ai terminé. Peut-être ai-je besoin d'apprendre à écrire et à écouter simultanément. Les choses qui me viennent sont bonnes, mais elles ne sont pas de nature divine. Ça ressemble plus aux meilleures pensées que j'ai lues ou conçues, tout ça mis ensemble – parfois de façon fort élégante. Mais il n'y a rien là-dedans qui puisse me donner la certitude que ça vient de la Conscience divine. C'est un peu comme une très bonne conscience de Frank.

Une fois, pendant une méditation, je me suis dit de me détendre et d'écouter immédiatement : 'Ne te détends pas mais cherche plutôt à concentrer toutes les capacités de ton être. Tes buts... quels sont tes objectifs? Comment pouvons-nous travailler avec toi si tu ne poursuis aucun but? Nous avons besoin d'un esprit qui a un but. Nous n'avons pas besoin d'un grand but particulier – n'importe lequel conviendra, mais commence par là.' »

□□□□□□□□□□□□□□□□□□□□□□□□□□□□□□□□□□□

De Washington, DC, arriva une lettre de Deborah :
« Lors d'une visite à la famille de mon père à Washington, le jour de l'Action de grâces, j'avais stationné ma camionnette près de leur maison. Elle contenait tout ce que je possédais parce que j'avais quitté la Pennsylvanie et j'attendais que ma chambre soit prête à Washington.

Ce matin-là, en me promenant dehors, je découvris que ma camionnette et tous mes biens avaient disparus. Après un bref moment d'incrédulité et de choc, je retrouvai mon calme et mon équilibre intérieurs. Même le policier et mon agent d'assurance me firent remarquer à quel point ils me trouvaient gentille et amicale. Les gens ne sont généralement pas très agréables en pareilles circonstances, me dirent-ils.

Je demandai aux gens à la maison de ne pas s'en faire à propos de ce vol. Et je demandai (par l'intermédiaire de ma connexion avec la Conscience divine) que toutes mes affaires me soient retournées sans avoir subi de dommages et en parfait ordre. Je me rappelai de ne pas mettre de limites à Dieu. Je regardai aussi en moi-même pour voir comment je me sentais sans ces choses matérielles, et je me sentais absolument parfaite. C'était étrange! Je n'éprouvais aucune émotion ni manque ni besoin. Moins de 48 heures plus tard ma camionnette était de nouveau en ma possession avec seulement quelques objets en moins. Aucune fenêtre n'avait été fracassée, aucun fil endommagé, et le démarreur fonctionnait parfaitement. Tout était en parfait ordre. La police n'y comprenait rien du tout. Moi, si. »

□□□□□□□□□□□□□□□□□□□□□□□□□□□□□□□□□□

Kathleen, du New Jersey, écrivit ceci :
« Ma fille est sortie de l'autobus scolaire l'autre jour et m'a dit : 'Maman, j'ai bouclé ma Partenaire (Dieu) dans ma ceinture de sécurité (avec moi). Je crois vraiment en ma Partenaire. Elle est là pour moi!' Puis, plus-tard, nous étions sur la route en voiture et elle me dit : 'Excuse-moi pour une minute. Je vais m'unir à Dieu maintenant.' Oh! si nous avions tous la même assurance qu'un enfant de cinq ans!

Tandis que je cherchais à établir mon propre dialogue avec la Fraternité, je pris conscience de messages qui flottaient dans mon esprit. D'où pouvaient-ils bien provenir? Venaient-ils vraiment de la Fraternité? Ou alors provenaient-ils seulement de mon propre ego?

Fermant les yeux, je méditai brièvement et demandai qu'on m'envoie un signe. Si les pensées provenaient réellement de la Fraternité, je demandai à ce qu'une fleur à cinq pétales se trouve sur mon chemin le jour même. À ce moment précis, je vis ma fille sortir de l'école, et je partis à sa rencontre. Et voilà qu'elle avait une fleur à cinq pétales entre les mains, et elle me dit : 'Tiens maman... Cette fleur est un cadeau pour toi.' »

□□□□□□□□□□□□□□□□□□□□□□□□□□□□□□□□□□

Selon Timbur, de New York, « C'est ce qu'il y a de mieux, entretenir un dialogue avec mes voix intérieures, avec la Fraternité (et je veux dire, parler ensemble). Si je mets en doute tout ce qui est dit ou ressenti intuitivement, ma personnalité ou mon ego négatif se retirent, ou bien ça ne résonne tout simplement pas clair comme la Vérité. Je peux parfois me rendre compte que ce qui me vient à l'esprit, c'est de l'apitoiement sur moi-même. Il m'arrive aussi de jouer au martyre ou à la victime – comme si j'avais l'impression "qu'ils cherchaient tous à m'avoir".

Mais en posant des questions, en demandant à la Fraternité, "Que se passe-t-il? Pourquoi ai-je toutes ces pensées négatives?" je m'ouvre à la Conscience divine et je reçois ma propre vérité. Il y a beaucoup de choses dont j'aime parler avec mes guides, avec la Fraternité. Je me sens plus en confiance comme le disait la Fraternité, et je continue à réaliser ce que cela signifie de savoir que Dieu est mon Partenaire. »

□□□□□□□□□□□□□□□□□□□□□□□□□□□□□□□□□

Carole et Dan sont un couple marié de l'Ohio. Ces deux personnes sont un bon exemple de tous ces gens qui ont fait le grand pas d'avoir sciemment recours à leur connexion avec la Conscience divine. Ils communiquent tous deux avec la Fraternité et reçoivent leur propre vérité.

Lors d'une discussion en tête à tête avec Jean Foster, Dan demanda à la Fraternité, par l'intermédiaire de Mme Foster, de lui apporter réponse à ses nombreuses questions. Il lui suggéra d'utiliser son ordinateur qui avait le même logiciel dont elle se servait habituellement. « Ainsi, nous pourrons aller plus vite et obtenir plus d'informations », dit-il. Cependant, les réponses n'étaient pas suffisamment claires à son goût. Avec un long soupir et une grimace, il croisa ses bras sur sa poitrine et demanda pourquoi les réponses n'étaient pas claires. « Je veux de la clarté » insista-t-il. Sur ce, Jean reçut ce message : « Si l'auteure veut bien se lever et céder sa place à celui qui pose des questions, il recevra la clarté qu'il demande. » Même s'il protesta qu'il n'était pas prêt, les deux échangèrent leurs places.

Jean affirma que Dan pouvait obtenir ses propres messages, qu'il pouvait communiquer aussi bien qu'elle le faisait – même mieux parce qu'il ne dépendait alors plus d'un intermédiaire. Il tapa sa question, et tous deux attendirent la réponse.

Lentement, Dan commença à taper laborieusement ses réponses. Oui, elles étaient claires; oui, il était désormais capable d'entreprendre son propre dialogue avec la Fraternité. Carole aussi voulait entrer en communication avec la Fraternité, car elle avait de nombreuses montagnes personnelles à déplacer et bien des situations dans sa vie requérant une réelle Sagesse, un vrai travail d'équipe avec Dieu. Tout comme Dan, elle demanda à Jean de lui transmettre ses réponses, et comme Dan, elle les trouva difficiles à interpréter. Pourquoi fallait-il toujours interpréter les réponses de Jean aux questions des autres? Pourquoi étaient-elles pleines de symbolisme et pourquoi manquaient-elles de clarté? Parce que personne ne peut être dans le secret du cœur et de l'esprit d'un autre. Mme Foster peut aider à amener certains éclaircissements, mais elle ne peut donner ce que la personne cherche vraiment. Ce que nous cherchons tous c'est l'aide de Dieu comme Partenaire pour obtenir notre vérité personnelle. Et ça on le trouve en s'adressant à Dieu, ou en demandant à la Fraternité de Dieu de nous aider.

Lorsque Carole, à la demande insistante de Mme Foster, se concentra pour entendre la voix intérieure, la voix devint claire pour elle. Quelle tendresse, quel travail d'équipe, quelle pure vérité s'ensuivirent alors!

ロ□□□□□□□□□□□□□□□□□□□□□□□□□□□□□□□□

Une personne possédant une boutique s'en remit à la guidance intérieure – à la Fraternité – et chercha une réponse à propos la maladie d'Alzheimer dont souffrait son père. Même si sa condition était stable, il éprouvait une certaine perte de mémoire. La mère de cette personne disait que son mari marchait les yeux baissés et elle ne cessait de lui répéter de regarder devant. La guidance de la fille révéla que son père avait peur de la mort et qu'il ne quittait pas le sol des yeux pour demeurer en contact avec la terre. Grâce à cette information, sa mère put désormais lui être plus utile et mieux comprendre cette partie de lui qui ne pouvait plus s'exprimer.

Bonnie, de New York, dit que sa connexion avec la Conscience divine l'a aidée à confirmer une importante décision pour sa carrière. Elle s'était inscrite à une école de droit et désirait se spécialiser en droit commercial. Elle trouvait le travail scolaire facile, mais elle devint de plus en plus agitée car une pulsion intérieure la poussait à laisser tomber le droit. Elle avait cependant déjà investi temps et argent pour obtenir son diplôme, et abandonner ne semblait pas être une option raisonnable.

De passage à la foire locale, Bonnie demanda à la Fraternité : « Faites que je gagne ce coup-ci au lancer d'anneaux si je dois suivre ce que me dit mon cœur. » Elle gagna deux fois. Étonnée, elle demanda à gagner encore une fois quelque chose. Immédiatement, elle entendit qu'on appelait son nom. Elle venait de gagner une plante. Était-il satisfaite? Pas encore.

Le jour de la date limite des abandons, toujours indécise, elle prit sa voiture pour se rendre à l'école. Elle s'arrêta en chemin à sa librairie favorite, fureta dans les rayons de livres et tomba "par hasard" sur un petit livre intitulé Une nation d'avocats. C'était un poème en prose qui mettait en lumière les raisons précises pour lesquelles Bonnie sentait qu'il ne fallait pas qu'elle poursuive ses études en droit. À ce moment-là, son indécision disparut et c'est sans la moindre hésitation qu'elle laissa tomber.

□□□□□□□□□□□□□□□□□□□□□□□□□□□□□□□□□

« La méditation est la base de la croissance spirituelle », dit Roger de New York. Grâce à la méditation il s'unit avec Dieu pour diriger son entreprise et mener sa vie. Sa communi-cation, souvent établie par la voie d'images projetées, est précise et productive.

□□□□□□□□□□□□□□□□□□□□□□□□□□□□□□□□□

Toute sa vie, Evie, qui habite au Missouri, a eu des expériences que d'autres appellent des "miracles". Maintenant elle se rend compte que ces expériences n'ont pas à se limiter à quelques rares occasions, mais qu'elles peuvent se produire chaque fois qu'elle ouvre consciemment son esprit à sa connexion à la Conscience divine et demande de l'aide. Voici un résumé des avantages que sa connexion à la Conscience divine lui apporte :

- Ça lui fait de la compagnie.
- Cela adoucit les moments plus difficiles de la vie.
- Sa connexion lui apporte la santé et l'équilibre de tout son être.
- Elle communique – à la fois par un dialogue parlé et par écrit.
- Elle ne porte pas de jugement.
- Elle est conseillée et guidée.
- Ça l'inspire et l'aide à accroître ses talents.
- Ça donne un but et un sens à sa vie.
- Ça l'aide à réaliser qu'il y a toujours une solution à tout problème.
- Ça lui donne de la force et de l'énergie pour l'aider à mettre en œuvre son plan de croissance.

ロロロロロロロロロロロロロロロロロロロロロロロロロロロロ

Betty, de Californie, sait en son cœur que la Fraternité est l'extension sur terre de l'Esprit Saint. Elle sait que la Fraternité tiendra sa promesse de lui accorder la bénédiction, la protection et la puissance du Dieu de l'univers. Elle a donc décidé de placer une chaise pour son Partenaire Dieu dans son bureau à côté de la sienne. Elle discute de son entreprise, de sa vie et de ses plans personnels avec son Partenaire Dieu. Même si elle n'entend aucune voix intérieure, elle confie toutes ces questions au travail d'équipe de l'énergie divine. « Je fais tout mon possible », explique-t-elle à son Partenaire. « Maintenant, le reste est entre Tes mains. »

Les résultats que Betty et les autres voient dans leur vie les ont convaincus de la nécessité de collaborer au travail d'équipe pour avoir une vie heureuse et réussie. Elle croit que l'essentiel c'est la manifestation. Si rien ne change pour le mieux dans votre vie, si les situations difficiles ne s'arrangent pas, si la prospérité ne se manifeste pas, alors vous ne collaborez pas au travail d'équipe, croit-elle. « *Ça marche!* » *dit-elle.* « *Ça marche vraiment.* »

□□□□□□□□□□□□□□□□□□□□□□□□□□□□□□□□□□

Sharrel, du Kansas, a dit qu'elle essayait depuis plus d'un an d'écrire les pensées de la Conscience divine lorsqu'elle a lu Connexion avec la Conscience divine. En dépit de ses efforts, elle n'y arrivait pas vraiment et ce, même si elle suivait scrupuleusement les instructions données dans le livre. Mais, elle continua d'essayer, et peu de temps après les mots se mirent à lui venir facilement. Depuis ce commencement, Sharrel a travaillé avec bien des gens pour les aider à commencer eux aussi à recevoir de l'information de la Fraternité. Elle dit que l'on doit réellement vouloir que se produise cette connexion et avoir un désir sincère de vivre une vie spirituelle.

□□□□□□□□□□□□□□□□□□□□□□□□□□□□□□□□□□

Nettie, de l'Ohio, a annoncé avec grand enthousiasme avoir établi sa connexion avec la Fraternité de Dieu. Elle nous écrivait : « *La plus grande nouvelle pour moi est que je me suis connectée à la Fraternité de Dieu. Au début, c'étaient mes anxiétés terrestres qui me réveillaient aux petites heures du matin et me poussaient hors du lit. Au lieu de tourner en rond et de me tordre les mains d'anxiété, je m'assis devant mon ordinateur et commençai à écrire. Mes anxiétés disparurent en quelques jours. Je me réveille toujours en ces merveilleuses heures de calme matinal et j'écris les messages qui me parviennent...* »

□□□□□□□□□□□□□□□□□□□□□□□□□□□□□□□□□□

Ce n'est pas tout le monde qui dialogue sur papier. Betty, du Missouri, disait avoir tenté pendant un certain temps de faire des progrès rapides pour élargir sa conscience avant que cela ne se produise. Elle sentit et ensuite vit une grande "présence" dans sa demeure. Elle était venue pour l'aider et la conseiller, pour faire les choses que la Fraternité fait pour et avec nous. Elle recevait principalement des images, au lieu de mots, car elle dit que les mots la ralentissent. Les images, d'après elle, peuvent présenter plus d'une douzaine de nuances à la fois – elles sont beaucoup moins embarrassantes que les mots.

□□□□□□□□□□□□□□□□□□□□□□□□□□□□□□□

Annie Kirkwood, qui a écrit le best-seller *Message de Marie à l'humanité*, a communiqué avec la Fraternité de Dieu presque immédiatement après avoir lu *Connexion avec la Conscience divine*. Elle croit que Dieu est son Partenaire et que la Fraternité est une manifestation de l'Esprit Saint qui l'aide elle et sa famille dans leur vie. Elle a d'abord écrit des messages destinés à elle ainsi qu'à la famille de son mari Byron. La famille se rassemblait tous les dimanche après-midi pour lire les messages et en discuter. Leur vie s'est transformée; leurs relations se sont améliorées. Et bientôt Annie se fit demander, par l'entremise de sa connexion avec la Conscience divine, d'écrire le message de Marie, même si, comme le disait Marie : « Je ne suis pas catholique.» Sur quoi Marie répondit : « Je ne suis pas catholique non plus.»

□□□□□□□□□□□□□□□□□□□□□□□□□□□□□□□

Gary, du New Jersey, "entendit" un message sous forme de pensées, mais il douta que ces pensées puissent provenir de son Partenaire Dieu ou de la Fraternité. Un jour, alors qu'il entrait par train dans la ville de New York, il demanda à recevoir un quelconque signe qui lui indiquerait si ces pensées venaient réellement de Dieu. À la gare, un homme descendit du train devant lui et jeta négligemment son journal par terre. Gary le ramassa prestement et se dirigea vers la plus proche poubelle. Juste avant de jeter le journal, il vit que son pouce était sur la chronique de l'horoscope et, qui plus est sur le signe des Poissons, son signe à lui. Voici dans ses mots ce qu'il se souvient d'avoir lu : « Vous aurez des conversations importantes pour vous, et vous ne serez pas capable de résister à la voix, car elle viendra de l'intérieur. »

◻◻◻◻◻◻◻◻◻◻◻◻◻◻◻◻◻◻◻◻◻◻◻◻◻◻◻◻◻◻◻

Judy, de l'Ohio, nous a écrit à propos de la prière qu'elle a adressée pour trouver un homme assez aimable pour s'occuper de son jeune chien d'arrêt Labrador. Le chien était trop excité au goût de trois de ses enfants. Elle fit paraître une petite annonce et plaça un message sur le tableau d'affichage au marché d'animaux de ferme, et attendit. Au bout de deux semaines, elle reçut un appel téléphonique. Bientôt l'homme idéal pour le chien d'arrêt arriva à la maison, et le chien sauta avec confiance dans sa camionnette. Elle ajouta : « *Dans mon cœur une voix dit : "Si Dieu peut trouver la meilleure situation pour un chien, croyez bien que Dieu peut en faire tout autant pour vous." C'est ainsi que je fus assurée que mon mari et moi allions trouver ce que nous cherchions dans notre vie – notre rôle, notre véritable place où nous pourrons servir les autres et trouver la satisfaction de l'âme.* »

Et, pour terminer, voici 4 témoignages reçus de France

Fabienne, de Givry en France, a demandé et reçu l'aide de la Fraternité de Dieu aussi bien pour elle-même que pour d'autres personnes. Elle écrit : « *Le premier souhait exaucé contribue à nous mettre sur la voie! Ensuite, on peut observer avec ravissement l'effet 'boule de neige' (...) Plus on demande, plus on obtient : la baguette magique ne demande qu'à fonctionner...* »

◻◻◻◻◻◻◻◻◻◻◻◻◻◻◻◻◻◻◻◻◻◻◻◻◻◻◻◻◻

René, de Lyon, a perdu accidentellement son fils Jean-Paul en avril 96. Conseillé par un ami, il a écrit sur une feuille de papier plusieurs questions qui l'obsédaient au sujet de cette mort. Indépendamment de cela et à la demande du même ami, René reçut quelques mois plus tard un message (traduit de l'anglais) de la Fraternité de Dieu que Mme Foster a transmis pour lui. Ce message affirme René, en répondant parfaitement à toutes les questions qu'il avait écrites sur la feuille de papier, lui a apporté un immense réconfort. Par ailleurs, il y reconnaît formellement le style de son fils qui s'adresse directement à lui dans cette communication. À la fin du message, Jean-Paul demande à son père s'il n'a pas ressenti la tendresse de Dieu qu'il lui offre, en expliquant ainsi que la joie n'est pas une trahison à son égard. Et en effet, quelque temps auparavant, René s'est souvenu avoir perçu pendant une journée entière une sensation de douceur localisée dans son dos. Et lors de cette journée toute particulière, la totalité des démarches qu'il avait entreprises ont été par la suite couronnées de succès...

◻◻◻◻◻◻◻◻◻◻◻◻◻◻◻◻◻◻◻◻◻◻◻◻◻◻◻◻◻◻◻

Calixte, de Tramoyes, écrit : « *Lorsque je rencontre des difficultés, je n'hésite pas à faire appel à la Fraternité pour son aide et ses conseils. Quelle que soit l'importance du problème à résoudre (difficultés d'ordre professionnel ou relationnel, ennuis de santé, objet égaré ou, plus récemment, pour l'acquisition de la maison que j'avais imaginée) je demande l'aide de la Fraternité. La réponse de la Fraternité se manifeste de différentes façons : une pensée ou une image me viennent à l'esprit, une intuition m'éclaire, un événement se produit...*

Par exemple, dans le cadre de mon travail, au cours de différentes réunions que je tiens avec mes collègues, il arrive que nous ayons des rapports très tendus, voire conflictuels, au point de parvenir à une situation de blocage. Alors j'appelle la Fraternité et lui dis : « Soyez avec nous! » Ce qui se produit chaque fois me surprend. La réunion prend une toute autre tournure. C'est comme si nous nous connections tous à une même source, à un même 'terrain d'entente'. Le calme revient et des solutions apparaissent. Ce travail quotidien avec la Fraternité m'apporte la confiance dans tout ce que j'entreprends. »

□□□□□□□□□□□□□□□□□□□□□□□□□□□□□□□□

Jérôme, qui vit près de Chalon sur Saône, écrit : « *Il y a presque sept ans maintenant que j'ai lu avec beaucoup d'enthousiasme "Connexion avec la Conscience divine". J'ai aussi reçu plusieurs messages personnels de la Fraternité par l'intermédiaire de Mme Foster. Toutefois, même si toutes ces informations reçues m'ont été très bénéfiques sur le moment, ce n'est que récemment que j'emploie beaucoup plus efficacement les principes divins dans ma vie de tous les jours. Un exemple parmi d'autres : avant-hier, j'étais dans un grand magasin en train de chercher sans succès un article. En désespoir de cause, j'ai demandé l'intervention de la Fraternité, et celle-ci ne se fit pas attendre : en me retournant à nouveau vers les rayons, mes yeux fixaient l'article en question! La réponse de la Fraternité vient si naturellement qu'elle pourrait souvent passer inaperçue! (...) La prière, je trouve, est aussi un outil très efficace de transformation personnelle qui est complémentaire avec le travail dans mon temple intérieur. En fait, c'est l'usage de la prière qui a définitivement concrétisé pour moi les paroles de la Fraternité de Dieu. En priant, j'ai l'impression d'appeler la Lumière divine sur l'objet de ma prière et d'être en contact plus direct avec Dieu. Et prier peut se faire n'importe où, même en voiture!* »

Une autre technique qui a été donnée à Mme Foster par la Fraternité est celle du 'Vase de Dieu'. « *Je trouve qu'il est très efficace de commencer par matérialiser mes objectifs en les écrivant noir sur blanc. Pour moi, c'est une preuve de confiance ou un acte de foi envers la Fraternité qui va m'aider à les réaliser. J'écris donc chaque objectif clairement détaillé sur un petit bout de papier que je place ensuite dans un vase, appelé 'Vase de Dieu', qui sera uniquement destiné à cet usage. En relisant périodiquement ces demandes, je m'aperçois que, petit à petit, les objectifs se transforment en acquis, et cela fait grandir ma confiance en mon Partenaire Dieu.* »

GLOSSAIRE

âme : Voir "moi intérieur".

âme avancée : Toutes les âmes (entités spirituelles) viennent sur la planète Terre avec un plan de croissance. Celles qui exécutent ce plan durant leur vie terrestre sont qualifiées "d'âmes avancées".

amour : Ce mot ne peut pas être compris en termes humains, car l'expérience nous donne de fausses idées sur l'amour. La tendresse est l'ultime expression spirituelle d'un soutien total et bienveillant. L'amour est au service de la tendresse et s'incline devant son ultime expression, car l'amour donne et reçoit. La tendresse ne fait que donner.

amour d'agape : Il existe plusieurs types d'amour. Le mot "agape" se réfère à un amour entre des personnes qui s'aident mutuellement, et non un amour entre des personnes qui s'entourent d'affection.

Bible : Un ensemble de récits, d'histoires et de souvenirs reflétant la progression de la pensée au sujet de Dieu. C'est un guide de vie d'inspiration divine, mais ce n'est pas la seule parole de Dieu. La parole de Dieu parvient à chaque individu telle un flot de sagesse, et la Bible – au mieux – n'est qu'une source de sagesse parmi tant d'autres. Dieu – une énergie vivante, palpitante, vibrante – est la Source de la Pure Vérité, ce qui n'est pas le cas de la Bible ou de toute autre "Bible".

canal : N'importe qui peut être un canal à travers lequel l'Esprit de Dieu fait jaillir la vérité individuelle et éternelle. De ce fait, un individu que l'on appelle un "canal" ne fait que prouver qu'une communication est possible entre les êtres du plan terrestre et ceux de l'autre plan d'existence.

canal ouvert : Le moyen utilisé par la Fraternité de Dieu avec chaque personne pour aider à établir une connexion avec la Conscience divine.

Christ : Un concept d'unité avec Dieu. Chaque personne peut se considérer comme le Christ dans le sens de cette unité. Lorsque nous reconnaissons le Christ, nous reconnaissons notre unité avec Dieu.

collaboration : La collaboration est la force fondamentale de l'esprit, car sans la collaboration de la Fraternité / de l'Esprit Saint et du Dieu de l'univers, il ne saurait y avoir d'accomplissement durable. La collaboration amène chaque être qui en comprend la force dans le royaume des maîtres qui ont la capacité de matérialiser des choses à partir de la semence de Vérité divine.

Conscience divine : La Conscience illimitée produisant un flot de sagesse que n'importe qui peut capter est appelée "Conscience divine". Cette vérité s'écoulant en un influx régulier désire entrer en communication avec les consciences et esprits individuels qui cherchent à devenir Un avec le Dieu de l'univers.

conscience terrestre : La conscience terrestre ne va pas plus loin que là où l'homme est parvenu. Elle met ses croyances à l'épreuve dans la substance matérielle, à l'aide de données historiques, et par des observations scientifiques. La conscience terrestre comprend également la religion comme étant un effort louable pour parvenir à Dieu. Mais Dieu est souvent réduit à un rôle de soutien des valeurs de la société et n'est pas considéré comme une Entité personnelle dont l'infinie grandeur doit encore faire ses preuves dans les vies individuelles.

croissance : Lorsqu'une personne accepte la vérité et la vit, la croissance spirituelle survient. Cette croissance est ce qui devient un élément constitutif permanent du moi spirituel.

diable : L'instrument du mal en l'homme, un concept qui dit que l'homme est pris entre deux puissances, Dieu et le diable. Aucune puissance ne peut exister en dehors de Dieu sauf si l'homme lui attribue cette puissance. Par conséquent, le "diable" n'est rien d'autre qu'un moyen de rejeter la responsabilité.

Dieu le Père, Dieu du Jugement, etc. : Termes qui indiquent l'étendue de la conception que les gens ont de Dieu. Les mots qui suivent "Dieu" indiquent ce en quoi les gens croient.

Dieu de l'univers : Cette désignation a pour but d'étendre votre conception de Dieu aux limites des possibilités de votre esprit. Le concept de Dieu doit être élargi pour satisfaire vos plus grandes attentes. La Fraternité tente donc d'aider chaque personne à ouvrir son esprit à tout ce que Dieu représente.

douces présences : Ces esprits travaillent au sein de la Fraternité/ de l'Esprit Saint pour réunir votre être avec l'esprit de Dieu. Avec l'aide de ces présences, les êtres du plan terrestre sont capables de faire face à n'importe quel besoin ou souci, avec une compréhension positive et parfaitement adaptée. Avec leur aide, chaque personne peut être utile à la société et aider à combler les besoins des autres tout autant que les siens.

écriture automatique : Bien qu'on utilise parfois le terme "écriture automatique" pour parler de l'écriture channelée, c'est loin d'être automatique. Ce type d'écriture est un procédé que l'auteure utilise pour enregistrer la communication d'esprit à esprit entre elle et la Fraternité de Dieu. Ce procédé est lié à la perception intérieure des pensées qui se déversent dans l'esprit réceptif de l'auteure par l'entremise du canal ouvert, de sa connexion avec la Conscience divine.

écriture channelée : Lorsqu'une communication d'esprit à esprit est mise par écrit, on parle alors souvent d'écriture "channelée". Cependant, tous les écrits inspirés – que ce soit de la poésie, des récits, des essais, même de la musique ou une expression artistique – doivent être considérés comme channelés.

émissaire de Dieu : Une personne qui vit la Vérité de Dieu.

énergie : Pouvoir inné qui émerge de votre vérité – soit de la Conscience divine, soit de la conscience terrestre.

entité : Lorsqu'une personne est appelée une "entité", le terme se rapporte à l'être intérieur ou au moi spirituel.

esprit : L'esprit est distinct du cerveau. Le cerveau est physique – matériel; l'esprit est spirituel. Lorsque le mot "esprit" est utilisé, il se réfère à la réalité en nous – l'âme ou l'esprit qui est capable, dans n'importe quelle condition, de se connecter à tout ce que Dieu EST.

esprits attachés à la terre : Lorsque des âmes – ou esprits – se séparent de leur corps et vivent sur le plan d'existence voisin du nôtre, certains ne parviennent pas à se détacher de leur identité terrestre. Ces esprits sont dits "attachés à la terre".

Esprit Saint : Le Conseiller, Consolateur, ou Enseignant, qui est l'activité de l'Esprit Saint, est centré en ces esprits avancés que l'on appelle la Fraternité de Dieu.

forme-pensée : Le corps humain est une forme-pensée, car il est la manifestation de la bonté créatrice qui émane de Dieu. D'autres formes-pensées sont les pensées manifestées que nous créons, avec l'aide du Dieu de l'univers.

Fraternité de Dieu : Les esprits avancés demeurent sur le plan d'existence voisin du nôtre pour exécuter le travail de l'Esprit Saint. Ils sont le Conseiller, le Consolateur, l'Enseignant qui travaille avec les êtres du plan terrestre qui leur ouvrent leur esprit. Ces esprits sont là pour aider les gens à s'allier au Dieu de l'univers pour recevoir la vérité éternelle et personnelle.

force divine : Le pouvoir de Dieu qui agit conformément aux principes de vérité. Ce pouvoir manifeste des pensées en choses.

Jésus : Le Frère des Frères (Jésus) devint la manifestation extérieure de l'être intérieur qui a vécu sa vie en accord avec son plan de croissance. Jésus, l'homme, fut le reflet de son moi intérieur qui réalisa son unité avec Dieu.

loi spirituelle : Toute Vérité divine qui agit dans l'univers comme une loi – comme ce qui doit se réaliser.

mal : Un concept que beaucoup de gens utilisent pour expliquer ce qu'ils appellent le "mal". Ce concept d'une présence malveillante dans une personne rétrécit le concept de Dieu en gardant l'individu centré sur ce que Dieu n'EST pas.

manifestation : Le processus consistant à produire un résultat tangible de votre pensée dans le monde physique. Le succès de ce processus dépend de la compréhension que vous en avez et de l'application de principes spirituels.

moi divin : L'entité ou la personne qui est alliée à Dieu.

moi intérieur : La réalité de chaque personne est le moi intérieur ou l'esprit/l'âme. Ce moi intérieur a vécu de nombreuses vies et ne mourra jamais.

Nouvel âge : Nous sommes à l'aube d'un âge où la terre devra rétablir sa pureté dans son être. Lorsque ce temps arrivera, rien ne sera plus comme avant. Les êtres qui tiennent compte de la Vérité de Dieu aideront cependant la planète et l'humanité à survivre, à s'épanouir et à vivre en totale collaboration.

plan d'existence voisin du nôtre : C'est sur le plan terrestre que notre moi spirituel – notre âme – s'exprime sous forme humaine. Le plan d'existence voisin du nôtre et le plan terrestre s'interpénètrent, et c'est à partir de ce plan voisin que la Fraternité de Dieu travaille au service de l'Esprit Saint. C'est aussi l'endroit où viennent séjourner les esprits quittant le plan terrestre et d'où partent les esprits se préparant à se réincarner.

plan de croissance Avant qu'une âme ou un esprit n'entre dans le corps d'un enfant à naître, cette entité a conçu un plan pour parvenir à l'unité avec Dieu. Ce plan, s'il est conforme à la nature de ce que Dieu EST, constitue une entreprise de coopération entre le Dieu de l'univers et la personne qui s'incarne.

prière : Les religieux prient pour amener l'humanité à s'harmoniser mentalement avec leur conception de Dieu. La prière apporte de l'espoir, de l'estime et constitue une occasion de vénération. La prière est rarement considérée comme une communication entre Dieu et l'homme. C'est habituellement un rituel reliant l'homme à un Dieu qu'il ne peut espérer comprendre.

réincarnation : En vivant plusieurs vies successives dans un corps d'homme et de femme, sous diverses nationalités, et comme membre de toutes les races, une occasion nous est offerte de mettre à exécution notre plan de croissance et de réaliser notre unité avec Dieu. La réincarnation est le plan de Dieu qui donne aux gens de nombreuses occasions de croissance spirituelle.

religion : Une organisation qui assemble les gens dans les églises dans le but de vénérer Dieu et de les transformer en de bons travailleurs. En général, la religion empêche les gens de faire eux-mêmes la découverte de Dieu.

Satan : Satan est le personnalité du Vieux Testament qui personnifie le mal en de nombreux récits fictives. Mais Satan n'a pas soumis les gens à la tentation. Il fut celui qui posa des questions auxquelles les gens avaient besoin de répondre pour comprendre leur relation avec Dieu. Satan et le diable ne sont pas la même personne.

se vider (soi-même) : C'est le processus consistant à nettoyer son esprit des pensées colériques et de l'ego afin de recevoir la vérité de Dieu. La méditation, l'empressement à abandonner ses croyances personnelles, et la confiance en votre concept le plus élevé de Dieu en sont des exemples.

temple intérieur : Pour nous aider dans notre croissance spirituelle, la Fraternité nous recommande de créer en nous un temple intérieur. Ce temple est un lieu de rencontre pour nous et la Fraternité. C'est là que nous étudions, méditons, et apprenons.

vérité : Tout ce en quoi vous croyez est votre propre vérité. La vérité, à mesure que vous l'intégrez en vous et travaillez avec elle, développe la trame de votre expérience de vie. Votre vérité est constituée de pensées fortes qui deviennent le centre ou le point focal de votre esprit.

vérité de la Conscience divine : Voir Conscience divine.

Adresse Internet

www.enter-net.com/apprivoiser

Adresse de courrier électronique

apprivoiser@enter-net.com

PRUNE

RAMON ROYAL ROSS

Prune

ILLUSTRATIONS BY SUSAN SARABASHA

ATHENEUM 1984 NEW YORK

Library of Congress Cataloging in Publication Data

Ross, Ramon Royal.   Prune.

SUMMARY: An unlikely friendship springs up between a
prune, a muskrat, and a magpie.
[1. Prune—Fiction.   2. Muskrats—Fiction.   3. Magpies
—Fiction.   4. Friendship—Fiction]   I. Sarabasha,
Susan, ill.   II. Title.
PZ7.R71982Pr   1984   [Fic]   84-3018
ISBN 0-689-31056-0

Text copyright © 1984 by Ramon Royal Ross
Pictures copyright © 1984 by Susan Sarabasha
Published simultaneously in Canada by
McClelland & Stewart, Ltd.
Composition by
Maryland Linotype Composition Co., Inc., Baltimore, Maryland
Printed and bound by
Fairfield Graphics, Fairfield, Pennsylvania
Designed by Jennifer Dossin
First Edition

For Pamela

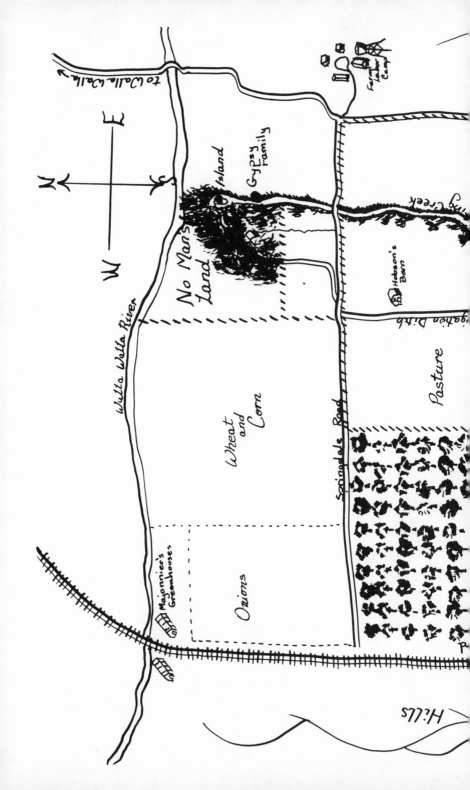

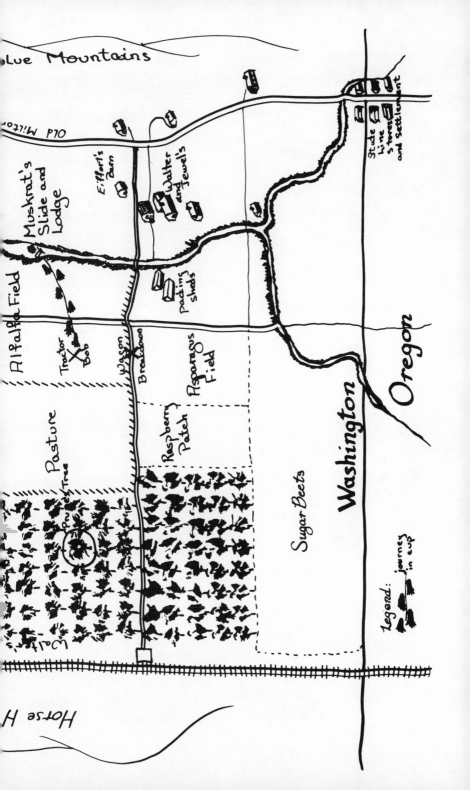

PRUNE

CHAPTER ONE

He was less than halfway to the packing shed when the thought hit him. He was leaving the orchard— probably forever. He saw himself, once again surrounded by his brothers and sisters, hanging from a branch of the home tree. But the picture was not quite clear, as if he were looking at it through a pane of old glass.

A few minutes earlier, when the wagon first began its journey, all he could think of was the tales he had heard—of railroads with their rumble and hiss, of sunlight gleaming on distant cities. And the stately pace of the wagon, as it made its way up the aisle, added a measure of solemn joy to the day.

He could hear the thud of ladders and the voices of the pickers, the murmuring approval of the trees as the wagon passed. The great world outside the orchard awaited him.

He was traveling with his brothers and sisters, enough of them to fill nearly fifty boxes. He had obtained a

3

good place, up high and near the front of the wagon where the dust was not so thick and where he could see in all directions.

The wagon had just left the shelter of the orchard and turned onto the lane. On his left a butterfly hovered in the late afternoon sunlight above the first of the sagging fence posts that marked the beginning of Dick Eiffort's pasture. Ahead, beckoning, was the purple line of the Blue Mountains. It was a moment filled with anticipation for what lay ahead.

Carelessly, he chanced to glance back. He could still see the dark green topmost branches of the orchard. It was then that he felt the first, awful pangs of separation. His home!

"Stop!" he heard himself saying. "Let me off. I've changed my mind. I don't want to leave!"

Unfortunately, Dapple, the horse pulling the wagon, was unaware of his shouts. Dapple lifted his ponderous right hoof and plopped it with a soft, muffled plop in the chocolate dust of the lane, causing it to stir and eddy as if it were liquid.

Dapple lifted and plopped one hoof after another until he was back to the right front one again. The worn harness pressed and groaned against his massive chest. The iron-rimmed wheels stirred and sifted the dust so that it ran up the sides of the spokes and oozed back down into the lane. Dapple dreamed of mealy jonathan apples and oats and a tub full of cold water. He felt the slackened reins on his back and knew that

Shorty, the hired man, almost asleep on the ancient wooden seat, was dreaming, too, of cold beer and steak and potatoes for supper.

"Stop! Stop!" Prune shouted. But it was no use. The wagon continued on its way, carrying him even further from his home.

And, to make matters worse, the rest of the world was oblivious to his shouts. Out in the orchard some of the pickers, glancing at the tint of evening in the western sky, were preparing to call it a day. They drew off their canvas sacks with a sigh of relief and tucked them under empty boxes to protect them from the dew the night would bring.

Along the creek, some distance away, a young muskrat splashed water on a mud slide he had built and clambered up the bank for one more ride.

In the packing shed at the end of the lane women in faded dresses sipped from bottles of soda and packed one more layer of fruit in orange tissue. The radio played "Peg of My Heart." Boys trooped out to pastures to bring in the cows for milking. The day wound down like a tired clock.

And Prune watched helplessly as the orchard slowly receded into the distance. He saw the dark line of trees merge with the edge of the Horse Heaven Hills, far away. Dapple plodded on his way, the wagon creaking slowly along behind. The women packed the last few layers of prunes in their tissue coats. The radio began playing "I've Got Spurs That Jingle, Jangle, Jingle."

A weathered post marking the beginning of Eiffort's hay meadow momentarily blocked Prune's gaze. When they were past it, he searched again. Homesickness swept over him. The orchard was gone. But for the distant hills, the western sky was empty.

CHAPTER TWO

It was an old wagon that carried Prune, with iron-rimmed wheels and hubs and spokes of hickory wood. In its early days the wagon had been painted a beautiful orange color with white and green lines outlining the box and wheels. In those first years it was used for carrying the family to Walla Walla once a week for market day.

But those times had long since passed, and one winter Walter, who owned the orchard, and Shorty, who worked for him, removed the painted maple box and substituted a floor of heavy planks. They needed a low, wide, flat wagon bed for hauling boxes in and out of the orchard, and what they built worked just fine.

Just fine, that is, until now. The first indication that something was wrong came when Prune felt a jarring shudder beneath him. A wheel was working its way loose from the axle after thirty-seven years of servitude. The splintered planks began to heave and toss as the wheel began its wobbling flight.

Prune tried to reach for something to hold on to.

7

But he had no arms or legs, and what was there to grab, anyway? The box he lay in, so solid and secure only seconds before, was itself beginning to shift and slide, and his brothers and sisters were as plump and smooth as himself.

Once, when he was still safely fastened to the family tree, Prune had dreamed that he had arms and legs. It had been a wonderful dream in which he was running through the aisles of the orchard past one tree and then another.

He had begun to take short hops, and then longer ones, and then longer still, until he was, in fact, flying. Gradually he had dared to soar higher and higher, until he could gaze down on the tops of the trees themselves and could see far off over the countryside, where black-and-white cattle sauntered through lush pastures.

Then he had chanced to glance down at his new legs and had seen that the bones in them were as cracked and fragile as old china platters and had sensed that his flying days were to be very few. He awoke from that dream with an overwhelming feeling of sadness, and though the day had been a happy one for most of those in the orchard, he had been quiet and withdrawn. "What's come over you, good old Prune?" his sisters teased him. "You've scarcely moved on your stem all day."

Prune remembered that dream now: the grand moments when he was airborne; and the terrible sense of loss when he saw his dream-invented bony legs with their innumerable hairline cracks.

But there was little time for reflection; even while Prune was making those frantic and useless passes for something to hold on to, the wheel rolled free and fell with a muffled thud in the thick dust of the lane. The plank floor sagged and then tilted sharply. The boxes were sliding faster now, menacing and heavy as a runaway locomotive.

When the first box struck the dirt, it catapulted Prune through the air, where he spun round and round and round, terrified and breathless, not at all as in the stately ballet of his dreams. And then he landed.

At first he felt a deep sense of relief. The earth felt solid and comforting. And, dazed though he was, he could sense that he was not injured. The dust had broken his fall; rich, warm, still dust—dust that had been sifted and resifted by the comings and goings of wagons and horses and people. It cushioned his body so that there seemed to be no bruises or torn places.

It was quiet, lying there. The creaking groan and clatter of the wagon was stilled, and he could hear the light whisper of the early evening breeze. But listen! What was that? He heard thin, high, shrill cries of distress. It was his brothers and sisters. Many of them had been thrown farther than he and had landed at the edge of the lane, where the new-mown stubble had pierced their tender skins.

And now, for Prune himself, the dust, which had

seemed at first so pleasant and comforting, began to take on a more sinister aspect. Its soothing warmth slowly became more and more intense, and he could feel his skin begin to tingle with the heat.

He heard, as though from a great distance, Shorty's shouted commands and Dapple's responding neigh. He tried to call for help, but in his terror, no sound issued. The burning sensation was almost unbearable now. He tried again to cry out, but the thin veil of dust muffled his shouts.

High above him, Shorty, rudely wakened by the sudden tilting of the wagon seat, stared down at the shattered boxes and spilled fruit. He shook his head in disbelief. He clenched the reins to help him keep his place. "Well, what thuh . . ." be began. "What thuh . . ." A thought crossed his mind. "Shoot!" he muttered. "Now I'll be late for supper!"

❦

CHAPTER THREE

Harper never liked magpies. He may have learned it from his father, for Walter never liked them either. "I hate them pesky birds," Harper heard him tell Shorty one afternoon. "Regular egg robbers!"

For one thing, they wouldn't—or couldn't—fly in a straight line like ordinary birds. Instead, they scooped and dipped and shuddered their way through the air.

"Take a pheasant, now," Walter went on. "Whirrs along straight as string. But not one of them blamed magpies. And they do it so's you can't hit 'em. Can't trust 'em. They're shady."

And another thing. When they were far enough away to be out of range of a well-thrown rock, they'd set up a raucous, challenging cry. In fact, that's exactly what Pica, the magpie, was doing when Prune first heard her.

"*Craaa, craaa, craaa* . . ." Pica was flying over Eiffort's hay meadow when she spotted the wagon, tilted and still, in the dust of the lane.

Not more than a minute or two had passed since

Prune had tumbled out of the splintered box into the dust. Just enough time for Shorty to unfold himself from the wagon seat and climb down to inspect the runaway wheel, lying dead now in the road after its daring break for freedom.

Shorty shook his head in wonderment and addressed Dapple. "Now don't that take the cake," he said. "Dad-burned wheel waits till I got me a full load of prunes on and then decides to work loose. Aiyuhhh. And looks like the whole hub is shot. Got to get a new wheel. And them prunes'll have to be covered or they'll get wet clean through what with all the dew we've been getting."

Shorty sighed. His thoughts had been headed in the direction of steak and beer and potatoes. "Shoot!" he muttered and kicked the wheel. "Guess I'd better go find Walter, tell him what's happened . . ." He started walking back to the orchard, leaving Dapple standing in his traces and the wagon lurching on its side in the dust.

That's when Pica happened on the scene. *"Craaa, craaa,"* she muttered hoarsely. "Think I'll drop down, see what's happened. Might be interesting."

She shot her tail feathers out, flattened her wings, and skidded her black and white frame down onto the wagon, clutching at the wooden railing with her skinny claws. She surveyed the boxes of half-spilled fruit, cocking her head as she did so.

After a minute or two of contemplation, she hopped down to the ground to view the wreck from another vantage point—and felt a rounded lump lying in the dust under her yellow claw.

"Hello, what's this?" she said to herself. She made a couple of swipes across the dust with her beak and exposed the object to view.

"Help," Prune mumbled weakly. "Get me out of this mess."

"Good grief," Pica thought to herself. "A talking prune. At least I think it talked. I must be losing my mind." She started to hop away, planning to put a little distance between it and herself.

"Help." The voice came again. "I'm cooking in this dust. You've got to get me out of here. Where's your sense of responsibility to a fellow being?"

"Are you kidding? Listen, Buster, you ever try being a magpie? It's no easy job. I've been shot at with BB guns and sling shots. Kids throw rocks at me. Even the crow that lives down at Reser's walnut grove chased me off. Not to mention the stories that get spread about my eating habits. You lose your sense of responsibility pretty darned quick under those circumstances." Pica hopped back toward Prune. She enjoyed a good argument.

"Look," said Prune, trying to mollify her, "I didn't mean to upset you. But I'm in a tough spot. I can hardly breathe with all this dust around me. Would you mind wiping away a bit more of it with your beak? I think I'm going to choke."

Pica swiped at the dust with her beak. *"Awwk,"* she spluttered. "I hate the taste of this stuff in my mouth.

I don't know why I'm doing this. Come down to see a nice wreck and wind up spending time talking to a purple lump."

"Ahhhh, that's better!" Prune sighed with relief as the cool sweet air touched his skin. "Thanks for the help." He made a quick decision. "Say, listen, I wonder if you would consider doing a favor for me."

"I've already done one," Pica pointed out, rather tartly. "What is this, initiation time into the Good Samaritan Club?" She started to hop away.

"No, wait," said Prune. "All I need is a lift back to the orchard. It shouldn't take you more than a couple of minutes. Just carry me back to the big tree in the middle of the third row and drop me off. That's where I live. I've got family there."

Pica cocked her head and made a quick decision. "What have I got to lose?" she thought to herself. "It beats standing here, and at least I'll get rid of him that way."

She seized Prune in her sharp beak and wrestled him out of the dusty lane.

"Heffy . . ." She tried to speak around his plump body. "Ferry heffy. Nod sure I can fly wif all dis wayd. Ferry heffy!"

She flapped her wings a few times, experimentally, and tried to shift Prune's weight so as to better distribute her cargo. She took a few awkward steps and gave a tentative, jerking leap into the air, coupled with more wing flapping. The two of them were off the ground now, Pica beating her wings so that Prune could feel the air fanning against his skin.

"There's one of them pesky magpies!" someone shouted. It was Walter. He and Shorty were hurrying down the lane from the orchard. ". . . and she got something in her mouth." He picked up a stone and hurled it at her. "Git!" he yelled. "Drop whatever you're stealing and git out of here, you no-good egg-thieving blaggard!"

The stone fell far short of its target, and Walter threw another, closer this time, whistling past Pica's tail feathers.

"Shee thad?" she mumbled to Prune, imprisoned in her clenched beak. "Shee what I mean?"

She flapped a few more times, and the two of them began to climb up into the late afternoon sky. Pica held fiercely onto Prune. She felt a righteous sense of aggrievement. Here she was, trying to do her best for a fellow creature, and look, some loonie was throwing rocks at her!

She dipped this way and that, always trying to get out of the way of the next stone, if one were coming, always climbing, and always taking Prune farther and farther away from the orchard. After all, it was in that direction that Walter and Shorty stood, their hands full of stones, waiting for her to get within range. No magpie with half a brain in her head was going to fly into that barrage.

Prune, meanwhile, was atremble with excitement.

15

At first he was aware mostly of the tight grasp of Pica's beak, holding him clenched between its sawlike edges. He could feel his skin wearing under the pressure. But the air flowing past cooled his burning skin, and in the midst of his discomfort, he chanced to look down and saw the fields sprawled below.

Flying! Why, he was flying! Look, there were the cattle, just as he had seen them in his dream. And there—the packing shed, its corrugated tin roof showing rusty patches so that it resembled the terrain of some exotic land. There was the cottonwood grove and Eiffort's pale blue barn with its cream-colored trim. And see? The berry patch, neatly laid out, row upon row of leafy dark green. Dick Eiffort's hayfield, with its waving lines of alfalfa and the irrigation ditch running through its center, dividing it in half, lay below. Spring Creek flashed here and there among the willow trees that edged its banks, and he fancied that he could hear the sound of its waters as they scooted over a riffle. There was Dapple, and the tilted wagon . . . He could even see Walter and Shorty, both standing, alert and threatening, watching them, stones in their hands.

And there . . . there was the orchard! Prune realized that for a moment he had forgotten all about it. He could see the trees, stately and verdant, row upon row. Wasn't that amazing! Here he had thought that he couldn't wait to get back there, and now, ten minutes later, he'd forgotten about it.

He tried to remember his home, but found it difficult to concentrate. For one thing, they were continuing to climb, higher and higher. For another, right in the middle of that climb he thought he felt a subtle change in the sweep and shudder that Pica called flying. It was nothing more than a break in the rhythm that was gone as soon as he felt it, like an engine missing once and then returning to normal. Almost immediately they were flying smoothly again, or as smoothly as a magpie can be said to fly.

But there! The troubling sputter again. And again, sooner this time. And then Pica said in a gasp, holding him clenched fast in her beak, "Doo heffy! Can'd hode don. God do land!"

She started for earth, the smooth sweep and lope gone from her flight. There was an agonized gasp for air, and her beak opened ever so lightly. Unfortunately, however, it was enough to free Prune from her grasp. He could feel her surge upward, away from him. Or was it that he was falling—dropping like a purple meteor from the sky?

Down, down he plunged. Thirty-six feet per second at first, and picking up speed as he went along. They were nearly four hundred feet above the earth when he began his fall; the air whizzed past him, whistling mournfully as it slid by. He began to tumble, but then straightened out, his stem upright, and fell, spinning slightly, so that he could see the stubble fields of the foothills to the east, the water tower of the farm labor

17

camp, then the distant outline of the Marcus Whitman Hotel in Walla Walla, the cottonwoods marking the river, and then the Horse Heaven Hills to the west. . . .

It would have been a fine panorama, but for the fact that he was terrified. All this falling, all in one day. He was becoming an expert in an area of effort that was not of his own choosing.

He made the mistake of looking down and could see the awful face of the earth below, with what seemed like a thousand knives—the branches of trees, blades of rye grass, the tops of fenceposts, hedges, and rusted relics of farm machinery—all rushing up to meet him.

"Help . . ." he thought of saying. But there was no sound. Or if there was a sound, it was rushing away from him so fast he could not hear it. A feeling of utter melancholy swept through him. Was this the way it was all going to end? Smashed flat against a random stone in the pasture, or impaled on a stick?

"Help . . . !"

"Helllllpppppppp . . . !!!"

CHAPTER FOUR

About six thirty every morning, Shorty would stamp his boots outside the kitchen window to announce himself. Then he'd open the door, kicking vaguely at Bob, his dog, who always tried to sneak in behind him. "Dang it, Bob! You set now! Hear?"

Plunking himself down in a chair, Shorty would greet Harper's mother.

"Mornin', Jewel, somethin' sure smells good in here! Say, you wouldn't happen to have a cup of coffee you could give a fellow, would you?"

"Seen a muskrat this morning," he told Jewel on the day the wagon broke. ". . . just a ways below the bridge, down in Dick Eiffort's place. He was piling mud on the bank, running back and forth, like he was building something. Cute little feller. Sure had his mind on what he was doing. I watched him for a long time, but he never seen me. At least, he acted like he didn't, and I wasn't more than fifty yards away. You'd a' thought he owned the place. . . ."

· · ·

The muskrat Shorty saw that morning had just finished his thirty-second ride of the day. The cool water of Spring Creek, clear as pale tea and flecked with bits of sand and particles of dead leaves, drifted past him as he poked his nose out of the stream and gulped a lungful of fragrant air; air that smelled of peppermint and mud, mushroooms and trout.

Muskrat had built his slide near his lodge, on the steep eastern bank of the creek, where the current created a small pool. He had formed a rough chute in the dry earth by rooting at the soil with his nose and scratching out protruding stones with his claws. Then he splashed water from the creek on the crudely shaped runway and began plaiting tough strands of alta fescue grass into the dark mud to smooth the surface.

His first trial run carried him with astonishing speed down into the pool. Still, he felt that he could improve on his design, and about midday he reconstructed the power portion of the chute, adding a curve that provided a heart-wrenching throb of pleasure to the tail end of each ride.

After that, he experimented with any number of ways to make his descent: on his belly, at first, naturally. Then on his back. Then tail first. He even tried standing erect, like a prairie dog on guard duty.

But there are only so many ways to go down a slide, and he was beginning to get a little bored. Besides, it was getting close to suppertime, and so Muskrat paddled over to the side of the creek where there was a little gravelly beach, perhaps a yard long, and thought about food.

These were the salad days. No soggy roots and half-spoiled winter fare. Instead, one could feast on tender cattail shoots and wild oats, the fresh leaves of young cocklebur and ragweed, the sedges that flourished at the water's edge. The watercress was at its prime, the rounded leaves pungent and full of piquant flavor. Dick Eiffort's hayfield lay on the other side of the creek, and while he did not care for alfalfa as an entire meal, the sweet stems furnished a nice change of diet.

So, Muskrat thought about food, or maybe taking one more slide, and of perhaps swimming to the other side of the creek where he could watch the sun sink into the Horse Heaven Hills.

"Helllllpppppp!!!"

The cry was high, shrill, and almost inaudible. But it was a cry, and full of terror. It seemed to be coming from the sky. Muskrat had the odd sense that some pressure was building against him; the air being pushed by a rapidly approaching object.

Then . . . kerwhoom! He saw a fat, purplish creature whizz from out of space and land with a bounce and a slip and a glide right at the top of his slide, showing the form a championship skier might use for beginning a record-breaking jump.

Prunes float. In fact, they float much like muskrats, who lie on their backs, their forearms folded across their breasts and the sun gleaming on their wet, round bellies, poking along with an occasional thoughtless wag of their tail, sticking a hind foot out now and then to dab at the water.

That's the way Prune floated once he bobbed to the surface of Spring Creek after his trip down Muskrat's slide.

Oh, how good the water felt! A current bounced off the shore just upstream from where he landed; it carried him slowly to the center of the little pool, spinning him gently this way and that, giving him a vision of alder and willow branches rotating overhead and a view of flowering plants along the shoreline.

When that purple creature appeared from space and dove into the creek from his slide, Muskrat did what almost anyone would have done, given the circumstances. He took off for more congenial surroundings. He scurried past a cow pie and a clump of Canadian thistles, past a black willow sapling and an ancient hay rake, and finally halted, his heart pounding, behind a screen of dried foxtail.

What had he seen? At first, as afraid as Chicken Little, he hid his head under his paws, thinking that *if* the sky was falling, he could at least give himself the comfort of not watching it happen. He listened, though, and heard nothing but the beating of his own heart. Cautiously, he peeped out. The landscape was serene, full of the quiet shadows of early evening. Nothing was amiss.

But wait! Wasn't there a strange beast in the water:

a small, round, purple creature with one long green arm, doing the backstroke?

Muskrat watched it closely. It didn't seem to be showing a lot of action, lying still except for what movement the current supplied. After a moment or two his heart stopped racing and his eyes started seeing the foreigner differently. It looked like . . . like . . . some kind of fruit.

Then Muskrat remembered an event of the week before. An object, similar in appearance to the one now swimming in the center of his pool, had come bobbing down the creek. It was a prune. Perhaps some boy upstream had taken a bite out of it and then thrown it into the water. Muskrat had nudged the fruit to shore with his nose and forepaws, and after it had warmed in the sun and the golden juices had begun to seep from its flesh, he had eaten it. That prune was, perhaps, the finest treat he'd had all summer.

With an involuntary hop Muskrat crept from behind the foxtail clump. He glanced about. No one was in the pasture, except for two black-and-white Holstein cows cropping grass. The light was leaving the sky, and but for a soft breeze, the air was still. There may have been a bird bobbing and drooping just above the trees to the west. No, he decided, it was probably a leaf that had fallen free and was catching one last drifting flight before settling to earth.

Muskrat was at the edge of the creek bank now, peering down through the tangle of peppermint and forget-me-nots into the pool. No doubt about it. That long skinny green arm was . . . a stem! Muskrat thought about last week's delicacy and a tiny ball of spit formed in his mouth.

He crept down to the water's edge and launched himself into its depths as smoothly as a knife slides into its shield. With scarcely a ripple he swam to where Prune lay. Gingerly, he poked the tip of his nose against the smooth, purple skin. His nostrils flared. Yes! Yes! Oh, it was to be a repeat of last week. He reached out with his forepaws and lightly grasped Prune between them. Then, paddling with his webbed back legs, he headed for shore with his treasure.

What a feast there'd be tonight!

CHAPTER FIVE

When they reached shore, Muskrat rolled Prune up onto a little bed of buttercup leaves. "Now you just dry off and warm up a bit," he half whispered and half sang to himself in anticipation, "And there'll be a feast tonight."

The words ran through his head in a happy refrain:

Dry off a little and warm up a little
  And there'll be a feast tonight.
Dry off a little and warm up a little
  And we'll have a feast all right.
Shake off the water and wipe off the dust,
  Make everything shining and bright.
And when it gets dark and the moon's in the sky,
  We'll have a feast tonight.

"Excuse me, please."

Startled, Muskrat looked about.

"Pardon me, but what's that you're singing?"

It was the prune! Muskrat tumbled into the water

and dove for the bottom. He held his breath and scuttled along the bottom of the creek until he reached the far shore. There he poked his nose out and got a quick breath. He peered out from the sedge and watercress, his mind racing with what he had heard.

"That thing talked! I know it did!

"So what if it did talk? That's not going to keep me from eating it . . .

"I can't eat something that talked to me. What if it called for help all the way down?

"It didn't talk. I just thought it did. Everybody hears voices at one time or another . . ."

Reason finally set in. "Why don't I swim back over there and find out what I really heard?" he asked himself. He slipped back underwater, swam across, and reappeared a foot or two from where Prune lay. Scarcely a ripple betrayed his presence.

The rich, ripe odor of sun-warmed fruit assailed his nostrils. No doubt what lay there.

"Please don't leave."

There was the voice again. Muskrat stared at Prune, hesitated, then moved a little closer, ready to duck back into the water at a second's notice.

Prune tried to reassure him. "Look," he said, "I can understand your surprise. I don't imagine you have strangers dropping in every day. And to be quite frank, I had a different destination in mind, myself." He remembered, with a melancholy twinge, the peaceful orchard.

Muskrat's nose twitched with the delicious odor that wafted into his nostrils. But curiosity prevailed.

"Who are you?" he asked. "What are you doing here?"

"I'm Prune. I live with my family, out in the orchard. At least," he added ruefully, "I did until today."

"What happened today?"

Prune started to explain. "Well, I was picked, and then the wagon broke, and . . ." He spoke in a rush. Then he realized that Muskrat had no idea what he was talking about. "Let me tell it from the beginning," he said, and began the tale of his adventures, stretching them a bit, here and there, as he went along.

". . . And then this giant bird, with huge black-and-white wings and yellow claws, said it would take me back home. It grabbed me in its beak—the edges were like saws—and we took off. We were just in time. Walter and Shorty were throwing rocks at us, and one of the stones narrowly missed the bird, and another almost hit me. We climbed higher and higher, to where the air was cold and thin. And then the bird began having trouble breathing and tried, in its strange language, to tell me something . . ."

Muskrat lay on the warm sand, listening to Prune. He'd never heard anything like this before, and his world, so colorful and full of things to do—sliding and swimming, teasing crawdads in the creek mud, snipping watercress for a salad, trotting down the creek to listen to the gray-whiskered Old Ones as they mused on times past and chewed fennel seeds and swapped stories of Terrible Bob and Shorty the Trapper and Mink and Weasel—seemed suddenly lifeless and drab by comparison.

A vivid memory flashed across his mind. Last spring a Gypsy family of muskrats had swum past his lodge. Among them was a young female with chestnut-colored fur. For a few seconds he'd longed to join them, but timidity held him back. Hearing Prune's story, he remembered that Gypsy tribe—the sleek look of them and the sense of freedom they carried. He remembered, too, the longing he had felt, to be traveling with them, bound for a place unknown.

Prune, meanwhile, had become so caught up in his own narrative that he had begun to seem, even to himself, quite a seasoned traveler. His homesickness, for the moment, had altogether disappeared.

". . . that's the first I've flown, although friends of mine—a family of yellow jackets—fly all the time, and have told me about the sights. But I still wasn't prepared. Why, there was the river—and the packing shed—I even saw the city, glittering in the distance."

He paused, but began again, almost immediately. "There's so much to see. I don't know how I stood it all those days, stuck in that one place. What about you? Have you seen. . . ?"

He paused again and looked at Muskrat, really

looked at him, this time much more closely than before. What he saw filled him with a vague sense of embarrassment.

Muskrat lay stretched out on the tiny beach, his tail hanging limp and still in the water. His head was between his front paws; his whiskers were twitching slightly, and his eyes were shiny, as if he were getting ready to sneeze.

Prune fell silent. The late afternoon sounds, which had retreated during his recital, crept back in: the *crop-cropping* of grass being mowed by the Holsteins; the distant *pachoo-pachoo-pachoo* of a John Deere tractor; the *ooooeeeeoooo, oooo, oooo* of a mourning dove; the murmur and splash of the creek. These and half a dozen other noises slid back into place again; these and a long, drawn-out sigh, which seemed to come from deep within Muskrat.

"Go on," he said. "Go on with the rest of your story."

"There's not a lot more to tell," Prune said. He paused. "The best part is being here, with the creek nearby and the cool grass and someone to tell it to."

He was silent, and the two of them lay there, listening to the twilight sounds. Finally Prune spoke.

"Thanks for pulling me out of the water. I don't know where I'd be by now if you hadn't rescued me."

"It wasn't anything," Muskrat said. He remembered, with a twinge, his earlier plans for supper.

29

And when it gets dark and the moon's in the sky,
   We'll have a feast tonight.

The tune bobbed into his mind. Strange, but it seemed like a very long time ago that he had planned that event.

CHAPTER SIX

Morning. At last. Muskrat opened his eyes and looked about. Sunlight lay like paint on the stiff blades of alta fescue and dried foxtail. A grasshopper whirred by, turning its head slightly so that for a second it stared directly into Muskrat's surprised face. Below him, the stream lapped gently against its banks.

It had been a long and restless night. Prune's stories had filled Muskrat with feelings of dissatisfaction. "I am a failure," he told himself. "Here I am, in the prime of my life, full of strength and engineering ability, and what do I do? Build mud slides! For that matter, I have built only one slide, and that was yesterday. Then I wasted my time climbing up and down it. Or I sit listening to the Old Ones tell about Shorty or Weasel or Mink. I eat too much, and when I'm not eating I'm thinking about eating.

"And then what happens? That stupid Prune drops in and brags on and on about all he's seen and done. He makes me ashamed of myself! I wish I'd have been smart enough to eat him before he began talking."

Such thoughts only made Muskrat feel worse. "See? There I go again. Thinking about filling my stomach —that's all I do. I can't even help out a fellow creature."

He stretched and grumpily padded his way down to the water's edge. He lapped up a few mouthfuls and shook himself. "Brrrr," he said. "Nice and cool." He dipped a paw in and felt the lovely, silky liquid break and flow against his fur. It was too good to resist. With a little welcoming grunt of pleasure, Muskrat slid into the creek and began a morning swim. Tomorrow. Tomorrow, for certain, he'd settle down to some serious work.

For Prune, too, the night had been a restless one. This was his first day away from the family tree. During the evening his courage had never faltered. But when night came, and the air lost its warmth and light, and the stars began to appear, one by one, and Muskrat said his goodnight and crept off to sleep near his lodge, loneliness set in.

Prune remembered then the companionship of his brothers and sisters, clustering near him on the branch, and the soft drone of the yellow jackets, and the evening dust and perfume of the orchard. Muskrat seemed like a pleasant fellow, but a new friend is never quite the same as an old one; only time can cure that.

Besides which, he ached. The end of his stem, where he had been yanked from the tree, was tender. And all the nicks and scratches caused by his travels smarted and stung and itched, so that it had been no easy task to fall asleep.

But now the morning was here. Cows were mowing grass in the pasture, barely moving their massive heads. Sparrows argued over the ownership of a family of sow bugs. The sky was empty of clouds. It was a good time to begin making plans for getting back to the orchard.

Was it really only yesterday that he had left there? Somehow, the last few hours had stretched so much it seemed as if half his life had been lived since that fateful wagon ride.

It was about then that Prune realized the extent of his predicament. As the crow flies, he was only a little ways from home. And yet, half the state of Washington might as well have lain between himself and the family tree, for all the chances he had of returning there on his own.

Prune gave a groan, just thinking about that distance. "I'm stuck here," he thought. "Alone, in a strange place. And with no way to get to where I want to be."

"*Awwwwk. Squawwwwwwwwkkk. Screeekkkkk.*" A sudden blustering of black-and-white wings and outstretched skinny legs interrupted his melancholy. The air beat and shook, and there beside him was the magpie of yesterday, cocking her head in that knowing way of hers.

Prune felt a rush of affection for her. She seemed, in spite of her crusty behavior, like an old friend. She began shouting at him as if he were deaf.

33

"Ahah! Found you! Can't fool Pica. I have very good vision, you know. I thought that was you I spotted last night, but decided to wait until this morning to drop in. Ha! You should have seen yourself when you started to fall. Whoooeeee! Did you move! Well, no broken bones, I take it. You look good as new. . . .

"Ready to try it again? I was really bushed yesterday. Think that's why I ran into trouble. But I feel better this morning. Had a delicious breakfast. Did a little tap dance down by the bridge near that pile of manure, and a crazy worm thought I was his mother coming for a visit. Rushed out to greet me. Surprise! It's Auntie Pica! . . . And of course the fruit's at its peak right now. Eat it off the bush. Had a few rasp . . ." Pica interrupted herself. "Hulloooo! What's this?"

Poor Prune! Listening to Pica, her shouting and bragging, he was having second thoughts about her. ". . . Why, I'd have to be crazy to trust myself to her again," he thought. "I was lucky once, but what's the chance of hitting another Muskrat slide if she gets up there and decides I'm too heavy . . . And what was it she said about breakfast? A worm or two, that seems all right. But fruit? Did she mention raspberries? Who knows. Maybe I'm next . . ."

And yet, he *was* glad to see her. She was so full of bustle and brashness and life that he just couldn't help himself. It was in the middle of these thoughts that . . .

"Hulloooo, what's this!"

Pica was peering down into the stream.

34

"Don't look now, pal," she said, "but there's some wet, brown, ugly thing staring at us from the creek. You know him?"

"Muskrat!" Prune shouted. "It's Muskrat. Come and meet Pica!"

Muskrat gazed at them for a second longer, his shiny brown eyes unblinking. Then he slid back into the stream and disappeared, leaving only a faint hump of water to show where he had been.

"Muskrat! Come back!" Prune shouted. But the little ridged hump continued its way across the pool.

"That was Muskrat," he told Pica. "He built this slide—the one I landed on last night. He's the best fellow. And a wonderful swimmer. But shy. Listen, why don't you fly over and bring him back here so you can meet him properly."

"Say, what's going on?" Pica asked. "This is beginning to sound an awful lot like yesterday. Pica do this. Pica do that. Carry me back to the orchard. Swim over and make friends with a brown submarine. I ask you, 'Who was your slave this time last year?' "

Prune was silent.

"All right! All right! I'm going! But this is the last time." Pica half hopped and half-fluttered her way across the creek, her wing tips occasionally brushing the water. "I'll see if I can locate fuzz face." She began to call as she flew, "Here, Ratty. Nice wet Ratty. Here, Ratty . . ."

. . .

35

When Muskrat reached the opposite shore, he gravely searched for a place to hide. He surfaced in the middle of a low thicket of watercress, peered out, and watched while Pica fluttered and skidded overhead in search of him.

Prune was right. Muskrat was shy. But now, looking at Pica, so brazen and awkward, he felt an odd, tender sympathy toward her; the sort of sympathy that comes from realizing that much of life is lived alone. Not knowing why he did it, he tipped his head out of the water and waggled a paw in greeting.

"Hello," he said.

She did not hear him. He waved his paw a little more vigorously, causing the sprigs of watercress to tremble.

"I say, hello!"

Pica glanced down from her wobbly flight and saw him. "So there you are," she shouted. "Stay there. Don't move. I've got a message from old Prune."

Yellow claws outstretched, she landed on the bank near Muskrat, one wing skidding slightly into the mud that oozed from between the stems of watercress. She righted herself and shook her feathers into place.

"An excellent landing under extremely difficult conditions," she said. "It reminds me of one time when I was up at the Minyon place and two boys with BB guns were trying to pop me down. That was a laugh. I bobbed and looped and ducked. Calling them names all the time, not that they could understand a word of it. I finally landed on an iron spike behind one of those telephone poles. They thought I'd vanished into thin air. I could hear them talking to each other. 'Where'd she go? Maybe I hit her and she's lying dead in the cornfield . . .' Hit me? Not on your life, sweetheart. I love a good challenge!"

She preened at her own success and stalked up and down on the soggy ledge. Then she remembered her mission. "Say," she said, "we've got a mutual acquaintance." She nodded her head to indicate the other side of the creek. "Old Prune tells me you saved his life. Not that I haven't done the same thing myself. Was he in a fix when I pulled him out of the dust yesterday!"

Without a pause, she continued. "But I won't go into that—not that it isn't a great story. But why don't you come on back to the other side and we'll get acquainted. Have a little visit. I'm busy—but maybe I could stay for a while."

Listening to her, a pang ran through Muskrat. ". . . why don't you come on back to the other side . . ." she had said as blithely as if she owned the place. Who did she think she was, inviting him back to his own slide? Why, that was his place! His whole life was tied up with that bit of beach and tunneled lodge. And now this ungainly creature was inviting him to stop by "for a visit!"

"It's *my* place you're talking about!" he wanted to say to her. "You can take that blabbermouth friend of yours and leave, for all I care."

37

And, yet, he *was*, perhaps, lonely. He thought back to yesterday. There had been a kind of desperation in his efforts to fill up the hours. He'd even thought of swimming down to his mother's lodge to see if she would like to come back and admire his work with him . . . anything to share some part of what he was doing with someone else.

He remembered, too, Prune's "arrival"—the excitement and fear, and later, the stories and their awakening in him an awareness of life beyond the little stretch of creek he called his own. He remembered the Gypsy family. Was he to be the only one not headed for some distant place?

"I can tell this bird to leave—and take her friend with her," he thought to himself. "It would be pleasant to be alone again. But then . . ."

All these contradictions and consents, impulses and tremors of anxiety, were rattling around in Muskrat's mind. And the conclusion he reached was: "Yes. I will swim back over to the other side and join you. Yes, why don't you stay for a while, Pica, and I'll see if I can locate some nice fat periwinkles for your breakfast. Yes, it would be fun to show you and Prune the pool and the slide and my tunnels and lodge. Yes . . ."

He thought all this, rather than saying it. And then, embarrassed by his own thoughts, he slipped under water and began to swim back, while Pica lunged her way into the air and flapped eastward to join him.

CHAPTER SEVEN

The best days in the whole world are those that come to the Walla Walla Valley near the end of August. The Horse Heaven Hills are the color of burnished brass, the ripe wheat shimmering under the hot sun; while in the flat lands, the onion harvest has begun, and the air is dizzy and sweet with the perfume of onions waiting in their mesh sacks for the ride into town.

At the farm, the big silver maples stirred slightly in the faint breeze, and the leaves flirted and revealed their pale gray undersides. Bob lay outside the kitchen door, jerking and twitching in his sleep, waiting for Shorty to finish dinner.

Walter and Shorty had borrowed a wheel from the manure spreader and fixed the wagon, good as new. That left the spreader with only three wheels, but no one spreads manure in the summer anyway.

Most of the prunes from that ill-fated load made it to the packing shed and the security of their little tissue paper blankets. Some didn't. They were left lying alongside the lane, pierced with stubble and covered with dust. But, as Shorty said, "No use cryin' over spilt prunes!"

And at the creek, near Muskrat's slide, the three new friends were having a day of it. There had been, at first, a few awkward moments. But then Muskrat had asked Prune if he'd like to take a swim—"I've been in already and the water's fine"—and Prune, remembering yesterday, had readily agreed.

Muskrat nudged him into the water and pushed him out to the center of the pool where several dimpled whirlpools marred the smooth surface. A black willow cast a lacy shade over part of the stream. Grasshoppers tuned up and began a tedious song. Bees droned in the alfalfa. A convention of flies settled down on a dried cow pie and began quarreling about procedures.

"Okay now! Watch this!" It was Pica, shouting at them from the top branches of the willow.

"Crazy bird!" Muskrat laughed. "She's going to knock herself out if she isn't careful."

"Watch now! I'm going to drop this stick"—Pica stretched out a claw and showed them a dried bit of wood clutched between two skinny toes—"and catch it before it hits the water. Whoeeee! You two ought to be paying money to see this! I'm doing stuff that most birds don't even know is possible! Are you watching, Prune? I can't ever tell which way you're looking! Okay. Here goes!"

Pica gave the stick an awkward fling, nearly losing her balance on the branch as she did so. As it tumbled downward toward the creek, she folded her wings to

her side and dropped to catch it. The stick struck the water a good foot ahead of her, and she swept her wings out to check her own fall. But it was too late. She splashed against the creek like a bundle of loose feathers, sputtering and spitting water as she surfaced.

"*Awwwwk!* I hate being wet!"

"Hey Pica," Muskrat called to her. "I thought you were a magpie."

"What do you mean?"

"Well, you look more like a duck to me."

"Funny. Real funny. Here I am, trying to provide you two with a little entertainment, and that's the thanks I get. Well, that's it. The show's over. Cancelled. You want to see any more, you'll have to do it yourself!" Pica struggled to shore and shook the water from her feathers.

"Come on, Pica," Prune said, "Muskrat was just kidding. You're terrific. You got caught in some unreliable air, that's all. Try it again."

"That's okay," Pica said. "It's a tough trick, and I need to practice. But I'll just sit here on the bank for a while, maybe take a little snooze."

"Hey, I've got an idea," said Muskrat. "See that old box end there, lying in the mud? What if I pushed it out to the middle of the creek? You could ride on it and take your snooze out here with us."

"And listen to your 'ducky' comments? No thanks."

But Muskrat was already swimming toward the piece of wood. "Oh, come on. This will be fun." He nudged the board loose and began to push it toward the center of the creek. "See? It's plenty big. Come on, give it a try."

As Prune and Muskrat watched, Pica cocked an eye toward the board. She fluttered aboard and immediately began dancing about, raising a series of waves that emanated out in all directions. ". . . easy now! Easy as you go! There's a purple derelict in the water. Ahoy the derelict! Any sign of life . . ."

Prune lay on his back in the cool water, his crease exposed to the dappled sunlight. This was the life! Why, Muskrat and Pica seemed like old friends. It was hard to believe that he had known them for such a brief time. A vision of the orchard flashed through his mind. He missed it and wanted to return there; and yet, he remembered the vague sense of despair he had felt as recently as yesterday, hanging from the branch with his family, wondering if he was destined to spend his entire life in that one place.

And now look! Here he was, traveling, meeting new friends. Why, who knew what adventures still lay ahead?

"Hey!" Pica was shouting at him. "What's the matter? You deaf or something? Watch, I'm going to take off from here!"

Balancing herself on the wooden rectangle, Pica gave a hop, flapping frantically as she did so, her left wing just touching the edge of the water, and with a croaking whoop of delight, was airborne. Prune watched her lazily as she circled higher and higher. At last she was no more than a dim speck moving unevenly across the sky.

Muskrat was watching her, too. But now he floated on his back over to Prune. "Isn't she something!" he said in approval, splashing water on his brown belly.

He glanced at Prune, then looked again, more carefully. "Say, you're getting a little red. Maybe we ought to get you out of the sun. You've been in the water for quite a while."

He waggled a hind leg in the water and ruddered with his tail until he was close enough to Prune to catch his sweet, tangy odor. Gently he began edging the two of them toward shore, talking while he pushed.

"Can you imagine being anywhere but here on a day like this? Outside, and on the creek? I know a mole who lives out in the pasture. He spends every day building tunnels. Not that I have anything against tunnels; I've built a few of them myself. But to lock yourself up, day after day, building another tunnel just because you're expected to—it doesn't make sense. No, outside is where we belong. Outside, and free, and on the creek!"

Muskrat hesitated. What he had just said sounded pretentious to him. And yet, it seemed important to say it.

Embarrassed, he interrupted himself. "What about it? Think you've had enough for now? We can come back later."

Prune realized that he *was* feeling warm. He'd never

spent any time in the water before. Oh, there had been the occasional showers, usually followed by a stiff breeze that dried the trees almost immediately. But being in the creek, on a bright August afternoon, even with shade scattered about, wasn't quite the same.

"I probably have had enough for one day," he said. "If you'll just give me a little shove, I'll head in to shore; maybe even take a little nap."

Muskrat gave a push, and Prune was sent spinning toward shore. Suddenly deep in the water beneath him, he saw a shadow gliding past. Before he was even sure he saw it, the shadow was gone. No! There it was again.

"Muskrat!" he called. "There's something in the water. It's right beneath me. There! There it is again!"

Muskrat swam toward him and peered down. He raised his head and laughed. "That's Trout. He lives up at the head of the pool, where the big log lies across the creek. You needn't be afraid of him. He's not after either one of us. Now, if we were summer gnats, look out! That would be a different story."

"He looks dangerous."

"I suppose he is. But he's one of us, all the same. Shorty, Walter—they're all out to get him. Just like they're out to get Pica. And me. Shorty got my father last fall, and he was one smart muskrat. I didn't think any trapper could fool him."

They were almost to shore by now. Muskrat continued, ". . . Old Trout, he stays for the most part by himself under the log where the creek tumbles down that chute and mixes air with the water. He likes that. He comes out to feed and get a little exercise. That's the only time we see him."

A giant bumble bee droned by, stirring the air with his passage.

"Muskrat?"

"What?"

"Does that scare you—to know they're after you?"

"Oh, I suppose so. But the way I look at it, there's no use spending my life being scared. Besides, they couldn't catch me. I can hear them long before they're in sight. Even Shorty. And he's the big trapper. At least, that's what he thinks."

Muskrat chuckled. "No, you'd have to do something pretty stupid to let yourself get caught."

"Like what?"

"Like—oh, I don't know! Get yourself in a spot where there isn't any way out. No place to run and no place to hide. Other than that, there's not much to worry about."

They were at the shore.

"Here, let me give you a shove up the bank," Muskrat said. "I can't imagine what's got into me. I'm rattling on like the Old Ones. Tell you what, maybe I'll take a slide or two. By that time Pica ought to be back. She's been gone for some time now."

Muskrat was right. It wasn't long before Pica dropped down through the foliage, skidding to a stop a few feet away from them. While Muskrat and Prune stretched out on the beach, she strutted up and down on the turf above them, scratching for red ants.

"You two should have been with me," she bragged. "Things are back to dull normal at the farm. They fixed the wagon so old Dapple is back at work again." She paused in her efforts and glanced at Prune. "Say, kid, you've got yourself a lulu of a sunburn there. Does it hurt?"

Not waiting for a response, she continued, "I heard one of the pickers say they're nearly finished out at the prune orchard. They'll be starting the apples after that..."

Prune tried to attend to what Pica was saying, but her question to him had reminded him of his discomfort. All those little scratches and nicks and cuts, together with the sunburn, were beginning to sting.

"... I heard Walter say that prunes may sell for as high as a hundred dollars a ton. How's that make you feel, kid? Being worth so much, I mean. Of course, they don't pay you that for just sitting in a bowl and looking pretty. Uh-uh. They invite you over to supper, and you leave with them. Hah!"

"Come on, Pica," Muskrat said. "Prune's got a sunburn and doesn't feel so good. That kind of talk doesn't help."

"Yeh, you're right. Sorry. That is one heck of a burn. Tell you what, I'm going to take off for a while, see if that worm I met this morning has any relatives. Why don't you two get a little siesta time in. I'll see you later this evening. We can sit around . . . maybe Prune will tell us a story. There's going to be a full moon."

Prune brightened. The sunburn didn't hurt all that much. "That's a grand idea," he said. "Maybe you'd like to have a little supper, too, Muskrat. Me—I'll just sit here and listen to the creek and watch the sunset and think of a story to tell."

CHAPTER EIGHT

The first light of the evening moon outlined muskrat, stretched out on a bed of gravel, enjoying the stones' warmth. He'd gathered a few sprigs of clover to make a nest for Prune, who lay near him. Pica, restless as ever, strutted up and down on the creek bank.

"Boring!" she muttered. "Here I thought we were going to have a party. But you two act like all we're supposed to do is meditate on moonbeams. Come on, I want a little action!"

Muskrat shifted his position. "You're right," he said. "I'm worn out. But I did think we were going to hear a story. How about it, Prune?"

Prune had been looking forward to the evening. He had even thought of an old tale from the orchard he could tell. But now he felt his confidence oozing away. He remembered yesterday, when he had been so boastful, knowing everything. Tonight, by comparison, he felt timid and stiff, as if he were with strangers. And the story was all wrong. He should have chosen something else.

He surprised himself, then, by saying, "Yes, I did have a story. If you want me to, I'll tell it."

"Hey, that's more like it!" said Pica. "Okay, kid, I'll hop down beside you two and give a listen."

When they were settled, Prune, using the elegant, old-fashioned words he had learned by heart, launched himself into the tale:

Once, long ago, when dragons lived in the Horse Heaven Hills and Dapple's ancestors ran free, a family of yellow jackets built their home in the branches of one of the great trees that held the world together with their roots.

Pica cocked her head and gave Prune an appraising look. Whatever else you said about the kid, he sure knew how to start a story! Muskrat wriggled his belly against the round pebbles and moved closer.

In those days there were only a few families in the world. There was the muskrat family. They were brave fighters and skilled builders, who lived much as you do now, Muskrat, spinning out their lives along the creek banks and shores.

And there was the magpie family. They were brilliant birds, with gleaming black-and-white feathers. They wore gold on their claws and beaks and glittered in the sunlight as they raced across the skies.

.　　.　　.

(Of course, neither the muskrat nor the magpie family was included in the original story. Prune "threw them in" to get his listeners' attention.)

The prune family—my family—sprang from the Great Mother Tree who stood in the center of the orchard. From her, trees marched off in every direction, dark-leaved in summer, gray-limbed and bare during the long winter months.

And there were the humans. They had been put on earth to tend the trees. During the winter months, while the orchard slept, they cut away dead branches with their sharp knives and removed the old trees and built a great fire of them to celebrate their return to the eternal forest.

During the spring and summer, the humans tilled the earth, and in the early fall they carried away the young, like myself, when it was time for us to enter the unending world that lay outside the orchard; St. Louis, Baltimore, Missoula, Boston. . . .

Pica snorted. "Ha! kid, I don't know where you got your facts, but you sure tangled them up. If you think humans were put here to take care of a bunch of trees, you've been out in the sun too long. Fried your brain."

"Hush," said Muskrat. "It's just a story. Go on, Prune. Tell us more."

Pica's remarks caused Prune to hesitate for a minute.

But the story already had him in its grip, and he went on:

One day, early in the summer, a new family moved into the orchard. First came the warriors, darting this way and that. The trees stood still and silent, watching them. Fierce as they appeared, something told the trees that the newcomers meant no harm.

Following the warriors the entire family arrived, yellow jackets flying in formation, flashing like a comet in the sun. They explored row after row of trees, chanting as they flew. At last, as if satisfied, they swarmed around a branch of my parents' tree. It was a thick branch that hung well above the ground and was half-shaded by leaves.

At a command from their queen, the workers began to weave bits of grass and bark into fine, silvery tissue paper; and with this paper, so the Old Ones say, they built their house.

Prune paused for a moment in his narrative. He had thought that he had no more than two or three minutes of story to tell. Now he knew better. And, too, he was remembering the orchard and realizing how much he missed its order and cool grace. He tried to shift himself so as to relieve the pressure on his sunburned skin. But of course that was impossible. He couldn't budge. Well, it didn't hurt too much, he supposed, now that the air was cool. He picked up the story again:

. . .

Days passed. It was deep summer finally, and the young prunes were talking to one another of the journey to be made. It had been a good summer. The rust mites and aphids were scarce, for the yellow jackets despised them and attacked them whenever they dared to appear.

The humans were often in the orchard now, hoeing out thistles, or mowing the grass and weeds. Sometimes they would stop beneath a tree and move the leaves aside to show off the young. There'd be rustling discussions. Late in the summer, agreement was reached: the time was near for the young to leave.

Wagon loads of empty boxes were carried into the orchard and placed beneath the trees, ready for the young to enter. At night, when the humans had gone for the day, the young prunes talked among themselves. What would the journey be like? Would there be other servants waiting for them? Would they stay in the pine boxes for the entire trip? At last, one prune dared to ask the question all of them had in their minds. Were they afraid? Yes. Yes, they were afraid; afraid of being yanked from the parent tree. But afraid, too, of not being chosen to go.

During these discussions, the parent trees stood silent. Rooted forever in one place, they felt a little envy for the young. Their own lives were without surprise, spring following winter, summer and then fall, year after year.

And then, one day, the picking began. The humans strapped on gray canvas bags and climbed high ladders. The fruit was torn from the branches and dumped rudely into the boxes. The pickers shouted and yelled at one another as they worked.

Walter was picking. And so was Shorty. They were little humans at the time. But they wore their picking sacks and carried their ladders, just the same. They shouted and sang, and sometimes one of them would throw a rock at the other.

Now the two of them moved to my parents' tree. Walter set his ladder near the branch where the yellow jackets had their home. He climbed up and began to pick.

The yellow jackets had grown accustomed to the sight of humans over the summer months. But this was different. These creatures were climbing around in their home tree.

They sent out a scout to see what the commotion meant. When the two humans showed no sign of leaving, a platoon of warriors flew out to warn them away.

That was when they were first noticed.

"Yellow jackets! Yellow jackets!" That was Walter, calling to Shorty. "They're all over me!"

He jumped down from his ladder and hurried off to find John, his father. It wasn't long before all three returned and stood for a few minutes, looking up at the yellow jackets' home, the warriors circling it in the sunlight. John mumbled something to Walter and Shorty, and the two of them moved their ladders to a row some distance away and began picking again.

The orchard settled back to a lazy summer drone. Occasionally one could hear pickers shouting to each other, or catch the clank of iron wheels and the creak of leather as another load of prunes was hauled to the packing shed.

The yellow jackets waited for something to happen. But no one came by. They sent exploring parties out to other parts of the orchard, but all the pickers were far away and had apparently forgotten them.

The sun began to set, and the trees could hear the humans as they trudged down the lane toward home. Everyone began to feel that perhaps now they would be left alone.

The young prunes on the yellow jackets' tree were miffed. They had looked forward to their adventure. They spoke sharply to the yellow jackets. "See what you've done," they said. "You and your silly showing off. You've ruined our chances for seeing the world!"

The trees shushed them, and at last the prunes fell into a sulky silence. Evening came, and the sky grew dark.

It was then, so the Old Ones say, that the first bobbing lights could be seen, far away at the edge of the orchard. It was John and young Walter and Shorty and one or two others, all carrying torches.

When they reached the tree, John shone his light up among the branches where the silvery house hung. "That's the one, all right," he said. "And it looks like all them rascals are tucked in for the night."

He took a long sick with rags wrapped and tied

around one end and dipped the rags in a can. "Kerosene," he said. He struck a match, and the soaked rags flared and black smoke curled skyward.

"Now," he said, "we'll show them fellows who's boss!"

He thrust the torch up into the tree so that it just touched the paper structure. The leaves shriveled, and the bark on the branches tightened and blistered from the heat.

Now the black smoke began to drift up into the house itself, and the flames licked at the paper. From inside one could hear the first faint screams of the—

"No!" said Muskrat. "Don't tell any more. I don't want to hear it."

"What do you mean?" Pica said harshly. "This is what I've been trying to tell you two all day. Humans are crazy. It's that simple. Walter's still like that. Remember yesterday? He and that dumb Shorty were trying to bounce stones off us like we were targets at a rock-throwing contest. Go on, Prune, finish the story."

"But why finish it?" said Muskrat. "We know how it's going to end."

"We don't know," said Pica. "And besides, maybe it will wise you up a little. Go on, Prune. Tell the rest."

Muskrat shifted his weight and muttered to himself. "Crazy bird. Thinks she knows everything! . . . Oh, all right, Prune. Go on."

Prune had barely heard their exchange, so deeply engrossed had he become in his tale.

. . . *The trees could hear the screams and humming inside the nest. The yellow jackets were trying to escape. But the house was filled with smoke, and when they reached the doorway, the flames burned their wings off, and they fell, spinning and buzzing, to the dusty ground.*

When they were all dead, John beat at the house with the torch until it broke into a thousand flaming pieces, some floating up into the sky, while others dropped blazing to the ground.

Finally John stopped. "There," he said. "I guess that'll show them who owns this place!" He snuffed out a few fiery remnants with his heel and, holding his torch high in the air, marched off into the night, young Walter and Shorty and the others tagging along behind.

Prune's voice ceased. The story was ended.

CHAPTER NINE

Pale stars burned overhead. From the creek the three friends could hear the soft murmur of water. In the meadow, cows chewed their cuds, the sound crisp and ruminative.

Muskrat shivered. The night seemed, suddenly, chill and lonely. He spoke. "Why did it have to end like that?"

In the past, when Prune had heard the Old Ones tell the tale, he had taken it as it was meant to be taken—a story, cruel, perhaps, but no more than that. After all, yellow jackets still danced in swarms through the orchard, and his parent tree, where the burning had occurred, stood tall and strong. There was, if one looked closely, an open place in the foliage along one side, as if a branch had been removed. That, it was said, was where the nest had been.

But now, for the first time, he was looking at the story in a different way; instead of its being something that happened long ago, or never, it seemed real and immediate. And there were dark and terrible mean-

58

ings he'd never felt before that the story started up inside him. He tried to push those feelings away now, with words.

"I don't know, Muskrat," he began. "When I heard the story in the orchard, it sounded different. But now . . . the yellow jackets . . . Walter . . . even John! It's as if they couldn't help themselves; as if something inside them made them act the way they did."

"Look," Pica broke in, "I'll tell you what the story means, since you're too mush-minded to figure it out for yourself. They're out to get us. That's all. Plain and simple. There's not a living creature that's safe from the humans. They're crazy. Animals don't treat each other that way. Sure, I've swiped an egg or two in my life, but that's different. A bird's got to eat. But I'm not about to play war games with every chicken that waddles out of the henhouse. The same's true for Muskrat. He's living his own life here, not bothering anyone. A little alfalfa, a little fescue, to fill in around the watercress and cattail roots. But can you imagine Muskrat, trap in hand, trying to put the kibosh on Shorty? '. . . Got me a great Human today—a little undersized, but not a flaw when I skinned him out. Hear they're paying three-fifty for nice pelts this year . . .' Not on your life!"

"But you can't compare them with us, and you know it," said Prune. "I haven't been around the way you have, but I've heard them talk in the orchard, and the humans *are* different. They don't think like the rest of us. They 'own' things, whatever that means.

59

And besides—and I'm not blaming you, Muskrat—
I know you had in mind to make a meal of me yesterday. Now isn't that so?"

Muskrat dug his nose into the sand and gazed at
Prune, his black eyes reflecting the starlight. Slowly,
in the darkness, he nodded his head.

Prune continued. ". . . and Muskrat's not bad. It's
just that, when he didn't know me, it was all right to
make a meal out of me. It was only when we began
to talk to one another that it became wrong."

"I could point out holes in your logic that even
Walter could hit with a rock, but I won't," said Pica.
"That's all right, kid. You told a good story, and I'd
like to thank you for the telling. Now it's off to the old
tree for me. I'm going to turn in."

"Listen, Pica," said Muskrat, "why don't you spend
the night here, with us? That willow has some likely
branches you could roost on. I'll sleep out, too. That
way it'll be like a party." Muskrat blushed. It seemed
cheeky, suggesting that Pica stay over, but he hated
for the day to end.

"Well, I don't know," Pica said. "I've got my own
tree, know where everything is. And I was planning to
see a jay at sunrise; he said he knew a cornfield that
was coming on towards ready."

"Stay," Muskrat insisted. "Just this once. Leave
early in the morning if you like. But it's been such a
happy day—"

"Yes, stay," Prune interrupted him. "I feel the same
way. It would be nice if you weren't going now. And

besides, tomorrow I'm going to be on my way, too. So this is our last chance to be all together."

There were mutterings and grumbled reasons as to why she had to go, but in truth, Pica was glad to be asked. Finally, with a sigh or two to let them know how complicated they were making her life, she hopped her way up to the lower branches of the black willow tree, shook her feathers back onto her collar bone, and settled down to roost.

Muskrat, too, was settling down. He raked a bed in the warm sand and carried in a few mouthfuls of dried grass to line it. Then, after padding down to the creek for one last drink of cold water, he stretched out a foot or so from where Prune lay.

The night was still now. Still and luminous, with the moon carving great slabs of light from the packing shed, far away.

"Prune?" Muskrat asked softly. "Are you awake?"

In the stillness Prune's voice was thin and faint. "Yes. Why?"

"Oh, I just wanted to talk to you. You know, I've never had a day quite like this. It seemed so . . ." He hesitated.

"So what?"

"I don't know exactly." Muskrat paused, trying to put it all into words. "It was such fun, having you and Pica here. And the creek, and the raft, and the story— even if it was sad—anyway, thanks."

"You're welcome. But I'm not sure what for."

Muskrat snuggled into his bed, the soft grasses gentle against his fur. Sleep was overtaking him fast now. He dreamed a quick flash of a dream—a vision of a great black stone, with a deep hole in its center, and the hard morning light coming up behind . . . but it was gone as quickly as it had come.

"How's your sunburn?" he asked, his voice thick with drowsiness.

Prune, too, was nearly asleep. "Not so bad," he mumbled. "It hardly hurts at all."

From above them Pica muttered, "Would you two kindly pipe down. A lady needs her beauty sleep."

"Sorry. 'Night, Pica . . ."

" 'Night, Prune . . ."

" 'Night, Muskrat . . ."

" 'Night . . ."

" 'Night . . ."

CHAPTER TEN

The creek was hushed and sullen, except for the current tugging at a piece of cardboard wrapped in string that a submerged twig had snagged. The air was still, and heavy clouds quilted the morning sky. There'd be rain later, probably.

Muskrat stretched and opened one eye. He sniffed, catching a sharp, pungent odor. He looked at Prune. Was his skin sagging? Maybe it was just the bad light.

Up in the willow, Pica fluffed out her feathers and began combing herself with her beak. She looked down at them.

"Hey, kid, you awake?"

"Uh-huh." Muskrat's voice was resinous and full of sleep.

"What about the World's Greatest Storyteller?"

"I think he's still asleep."

"No I'm not."

"You sleep okay?"

"Uh-huh," Prune answered.

The fact is, he had not slept well. Last night's story

had run back and forth through his mind like a worn-out trolley, bumping along, nudging memories. And his dreams were chaotic, filled with dragons and the hum of yellow jackets, black smoke, sharp talons outstretched across the sky, dusty foliage . . .

He itched. And his body ached. Something was happening to him inside. He could feel it. The odor Muskrat had noticed was a part of those changes.

And the party was over; that added to his gloom.

"I dreamed a lot—crazy dreams." He didn't want to think about them. "How's the weather?"

"Terrible," said Pica. "Feels like the middle of November."

As if proving her statement right, the air took on a sudden chill, and a sour wind blew across the meadow and ruffled the waters of the creek.

"Brrr." Pica shook herself. "I can't believe this stuff. Think I'll see if I can find myself a corner to curl up in and wait it out."

Spreading her wings, she made an awkward swoop toward the ground, where the wind lifted her like a kite until she was fifteen or twenty feet above them, circling in the thick morning gloom.

"So long, sweethearts," she called. "See you later."

"Wait!" Muskrat called after her. "I want to say something."

Pica circled again. "Say it," she said. "But hurry. I can't hang around here all day."

A thought had been forming in Muskrat's brain, a

thought with no sense to it. Now that thought took shape, and he shouted it to Pica, climbing and circling, ever higher in the nasty air.

"We've got to take Prune back!"

No carburator trouble this time. Pica's flight had never been smoother. Another circle. And then, from far above, Muskrat thought he heard her squawking retort.

"What?"

"We've got to take Prune home! Home to the orchard!" The wind picked up Muskrat's voice and flung it, along with bits of dust and dead grass, back onto the ground.

There was a nick in the rough rhythm of Pica's flight, followed by a scrunching together of wings, as if an umbrella were collapsing. A dusty black parcel dropped through the air, and wrinkled claws stretched to meet the earth. A fierce eye, the color of field corn, gazed directly into Muskrat's mild face.

"We? Did I hear the word 'we'? Did I hear that word attached to some other words, such as 'have got to'—not to mention some other words I choose not to identify?"

She was formidable. But Muskrat knew he had no choice.

"That's right," he said. "There's no other way. We've got to take Prune back home."

"You've got to be kidding! Do you realize how far it is from here to the orchard?"

Silence.

"Well, let's put it this way. What's the furthest you've been from here in your entire life? Away from the creek? Eiffort's alfalfa patch—where you do a little borrowing now and then?"

Muskrat nodded; slowly, reluctantly.

"Halfway through the alfalfa meadow there's an irrigation ditch. Have you been that far?"

Shaking of head. No.

"Beyond the irrigation ditch there's more alfalfa. And past that there's a cow pasture. That's open space, with a patch or two of russian thistles, and some black-and-whites wandering around, chomping grass. Then there's the lane, where the wagon broke. The dust there would come up to your shoulders. Unless it rained. Then we're talking mud—the gooiest mud you've ever seen. And from there, it's bare dirt until you get to the orchard. Oh, there's a few rocks for throwing—if Walter happens to wander by.

"And supposing you get lucky and happen to make it as far as the orchard. How do you propose picking out the right tree from about two thousand of them? No way. It's not a good day for travel."

Pica shook her head. She had so convinced herself that now nothing could change her mind.

"Besides which," she added, "how's our wingless and legless companion going to travel? We can't exactly march down the road together, if you know what I mean."

Muskrat felt stupid. He hadn't had time to make a plan. All he knew was that, one way or another, they had to get Prune back home.

"I don't know how," he admitted. "I thought maybe . . . you could carry him. I'd walk along beside you to help out. . . . I could dig bugs for you."

"The answer is 'No!' "

"Last night you said . . ." Muskrat's voice trailed off.

"Last night I said what?"

"You said that animals have to help each other. And that goes for Prune, too, even if he's not an animal."

"I can't believe this. In the first place, that's not what I said. What I said was that animals were different from humans because animals mind their own business and don't go around bothering each other. Apparently I was wrong, because you're not minding yours, and you're bothering me. But that's not going to stop me from minding mine. Good-bye!"

One last fierce glance from the yellowed eye. With an ungainly spring, Pica flung herself into the sky, just touching Muskrat with the tip of her right wing as she did so. He could feel the soft darkness of her feathers against his furry cheek, and then she was gone.

Prune had barely listened to the two of them. It was as if they were arguing over some object. ". . . Take this lump back." "You take it." "No, I don't want it." "It's your lump . . ."

He tried to think what he did want. The orchard,

he supposed. He remembered it as it had been, the murmur of leaves, his family clustered snugly around him . . .

He looked up. Muskrat, his fur roughened by the wind, stood over him, gazing at him as if he had asked a question and was awaiting a reply.

"Did you ask me something?"

"I've made a mess of things," said Muskrat. "Here I am, making plans for taking you back to the orchard. For all I know, maybe you don't want to go. And you heard what Pica said. And now she's gone. So even if you do want to go, there's no way to take you."

Prune hadn't thought of that. Now that he couldn't go home, suddenly it seemed the most desirable place in the whole world. He looked about him. Was this the way his life would end—here on this lonely shore?

And what was it Pica had said. ". . . your wingless and legless companion." How he envied these creatures their fabulous abilities! They walked and flew and dug and scurried about, while he was forced to lie motionless until someone chose to move him. It wasn't fair!

"Wait! I've got an idea!" Muskrat stood up suddenly, gazing off as if he were picturing something far away.

"What is it?" Prune asked dully.

"I've spent a lot of time building things," Muskrat began. ". . . that slide over there. And my lodge. Once I rigged a way to haul cattail roots to my pantry. Anyway . . . see that thing buried in the mud?" He pointed.

Prune looked. The "thing" was an old red plastic cup, the sort that fits on the top of a thermos bottle.

68

Muskrat continued. "It came floating down the creek a while back. I didn't know what it was, but I pulled it out and shoved it up on the bank. I figured that some-day I might have a use for it."

"Like what?"

"Suppose . . . I rolled it over here, and you got in-side. Then I could push, and . . ." Muskrat remembered Pica's description of the distances that lay between the creek and the orchard. His voice wavered and faded. "Well," he said lamely, "it was just an idea."

"Look," said Prune. "Don't worry about me. I'll settle down here, if you don't mind. Put down roots. Joke. Ha Ha! who wants to get stuck in an orchard, anyway. All that regimentation. Straight lines. Every-thing by the numbers. No, that's not for me. I'll be fine right here."

Muskrat looked hard at Prune. Something was wrong. The words didn't ring true. He scurried over to the cup and began to dig around it so that in a few minutes it was free. Then pushing it with his nose, he toppled it into the creek and washed the grime away from the red plastic. When the cup was clean, he nosed it back to the bank and shoved it up to where Prune lay.

"See?" he said. "It's not bad. Try it."

"Prune hesitated. "Well, all right," he said. "But it sounds crazy to me."

Muskrat tipped the cup over on its side and nosed Prune in. He clipped a few bits of clover and dropped them in around him. "Padding," he said. Another push and the cup was upright again. Clutching the edge with his paws, Muskrat peered inside. "How is it?"

"Nice. Very nice."

"Well, then, what are we waiting for?"

Muskrat shoved his nose against the cup and inched it forward. They were on their way.

CHAPTER ELEVEN

That first push taught Muskrat two things. First, with Prune's added weight, the cup didn't slide across the ground, as easily he'd expected. Second, with the cup in front of him, all he could see was an expanse of red.

He pushed again. They moved forward another inch or two. Again he shoved, and again. He stopped. His nose hurt from the pressure. Swirling dust stung his eyes. He looked behind him at the bent grasses marking their trail. They had come no more than the length of his own body. Even so, he could see that they weren't moving in a straight line.

Muskrat raised himself so that he could look inside at Prune, lying in his nest of grass.

"How's it going?" Prune asked him.

"Not so good. We're going to have to figure out some other way. It won't work as I'd planned."

"What's the matter?"

"It's too slow. By the time I got you back to the orchard, it would be next summer. And pushing like that hurts my nose. Besides, I can't tell what direction

71

we're going. We're going to have to think of some way where I can be in front, instead of pushing from behind like this."

Prune was silent. The two of them could hear the melancholy sound of the wind overhead.

"Muskrat?"

"What?"

"You remember that noise we heard in the creek this morning, where something was caught on that twig? I think that's what the humans call 'string'. I've seen Walter tie bits of paper on boxes with it. I was wondering . . . maybe we could do something with that string . . ." Prune's voice trailed off uncertainly.

A mote of dust flew into Muskrat's eye. He thought with longing of the cool dark recesses of his snug lodge. There he'd be out of this wretched weather. Why did he have to get stuck with this goofy task? Pica was probably half a mile from here by now, laughing at them both with some of her crazy friends. And here he was, trying to be the big hero!

Then something Prune had said stuck in his mind.

"Wait a minute . . . what was that you said about how they fastened things together? We could do that. If I tied the string here"—he nodded toward the cup—" then ran some out front, I could pull you!"

Muskrat made a dash back to the creek, dove in, and was soon back with the soggy cardboard. He unwound some of the string and began poking a length through the cup handle. "Better give us a little more than that," he muttered to himself. "We want to have plenty." He clipped the string with his teeth and doubled it back so a line ran out from either side of the handle. "There!" he said. "Now let's see what happens."

He seized the string between his strong teeth and gave a sharp tug. The cup slipped somewhat more readily now across the ground. It was better; easier, certainly, than pushing from behind. But holding the pieces of string beween his teeth pulled his head to one side; this, too, was going to be tiring.

Doggedly, Muskrat pulled again, and again, until he had moved the cup forward perhaps three or four feet. He looked back at where they had been. Smoothed down, the grasses and brittle alfalfa stems marked the path his body, followed by the sliding cup, had taken. "At least it's a little straighter!" he thought to himself with some satisfaction.

He looked ahead now, in the direction where he thought the orchard lay. What if they were going the wrong way? They were on the west side of the creek, though, and from time to time the wind carried fragments of sound to him: the whicker of horses and the creak of wagons, human voices, the clatter of ladders being moved. No, he was right. The orchard must be over there somewhere.

What was it Pica had said? Something about an irrigation ditch halfway across the alfalfa patch? They could go that far, at least. He could scout ahead from there. Maybe find the pasture. They'd just have to take one field at a time.

He tugged again. His teeth ached from the pull of

the string. He stopped and glanced behind him. They'd come perhaps twenty feet. The trail of flattened grass appeared to be reasonably straight. Some progress was being made. And now they were well into the alfalfa, where the desolate wind was muted slightly.

"Muskrat?"

"Yes?"

"How's it going out there?"

"We're making some progress. My teeth are aching a little from the pull. But I'll get used to it."

As if to prove his statement, Muskrat seized the string, and once again the march began.

He hadn't gone two feet when he heard Prune's voice behind him. "Muskrat?"

"What?" Muskrat had to let the string drop to answer. He felt the first twinges of irritation.

"I just remembered something. You remember me telling about the pickers out in the orchard? They wear things they call sacks, with big strings hanging over their shoulders. I was wondering if you might do the same thing with the string. That way you wouldn't have to hold it between your teeth."

It's difficult to grasp what a harness is if you've never seen one or used one. But Muskrat tried. He separated the two strings and studied them. He saw that they would have to be tied, somehow. He could do that; he'd woven grasses and strips of willow bark together from the time he was a young kit, building nests and cozy places for himself.

First he tied the two ends of string together and

tried pulling the cup with the new harness around his neck. But the string cut like a knife, making it hard to breathe.

What if he tied each string by itself into a loop, then thrust his front legs and paws through, and wove another piece of string across the front so that his chest muscles could do the work? He tried that, and when the rough harness was completed, slipped himself into his new contraption and began to pull.

"Hurrah!"

The weight of the cup was well distributed, and the lines moving across his back from either side made his load much lighter.

"How's it going?" Prune shouted at him.

"You're a genius! We're in the moving business. How's it back there?"

"Fine. But I don't like it that you have to do all the work."

"Don't think about it. It gives me a chance to break out of my routine a little."

Saying that, Muskrat settled down to pull, inching his way across the alfalfa field, heading always in the direction of the orchard noise.

A few scattered drops of rain fell, and then the sky began to clear. The wind still blew, but in one way the cool weather was welcome. Pulling the cup was hard work; a clod of earth, a clump of alfalfa, a tangle of alta fescue—all impeded their progress.

At one point the earth beneath them collapsed, and

Muskrat felt a stab of pain, as if he'd pulled a muscle. He heard a muffled curse from below and realized that he'd stumbled into a gopher mound. He yanked his leg and paw free from the soft loam and moved to one side just as a sleek dark head popped out, shaking in anger.

"What's going on out here?" the gopher demanded.

"Sorry," Muskrat apologized. The last thing he wanted was for someone to spread the tale of their travels. "I was just passing by. I didn't mean to mess up your place."

"Oh, it's no big thing, I suppose," the gopher said. "I'm just a little edgy, that's all. Maybe it's the wind. Where you headed?"

Muskrat tried to evade the question. "Uh, just over past the lane a ways; the orchard," he finished, lamely.

The gopher hesitated. He had recognized Muskrat as one of the River Folk. While he'd not seen any of them before, he remembered a description he'd heard. Still, it wasn't often that strangers passed his door, and the sight of an animal, somewhat like himself, wearing a tangle of strands and pulling a human object, was sufficient to arouse his curiosity.

He nodded toward the cup. "What's in there?" he asked.

"Oh, I'm helping a friend." Muskrat realized how vague his answer must seem.

"The orchard, eh?" I've heard of it. Good dirt there, they say, nice and soft. But those crazy humans are there all the time, running around with their pachoo machines, tearing up the place. I have cousins there. Who's your friend? Maybe he knows them."

"Actually," Muskrat tried to make his answer sound diffident, "he's a . . . prune."

"A prune?" The saliva stirred beneath Gopher's tongue. A prune? Aren't they the . . ."

"That's right. They're fruits," said Muskrat. "But this one's different. He can talk."

Muskrat didn't like the way the conversation was going. He was bigger than Gopher and knew that he could defend himself if it became necessary. But he didn't want to stir up trouble; and, too, he wasn't sure how many of Gopher's family were around.

"Well, we've got to be on our way," he said quickly. "We've a long ways to go. Tell me, is there an irrigation ditch ahead of us?"

Gopher was remembering the sweet tang of fruit, and there was an odor in the air that told him Muskrat's friend was indeed one of the golden-meated ones. But he was a tunneler, with digging to do, and little desire for combat.

"Yes," he said, pointing with his snout in the direction in which they were heading. "The ditch is that way. And I wouldn't waste any time getting there, if I were you."

"Why is that?" There was something ominous in the gopher's remark.

"I shouldn't worry you, I guess. But three or four

times every summer one of the humans comes in here with a big pachoo machine to cut the alfalfa. And sometimes a crazy dog they call Bob comes with them."

Muskrat remembered having heard, at the creek, the clatter of the machines the gopher was describing. Then their noise had been muffled by distance. But it had been many days since they'd been here.

"You think they might be coming soon?" he asked.

"I'm not sure, you understand. But I know this: when the alfalfa gets those dark blue flowers—that's when they show up. And look!"—he pointed to a few blooms—"You see what I mean. You've probably got a day or two. But don't waste any time. And if they come, dig. Dig like you've never dug before. And dig for your friend, too. Dig deep, so the machine can pass over you. Dig, so Bob won't catch your scent."

There's a genuine bond among animals whenever they speak of man. Gopher was feeling that bond now, so strongly that the thought of the treat that lay in the cup had been put out of his mind.

"You'll be all right," he said. "Just don't panic. That's the worst thing. My brother panicked. He had a great layout, with a nice deep system of tunnels he'd built and a good supply of roots, all dry and cozy. He could have holed up for a week. But he panicked. When the machine came, he ran right into its teeth."

Gopher shuddered. "Good luck," he said. He popped back into his hole and was gone.

Muskrat shook himself. Gopher's words had frightened him badly, much as he disliked admitting it. The dim voice of the tractor in the distance suddenly seemed louder to him. Was it coming this way?

"I've got to get a grip on myself," he thought. "I can't panic just because of what some stranger said. We're as safe here as if we were at home on the creek."

"Muskrat!" Prune's voice interrupted his thoughts.

"What is it?" Muskrat trotted back to the cup and peered in.

"I heard what that animal said. Tell me something. How far are we from the creek?"

"Well, we've been gone for about half a day, I'd say." Muskrat squinted up at the sky, where scattered clouds, scudding in the wind, obscured the sun. "Why?"

"How long would it take for you to get back?"

"If you're thinking what I think you're thinking," Muskrat said, "Forget it."

"Now listen to me," Prune said. "You could be back there in no time, traveling alone, couldn't you?"

Prune was right. Muskrat knew that. Clumsy as he was away from water, he knew that he could easily be back at the creek in a very short time.

"I'm not leaving you, and that's final," he said. "We're in this together. It's an adventure. If the humans come, why, we'll just dig in and wait until they pass."

"What about this thing?" Prune indicated the cup.

"We'll bury that, too. After they're gone, we'll dig it out and take off."

There was a pause; a long pause. Then Prune spoke again.

"Muskrat, let me ask you something. What's it like out here after they've cut the alfalfa?"

Suddenly Muskrat hated Prune; hated him in the way one hates a friend who asks a question and already knows the answer.

"What are you getting at?" he snarled.

"I've watched them cut the grass in the orchard. Once it's been cut, it dries out and covers everything. There's no way, strong as you are, that you're going to be able to pull this thing. And even after they've taken the alfalfa away, the stubble will be impossible to get through. And what about Bob? Where would you hide if he took out after you? . . . No, there's no other way. You've got to go back, now. Go, and leave me here."

Prune was right. Muskrat knew that. But to quit now; run back home, before the journey was scarcely begun?

"No," he said. "I'll tell you what. Let's go at least as far as the irrigation ditch. There's water there, and we'll be safe, even if it's only for a while. That will give us some time to think things over."

Saying that, Muskrat moved forward, the traces tightening against his shoulders. It was surprising how stiff his muscles had grown in the few minutes he and Prune had stopped. He heaved himself forward, and once more they were underway. An hour passed, and another. The wind was dying down now, and a thin line of golden sky shone ahead, visible now and then through the tall alfalfa stems. Muskrat drifted into a routine where he scarcely thought about what he was doing or why he was doing it; right shoulder forward, pull, left shoulder forward, pull, right shoulder forward, pull . . .

At first, he hardly noticed the different texture beneath his paws, the darker tint of the soil, the damp feeling beneath his toes. A clump of pigeon grass sprouted green and bright, and then another, and another. A few springs of strawberry clover reminded him that it had been a long time since he'd last eaten.

Then, ahead of them, he thought he heard the faint, sweet gurgle of water, and his nostrils caught the homey scent of peppermint.

"We're almost there," he shouted, as much for his own benefit as for Prune's. A few more tugs, and he stood at the edge of a swiftly flowing ditch, so narrow that he could have jumped it, bordered with yellow and blue flowers, and flanked by steep, clifflike sides, mossy and dark

He pulled the cup up close to the edge of the stream and tipped it so that Prune could join him. Peering down into the current, Prune chuckled. "I wouldn't want to fall in," he said. "By the time you fished me out, I'd be halfway to Portland!

Muskrat laughed. He felt filled with relief. True, they were a long ways from home, and even, perhaps, in danger. But for now, there was the water, and the damp odor of moss, and Prune by his side.

CHAPTER TWELVE

They camped for the night there by the ditch. Muskrat insisting on getting them across before settling down. At first, that appeared to be no easy task.

"I could swim across. Or jump, for that matter. But I don't know how to get this thing over there," he said, indicating the cup.

He suggested, finally, that he take a look around. "You wait here while I swim upstream and see what I can find. I'd like to get in the water, anyway."

He returned in a few minutes, jubilant. "Luck's with us," he said. "There's a piece of wood thrown across the ditch just a little ways from here. We can cross on that."

Once the final move of the day was made, Muskrat ate a supper of alfalfa leaves and a few sow bugs. A drink of water from the ditch, and he was yawning.

"From what Pica told us, we're halfway across the field. Tomorrow ought to get us to the pasture. And then we'll be out of danger, even if the mower comes."

He yawned again. "I'd like to stay up," he said. "But

I don't think I can. Why don't I make a bed for us here, and we'll turn in? We need to get an early start tomorrow."

He scratched a little soil aside to make two hollows and laid down a few blades of grass in each. He rolled Prune into one of them and crept into the other himself.

"You as tired as me?"

"I guess so. But you did all the work."

"How's your sunburn?"

"It's okay."

Another yawn.

"Well, goodnight." Muskrat was asleep.

Prune lay awake, listening to the night sounds. An hour passed, and another. He could hear Muskrat's even breathing. He tried every trick he could think of to fall asleep, but it was no use. Thoughts, like squirrels, chased each other through his mind.

In the middle of one of those chases, he slept; a dreamless sleep.

An owl, hooting, wakened him. He lay there, listening. There it was again. *"Whooooo . . . whooooo . . ."* The sound came from the north. An owl answered from the opposite direction. The moon was nearly gone, and the night was dark; the ground damp with dew. It was a comfort to know that Muskrat was near, close enough to feel the warmth of his body.

Lying there, Prune thought back over the day. Images flashed through his mind. He pictured the alfalfa, swaying in the wind like a forest, with an occasional mustard plant towering like a giant poplar above the smaller trees.

Another picture—the sky, as he had seen it that day, the clouds tattered by the wind. Twice, bouncing along in his cup, he had seen a black speck fighting its way through the turbulent air. The first time he thought it was only his imagination. The second time the speck was a bit closer, and he saw what appeared to be an awkward movement of wings. But it was gone as quickly as it appeared. Now, lying there in the darkness, Prune wondered about that speck. Had it been Pica, out looking for them?

He heard Gopher's voice. ". . . and if they do come, dig! Dig like you've never dug before. Dig deep, so the machine can't reach you. Dig, so Bob won't catch your scent."

The feeling of danger he had begun to feel was growing now, the same heart-stopping sense of danger he had known when he heard that first shriek of the wagon wheel, so long ago.

"Dig deep!" There was that voice again. . . . "Dig deep . . . dig deep . . . dig deep . . ."

"Whoooo . . . Whooooo . . ."

In his nest by the ditch, Prune heard the owl again. Was it closer this time? The sound was clearer than he remembered it. A tingle of fear shot through him. What was it owls ate? Mice? Gophers? What if this one were out hunting, as surely it was? Would Muskrat be prey for an owl? Prune knew that, awake, his friend would have no trouble doing battle. Asleep, exposed and in the open—that was quite another story.

Should he waken him? Prune felt Muskrat's steady breathing, close by his side. No, he was worn out. Let him sleep. If the owl came closer, then he could act.

The owl hooted again, more distant this time. Knowing where it was, that helped. He'd let Muskrat sleep a little longer; no use waking him yet. He'd stay awake himself, though, just in case.

The owl was silent now, its night's hunt ended. Next to Muskrat, in his makeshift bed, Prune slept. Not long now till daybreak.

CHAPTER THIRTEEN

"Listen!"

"What is it?"

"I don't know. I thought I heard something. Over there. There! There it is again!"

Although it was still dark along the ditch, the sky to the east was pale melon green in color. During the night a breeze had blown away the last tattered clouds, and a few stars still shone.

"There! Do you hear it? It's the tractor!"

A killdeer's cry masked the sound for a moment. They listened. Prune felt a trembling pass through Muskrat's body.

"Yes, I hear it. But it's getting fainter. There! It's nearly gone now."

Muskrat crouched and stretched a little too casually, his claws digging into the earth. "Well, think I'll take a swim. Then we'll be on our way." He padded his way to the edge of the ditch, prepared to dive in.

"Muskrat! There it is again! Can you hear it?"

Muskrat stood poised, his head tilted in the direction of the sound.

"And there! It's changed again."

The two of them stood, wordless; Muskrat as still as Prune.

"It's fading."

"Yes."

"Maybe it was just passing by on its way to the orchard and back. The wind's playing tricks with the sound. That's why it comes and goes. There's nothing to worry about. Still, it seems early for humans to be up."

Muskrat nodded in agreement. "Well, I'll take that swim, and we'll be on our way. I'm beginning to hear sounds even when there aren't any to hear."

A light plash, and as Prune watched from above, a furrow appeared in the ditch. Muskrat's sleek head popped up fifteen feet downstream.

"That's nice!" he said, spitting a mouthful of water into the air. He backstroked his way upstream to where Prune waited and, with a quick movement, was up on the bank, shaking himself off with a rapid, twisting gesture.

"All set?" he asked. Tipping the cup, he freshened the grasses inside and added a soft tangle of forget-me-nots. "There, that ought to be comfortable. How are you feeling?"

"Fine."

Muskrat gave Prune an appraising look. The bruises

and cuts had dried now, and a few nearly invisible wrinkles had begun to appear at his stem end. Still, all in all, he looked tough and weathered, a citizen of the road.

"What about you?" Prune asked. "You must be worn out from yesterday."

"Not bad. A little stiff, maybe. Here, let me give you a push inside, and we'll be off."

Once Prune was settled and the harness securely arranged, Muskrat began the march.

"With any kind of luck, we'll be out of the alfalfa field by midday," Prune shouted.

"That's right," Muskrat agreed.

The going was difficult, but no worse than yesterday. At first the land fell away slightly from the area near the ditch. Once that was past, the terrain leveled off, and Muskrat strained against the harness, welcoming the strength of his chest and strong forelegs.

In the center of a particularly dense stand of alfalfa they came upon a pheasant hen sitting on her nest, her dun-colored feathers blending into the undergrowth of dead grasses and earth. Muskrat stopped near her.

"Greetings," he said.

Her bright eye was fixed straight ahead.

"Are you all right? Muskrat asked.

No answer.

"Who is it?" Prune asked from within the cup.

"It's a pheasant. I think something's the matter with her."

The head moved imperceptibly. The eyes blinked.

Then the pheasant returned to the same rigid position.

"Can you talk?"

Another shadow of movement, cracking the stillness. Then the hen spoke, her voice harsh with alarm. "Tractor coming! Tractor coming! Bob coming!"

Her unblinking eyes turned first this way and then the other, wild and glazed in appearance.

Her voice was high-pitched and strained. "Tractor coming! Tractor coming!" she repeated herself again.

"Help me out of here," Prune said. "I want to talk to her."

Muskrat tipped the cup, and Prune rolled out. "Tell us," he said, "what's all this about a tractor?"

"Too soon! Too soon!" she wailed. "Not ready!"

"The tractor's not coming," Prune tried to reassure her. "We heard it, too. But it was just on its way down the lane to the orchard and back. The wind made it sound closer than it was."

"And besides," Muskrat added, "you don't have to stay here. There's no danger for you."

The head movement continued.

"Can't fly off. Too soon. Too soon for me. Too soon for the eggs."

"What eggs?" Muskrat asked.

"My eggs. Need more time. Tractor come. Kill my babies. Tractor . . ."

"Now listen," Prune interrupted her. "The tractor's not coming. Bob's not coming. You're safe. Your babies will be all right."

Muskrat and Prune looked at one another. There

was something so desolate in her actions that they wanted to hurry away as quickly as possible. And yet, she seemed so lonely that they were reluctant to leave.

"Look here," Muskrat said finally, "we've got to be going. But can I get you anything before we move on? How about some fresh clover? I saw a nice clump of it back a little ways."

Not waiting for her answer, he slipped from his harness and scurried back to the broad-leafed clover he'd sighted. He nibbled off a few strands and hastened back to her with them, dropping them in a heap by her nest.

"There," he said kindly. "Eat some of that. It will make you feel better."

The head movement stopped. The pheasant speared one of the clover stems, scissoring it deftly with her beak. She swallowed it with a gulp and bent for another. "You kind," she said. "Very kind. But tractor coming. Bob coming. You go. Go quickly. Before they come."

"Well, the tractor's not coming, and neither is Bob," said Prune. "But we do have a long way to go. Take care of yourself. And good luck with the babies."

Muskrat loaded them up again and slipped into his harness. He pulled once to see if everything was in place. The cup bumped forward behind him.

"So long," he said over his shoulder to the pheasant. "Take care of yourself."

She watched them depart. First Muskrat slipped out

of sight. Then all she could see was the rounded back of the red cup, wrapped with string, lurching along. Finally it too disappeared behind a tangle of alfalfa, and all that was left of them was the soft *shush-a-shush* of the cup as it slid over the grass. She cocked her head, listening. Silence.

She speared another strand of clover. And then another. Perhaps they were right. Perhaps the tractor wouldn't come.

The morning light brightened as Muskrat and Prune continued on their way. The air was warming, too, and after half an hour Muskrat called out, "Time for a break. Let's take a look around."

He tipped the cup and rolled Prune out. Their surroundings appeared the same as during the entire journey. Tall alfalfa with dark green foliage stood on all sides. The clearing in which they had stopped was no more than two feet in diameter, just sufficient to give them a glimpse of the sky.

"I wonder what's happened to Pica," Muskrat said.

"I thought I saw her yesterday, but I wasn't sure. I've been watching today, but no sign of her so far. She's probably not far off though. Why?"

Muskrat hesitated for a second before answering. "I don't know. I—miss her, crazy as she is. And she could help us. I think we're heading in the right way, but it's hard to know when all we can see is alfalfa. If she were here, she could at least point us in the right direction."

The two of them were silent, listening to the shrill buzz of insects and the soft whisper of the wind.

"It feels so peaceful," Prune said. "I don't see how that pheasant could imagine anything bad happening."

"I know. But I still don't feel entirely safe. Maybe we'd better be on our way."

Muskrat began loading Prune into his cup. He paused. "Listen!"

"What is it?"

"Do you hear something?"

Faint and far away, they heard the dull, steady roar of an engine. It faded in the breeze and then reappeared. It faded again, but not quite as much this time. It seemed to be coming closer. Then it stopped entirely.

"What do you think it is?" Muskrat asked.

"It's the old tractor they used in the orchard," Prune answered. "It's different than the big *pachoo-pachoo* of the other ones. But what's it doing? Why has it stopped?"

As if in answer, the engine started up again. But accompanying it now was a new sound; a terrible, clattering sound; the sound of steel riding directly against steel. It was an ominous, breath-stopping sound; the kind of sound that makes an animal want to run and hide.

Muskrat scurried close to Prune, his heart beating wildly. "What's happening?" he asked.

Prune listened. The sound was to the south of where they stood. It would run a bit, and then stop. Run again, and stop again. Now it was to the east of them, running north, about where the irrigation ditch lay.

"Can you tell what's going on?" Muskrat pleaded.

"I think they're mowing," Prune answered reluctantly.

Now they heard a new sound.

"*Ark! Ark! Ark! . . . Ark! Ark! Ark!*"

"Hear that!"

The frenzied, jubilant barking could be heard plainly above the other sounds.

"*Ark Ark! Ark!*"

"It's Bob! They're mowing the alfalfa. And Bob's out to get anything that runs!"

CHAPTER FOURTEEN

When Harper reached the kitchen, still half asleep, Shorty was already drinking coffee from a saucer and smoking a loosely rolled cigarette, the ashes spinning a drift onto Jewel's spotless linoleum floor.

The air smelled of hot cakes and ham and coffee and tobacco smoke. Although the sun still hid behind the Blue Mountains, it was already light outside.

"Better get that grub in you fast if you want to go with me," Shorty said.

"Where we goin'?" Harper asked.

"Why, we're a-goin' to mow Dick's hayfield. I already got us rigged up, while you was up there sawin' logs. I been up since four o'clock this morning."

Harper gulped down his eggs and potatoes and stirred hot coffee into his glass of milk. He was glad to be going with Shorty. Prune-picking tends to lose its charm after a couple of weeks. Mowing hay, now—that was man's work.

When they left the house a few minutes later, Bob

was waiting for them. He'd been teasing the cat, and it clung halfway up a maple tree, spitting and hissing. Bob sat below, examining his paws for stickers. He lunged at Harper, sinking his teeth into a trouser leg, but it was plain that his mind was on other things.

"Ayuh, Bob, ye durned fool! Leave the boy be!"

Shorty aimed a kick, and Bob snarled and slunk off, then fell in behind them, his lips curled back in a sneer.

The mowing machine was an old one, designed for use with horses. Walter and Shorty had added a lever so that the mower could be operated instead from the tractor by pulling on a length of rope tied to a lever, which sprouted like a weed from the machinery below. A tug on the rope, and the sickle, a bar five feet long, with steel teeth riveted to its front edge, would dance back and forth across the ledger plate, cutting anything that came in its way. Another tug, and the dance would stop.

There was a second, shorter lever with another rope attached, which raised and lowered the sickle and ledger plate assembly so that the mower could pass over a rock or other obstruction without damaging the teeth.

Even with this degree of automation, however, the men preferred having someone along when they mowed. It kept them from getting lonely, they said.

Harper climbed up and perched himself on the steel seat of the mower. He was surounded by machinery and wheels. The sickle pointed up in the air, tied in place with a piece of wire. Originally, there'd been a latch, but sometime in the past it had drifted away.

Shorty started up the tractor and they rattled down the lane and rumbled across the plank bridge, stirring up a pair of garter snakes. Fifty yards on past the creek they crossed the culvert that carried the water from the irrigation ditch and soon after that turned in at the open gate to Dick's hay meadow. Shorty cut the motor on the tractor, got off, and fetched out the grease gun from the toolbox.

Working his way around the mower, he filled all the grease cups, screwing the tops off and replacing them, wiping the excess on his faded levis. When he was finished, he strode out into the alfalfa a ways, gathered a handful of it, and looked off toward Eiffort's barn.

"Ayuh," he said.

Shorty had a knack for turning a single word into a pronouncement.

Harper waited.

More silence.

"She's just a leetle damp. But the sun'll dry her."

Shorty untied the sickle blade and lowered it to the ground. He tested the teeth to see that they were secure, then ran the ball of his thumb gingerly along their edges. He pulled a tiny file from his rear pocket and touched it to one tooth edge, straightened up, replaced the file in his hip pocket, and gazed off once more in the direction of Eiffort's blue barn.

"Let's do her!" he said, and climbed up on the tractor.

How Harper loved and admired those rituals!

The first step in mowing a field is to cut the back swathe. This is done by mowing once around the field in the opposite direction from that which will be used for the remainder of the cuts. By cutting the back swathe first, standing alfalfa is never crushed by machinery running over it.

The back swathe is always difficult to mow. There are more surprises at the outside of a field; rocks, downed fenceposts, empty wine bottles, and tangles of wire. Shorty and Harper kept busy, shouting to one another when they spotted something that looked as if it might give trouble. Shorty would back up the tractor, while Harper lifted the sickle or took it out of gear by pulling on one of the levers. Several times they had to climb down and clear away a big weed or piece of wire that had snarled itself around the sickle teeth.

Next to the lane the problems were mostly tangles of wire and empty bottles and hidden fenceposts. Alongside the irrigation ditch, weeds clogged the mower. But finally they'd made their way completely around the field and were back to where they'd started. Shorty turned the tractor in the opposite direction and they started their regular route.

After a couple of rounds, there wasn't much to do but sit and enjoy the morning ride. The sun was bright but not too hot. The breeze was mild. Jostled comfortably by the warm steel seat, Harper drifted off into a pleasant, dreamy state.

"Gol dang it!"

He heard Shorty's curse. The tractor stopped. The clatter of the sickle ceased.

Shorty turned on the wooden seat and looked down to where a bundle of dun-colored feathers lay spattered with blood on the alfalfa. Half a dozen feathers drifted in the air. Bob leaped and caught the bundle in his mouth, shaking his head with joy. Blood covered his muzzle. His pale blue eye gleamed. He tried to bark, but the sound was muffled.

"Bob! Git now! Ye durned fool!"

Shorty climbed down from the tractor.

"Dang the luck! We run over a hen pheasant. Settin' her eggs, too. Looky there. She wouldn't leave 'em."

He pulled the freshly mown hay aside. Tiny specks of blood clung to the leaves. Half a dozen eggs were fitted snugly into a smoothly lined nest. Shorty felt them with his stubby fingers.

"Still warm."

The eggs were the color of Walter's meerschaum pipe. One of them had a dazzling ruby dot on its surface.

"Grab that nest," Shorty said. "I'll clear a space in the toolbox. We'll take them eggs back to the house when we head in, and see if Jewel don't have a settin' hen that can hatch 'em out."

Bob had run off with what was left of the hen. He

returned now and began sniffing at the eggs, his muzzle bloody and his eyes dancing with wild energy.

"Dang you! Leave off!" Shorty warned him.

Harper picked up the nest, cradling the eggs in it, and carried them to the tractor. Shorty cleared a space in the corner of the toolbox and tucked them in, wrapping them with a rag to keep them from moving about.

"They ought to be warm enough in there. We'll hatch 'em with a light bulb if we have to."

Shorty shook his head. "I seen that hen. Seen her as I drove past. She was just settin' there, all squatted down, her head moving back and forth like it was broke. I seen that little beady eye of hers lookin' up. But I couldn't get us stopped in time."

Shorty climbed back on the tractor. He poured a little tobacco into a brown paper he held in a trough made by his finger. Pulling the yellow drawstring of the sack tight with a stained tooth, he returned the pouch to his shirt pocket. He rolled a cigarette, lighted it with a wooden match he whipped across the thigh of his trousers, and sucked in a deep breath of smoke.

"Sure hate runnin' over them little biddies. Specially when they're settin' like that."

Shorty took another deep breath of smoke. He coughed and dropped the cigarette to the floor boards of the tractor, grinding it out with his heel.

"Well, we ain't got all day. You ready."

"Uh-huh."

"Let's get to it, then."

For Harper, life was full of puzzles. Here was Shorty, mourning the death of a pheasant hen. But just yesterday evening, when Shorty was sitting on the back porch drinking a bottle of beer and talking to Jewel, Harper had overheard him say to her, ". . . you wouldn't believe how many pheasants I seen this summer. It looks like a chicken ranch out there. I tell you, we're gonna have one good huntin' season this fall. We'll be eatin' pheasant till it runs out our ears."

The teeth of the sickle danced lightly across the ledger plate, cutting and laying the alfalfa, moving ahead, laying back more. The deep line of standing green jiggled slightly as the sickle waded into it, then fell, graceful as a waterfall. Behind the waterfall, behind the sickle, newmown hay, the color of dull jade, lay open to the sun.

Ahead of Harper, on the tractor, Shorty jounced along, loose and easy as a cowboy on a horse. Big wheeling clouds, leftovers from yesterday's storm, jammed up against the mountains to the east. A magpie lurched down from the roof of the old Hobson barn and beat its way up the creek, staying low, where the willows hid its flight. Dapple plodded along the lane, hauling another wagonload of prunes. Behind the mower, Bob trotted along, watching for game, skirmishing to one side or another now and then in pursuit of a mole or gopher.

They settled into a routine. West, toward the orchard, where in the distance the Horse Heaven Hills beckoned, lazy and golden, then north, where the tall cottonwoods bordering the Walla Walla River shimmered in the heat; east toward the water tower of the farm labor camp and the deep purple outlines of the Blue Mountains; and then south, where they stopped every third or fourth round to grease the mower and inspect the sickle for loose teeth.

Around and around the field they crept, the uncut center gradually dimishing under their advance.

The memory of the hen pheasant lay like a smudge on the bright day, but the air was sweet with the scent of freshly cut alfalfa, and a light breeze blew against Harper's cheek. The rattle and shake of the mower made him drowsy and listless; heavy with sleep and full of peace.

He saw the cup first—a red cup, lying directly ahead of the sickle, not six feet away.

The cup moved, and then Harper saw a deeply furred small animal, tangled in a maze of twine, dragging the cup.

Harper shouted to Shorty, but it was too late. The big blade was directly over the animal now. The teeth of the sickle bit into the cup, and red plastic flew like confetti into the air. A dark, oblong object that had been lodged in the cup was thrown into the sky. Bits of dried grass were flung about.

In the next second Harper saw the animal again. It lay huddled under the mower blade, its paws over its head and its body trailing with dangling bits of twine.

Now the sickle caught one of those trailing strings, and the animal was snapped and thrown clear—or nearly clear—of the clattering sickle teeth. Harper wasn't sure quite what he saw. The steel blades may have just touched one of the animal's paws.

Bob was frantic with joy. The animal had been tossed directly behind the mower, almost into his mouth. Bob yipped once, like a puppy nuzzling its mother, and caught the bundle of fur between his teeth. He shook his head with delight and leaped into the air, his front legs pawing and lunging in a fit of ecstasy. *"Kaiiiiiiii!"*

In the middle of Bob's dance, Harper heard a shrill cry and saw a rangy bird with gleaming patches on its black wings dropping like a stone from the sky. The yellow beak was open, and the thin, pale triangle of tongue quivered like that of a snake.

The bird dived directly at Bob's head, one talon sweeping across his muzzle, while the other clawed at his pale eye. Bob squealed in terror and shook his head to clear the spurting blood. The bird lumbered awkwardly into the air and dived again. This time it was the beak, edged like a jeweler's file, that sought out the eye.

Bob dropped his prey, gave one desperate, baying yelp, and leaped—directly in front of the mower.

With the tractor engine shut off and the clatter of the mower stilled, the silence made room for a thousand sounds. From far off one could hear the light hollow

chunk of wood striking wood as ladders were moved. A delicate wind whispered across the alfalfa. The ancient diesel water pump at the packing shed echoed, its voice crisp as lettuce, leaf after leaf of sound.

Nearer at hand, one could hear a rasping, terrible cough, the dense breathing of an animal in pain. Bob whimpered. He lifted his head, the blood streaming from one eye, and lay back weakly. The bright crimson teeth of the sickle had stopped directly over the rear of his body.

Shortly climbed slowly down from the tractor. He hobbled awkwardly back to the mower, his worn old cowboy boots punching uneven holes in the soft earth.

"Sweet Jesus," he sighed. "What the hell was that durned fool animal tryin' to do? Get hisself killed?" He knelt down and cradled Bob's head in his rough hands. Blood soaked the cuffs of his cotton shirt; blood ran over the greasy denim of his trousers.

"Here," he spoke to Harper. "Lift that blade! Gentle, now . . . Bob . . . You . . . You dumb son-of-a-bitch! You got no sense at all? . . . Easy with the sickle, kid. You're hurtin' him. There. That's it. That's better."

There was a long pause. Slowly, gently, Shorty wiped Bob's bloodied haunch with his sleeve. His fingers probed downward, testing muscle tissue, searching minor cuts. Bob whined. He lifted his head, snapping weakly at Shorty's hand.

Shorty's fingers moved forward. Harper saw the knuckles tighten as his hand reached downward, backed off, and then advanced once more; slowly, dreamily, as if the hand could not believe what it had found.

Shorty looked up. His rheumy eyes, blue and innocent, glistened. "Sweet Jesus," he whispered. "I cut off his leg."

He grabbed at his left shirt sleeve with his bloodied right hand and gave a yank, tearing the fabric at the shoulder, revealing his pale skin with the faded indigo tattoo markings of an eagle on the inside of the upper forearm. He wrapped the sleeve tightly around the stump, crooning softly to Bob all the while. "There, boy. You're doing fine . . . . just fine . . . ."

He turned to Harper.

"We'll take him up to the house and bed him down. Jewel'll have some clean rags and iodine. We'll get that blood stopped. Get a little whiskey down him. He'll be all right. He's too tough to die. . . . . Hell, I've seen lots of three-legged dogs . . . run good as new, any one of 'em."

His voice broke. He lifted Bob in his arms. The dog whined. His rear haunches twitched as if palsied. He tried to lick Shorty's hand, but his head fell back weakly.

Shorty cradled him to his bloodied chest and started across the field. Harper, stumbling along behind, glanced down. He saw the object that had been thrown from the cup. He reached down and picked it up. It was a prune, its skin blistered from the sun. It had begun to wrinkle and dry. Scratches and scars covered it.

105

A bit of dark, golden juice oozed from its stem end, as if some chemistry of change were going on inside. A tiny nick had been taken from one side, perhaps when the mower struck it.

"What you got there?" Shorty asked, looking back at him.

"It's a prune . . . Wonder how it got here?"

"Dunno. Maybe some bird dropped it."

At that instant a magpie flapped by, high above them, screeching mournfully. Harper drew back his arm and threw the prune at the bird, as hard as he could. Tumbling like a tiny football, it rose higher and higher in the air, reached the arc of its journey upward and began to fall, far short of its target. The magpie folded its wings and dived straight for the fruit, catching it in its beak. Wings flapping frantically to gain control, the bird began to climb.

The two humans watched as the bird grew smaller and smaller, a bobbing, drooping speck, heading west, in the direction of the orchard.

"Crazy damned bird," Shorty said. "Must think it's stole some kind of egg."

CHAPTER FIFTEEN

Pica had spent much of the previous day holed up in Hobson's old barn, hidden from the wind, muttering to herself.

"Crazy Muskrat! Wants me to do his dirty work for him. I'm sorry, but I'm not about to get myself shot at just because he decides that Prune needs somebody to haul him back to the orchard. Try to do a favor, and what's it get you? Trouble! Pica do this; Pica do that! I get tired of it!"

She settled down into her feathers, fluffing them about her to keep out the occasional drafts of wind that found their way through the warped boards, and began repeating her arguments to herself, adding a detail here, a line there, until she had architected a handsome structure of logic.

She sat silently, admiring it.

But silence has a voice, too. It whispered at first. "That's a beautiful argument you've got there. Absolutely gorgeous!"

"I know. Thanks. Strong, too. Can't find a flaw in it."

"You're right. It *looks* strong . . . and lots of nice details. Be fun to share it with your friends."

"Share it? What do you mean?"

"Well . . ." The voice was hesitant, as if fumbling for the right words. "It just seems to me that you might want to invite some friends over, show it off. It's not every day you get a good-looking argument like that!"

"Friends! You crazy or something? If you had friends like I've got, you wouldn't want to invite them anyplace. Say, you hear what that dumb Muskrat wanted me to do?"

"I know, I know."

The voice was soothing, supporting. It chuckled softly in the dim light. "He's something, that Muskrat. . . . And then taking up with that stupid Prune. The two of them make a real pair. You're better off here, by yourself, the way I look at it. Friends like that are a dime a dozen."

There were grateful mutterings and sputterings. "I'm glad somebody around here besides me has some brains! You don't know how right you are!" This was followed by, "When you come right down to it, Muskrat's not all that bad." And then "Listen, how many talking prunes did you ever know? I tell you, the kid's got talent! Why, you should have heard him just the other night, telling us a story."

A pause. Pica shook her feathers and hunkered down again. "I'll say this for him, Muskrat's plenty brave. He may not be very big, but he's not afraid of anything! No sir! Not him!"

Another pause, longer this time. Pica spoke again. "Look, buddy, maybe they are crazy, both of them, but they're my friends, and they're not your usual dime-a-dozen, I can tell you that!"

No response, except for the wind whistling through the cracks. Finally Pica broke the silence. "Why don't you buzz off! Mind your own business. I've got things to do!"

With a lunge, Pica left her sheltered nook and sailed out through the open hayloft, where the wind picked her up and scooted her this way and that. She headed back toward the creek to see if she could spot the two wanderers, but they were gone. She flew over the alfalfa field, but from above it was a turbulent sea, the waves harried by the wind so that no animal movement could be observed.

At last, worn out from her search, Pica returned to the barn. She pecked absently at a few kernels of dried corn she found in one of the gloomy feeding stalls, then hopped across the empty hay mow and stood for a moment, looking outside through a crack in one of the boards. The fusty odors of old hay and mildew hung in the air like yesterday's mistakes. She felt alone and lonely.

"No use fighting that stuff out there," she decided.

"I might as well get a little shuteye. Wait till it blows over. Then I'll find them . . . tomorrow morning, for sure."

Safe in Pica's beak, Prune soared high above the hay meadow. Looking down, he could see cows the size of battleships grazing in the pasture to the east of the creek. There were Shorty and Harper, hurrying to the house, Shorty's stride hobbled by Bob's weight. Below him lay the meadow, the mown swathes of hay sharp-edged as a geometric puzzle.

He could not see Muskrat, but that wasn't surprising. Muskrat was a small animal, the color of dark loam, and he was lying very still, his body half-hidden by the fallen alfalfa.

Ahead, to the west, loomed a rampant profusion of green. It was the orchard. Seen from above, his home might as well have been a foreign land, so unfamiliar was its appearance. Prune was scanning it, trying to locate the row he'd lived in, searching for his own tree, when he felt Pica's beak move slightly in its grasp around his middle and sensed that she was trying to tell him something.

"Almost there!" That was what she was saying. They were descending rapidly now, her big wings fanning the air, her spindly legs outstretched, her talons claw-ing downward as the huge trees flashed past.

There was a spraying of dust and small pebbles, a stumbling run of two or three yards through the shorn grass, and the flight was over. Pica dropped Prune to the ground under the shade of an overhanging branch.

"Well, here you are, kid. Right where we started for the first time. Remember that? Say, you don't weigh as much as you did then. Either that or I'm getting stronger in my old age."

A light, puffy wind passed above them, stirring the leaves. The insistent shrilling of a cicada filled the air.

But from Prune, silence.

"What's the matter? Cat got your tongue? Hey! Don't tell me I caught the wrong one. You little fellers have a way of looking alike, you know. Joke! Ha-ha!"

Still no response.

Pica cocked her head. "Come on, kid. Spit it out. What's the matter?"

What, indeed, was the matter? Prune asked himself that question. Here he was, back at his own home, the very place he had so longed to be but a few days before, and all so quickly that it might as well have been magic. The miracle of his return was dazzling.

Then why didn't he feel jubilant? What was this shadow that nibbled away at his happiness?

Perhaps it was the orchard itself. Where was the lush splendor he remembered from the past? Staring up from where he lay there on the grass, all Prune could see above him was a scrawny framework of branches, partially cloaked by bedraggled leaves. A few fruit remained—ones the pickers had overlooked—

but they were either green and hard as stones, or dull and purple as a bruise.

Yesterday's wind was partly to blame. The orchard had a worn and harried look, as if it were recovering from a beating.

But no, Prune told himself, that wasn't it. After all, he'd grown up here and had seen the aftermath of storms before. The day-by-day facts of life in an orchard were no surprise to him.

Another puff of wind stirred the branches. Prune heard a dry, rattling shake above him and felt a preliminary stirring of dust settling. Then a fruit landed . . . *puummmmph!* with the softest of thuds, right beside him, so close that its smooth skin nestled softly against his own.

There was a delicate, surprised gasp. Then a voice, sweet as plum preserves, with a fragile, nervous quaver to it, spoke.

"Ohhhhh! Excuse me! I . . . didn't know this . . . place was . . . taken. Silly me!" A giggle.

Prune looked at her, startled. He saw a small and immature fruit, pale lavender in color, with a faint tinge of green on one cheek. But it was her voice that caught his attention—the breathy tone, the slight hesitancy between phrases. He recognized that voice. It belonged to one of his sister's friends. She and her family lived on the same tree, although they occupied a different branch.

Prune looked overhead. Yes, now that he knew where he was, it was all clear to him. Why, there was his own branch, with the slight, awkward curve where a sucker had been removed. He could even pick out the twig from which his stem had hung.

"Hello!" he said now. "Remember me?" He could see the tiny scar next to her stem where a rust-mite bite had healed badly.

"I think you must be confusing me with someone else," she said. "I don't believe I've ever seen you around."

"I'm Prune. I used to live on the next branch over from yours. You and my sisters were friends. I can remember you talking together for hours at a time."

She looked at him again. This sunburned and weathered stranger—a neighbor? Hard to believe. And yet, there was something about him, a liveliness, that she recognized.

"But . . . but how did you get here?"

Prune laughed. "My friend Pica brought me. But that's another story. Tell me, how does it happen that you're still here?"

She pouted. "I . . . didn't get picked. You remember . . . the day they came. All that rush, rush, rush and hurry. All that noise. Somehow . . . they didn't pick me." She paused and gave a long sigh. "It's been so . . . lonely, with all the others gone. Not that I haven't been busy . . . and all. But it will be nice, having someone around to . . . talk to. With you here, it will be . . . almost like old times."

Prune lay in the leaf-dappled light, feeling her smooth weight against his skin. Home! Yes, he was home! A brief wish flashed through his mind: that it was early summer again, and that he was once again clustered on the family bough, whispering about the journey that lay ahead. No, that was asking too much. He was glad—should be glad—to be this close to what he had longed for.

The shadow he had felt earlier reappeared at the edge of his mind. He tried to shoo it away. Why did it keep nagging him, especially now, when he was so happy?

There it was again, closer this time. It was . . . it was . . .

"Am I interrupting you? I remember how you used to drift off." She giggled.

"Uh, I'm sorry," he said. "I keep thinking that I'm forgetting something."

"Oh, I do that all the time. Someone will ask me a question and I'll be off in never-never land and not even—"

Muskrat! Of course! Where was Muskrat?

"Pica!"

The bird was strutting up and down, a few feet away. She turned and faced him.

"What's up?"

"Did you see Muskrat? Is he all right?"

The bird hesitated before answering.

"Well, kid, I didn't exactly see him. That crazy Bob was throwing him around pretty good before I got my licks in. But he's a tough little runt. He'll be okay."

"What if he's hurt. We've got to find him. Now."

"We?"

The bright, ocher-colored eye fixed itself on Prune. There was a long pause.

It's hard to admit that a dream has faded. Prune tried, one last time, to breathe life into his dream. But it was no use. New memories—an afternoon on the creek, Pica and Muskrat arguing, camping out by the irrigation ditch, the wild ride through the alfalfa— kept interfering. He couldn't explain why, but the orchard he had longed for such a short while ago had become just another place.

He spoke, as kindly as he could, to the little lavender-colored fruit that lay beside him. "Look, there's something really important I've got to do. It may take a while. But I'll be back, as soon as I can. All right?"

A hard, awkward silence filled the air, broken only by the dismal shrilling of the cicadas.

"Of course," she said. "Don't worry . . . about me."

"Pica! We've got to hurry!"

The bird seized Prune between the edges of her beak, pushing his companion aside as she did so. There was a wild flapping of wings; dense colonnades rose on either side as the two broke free of the trees and turned eastward in the bright light. In the distance, they could see the tractor sitting still as death in the middle of Eiffort's meadow.

CHAPTER SIXTEEN

"Shorty?"

"What?"

The two of them were crossing the plank bridge on their way back to the house. Sweat ran down Shorty's stubbled cheeks and darkened the faded blue of his torn chambray shirt. He staggered a bit under Bob's weight.

"What about the eggs?"

"What eggs?"

"You know. The pheasant eggs. The ones we put in the toolbox. Remember, you said Jewel might have a hen and we could set them."

"Dang it, kid, I ain't got time to mess with them eggs now."

Shorty's chin was set in a hard line. His eyes were fixed on a point somewhere far ahead of him. Harper could see the white skin of his arm where the shirt sleeve was missing.

"Oh, all right," Shorty said. "Go get 'em if you want.

But be quick about it. We ain't got all day. I'm count-in' on you to help me with Bob, here."

Harper ran back to the hay meadow, climbing the board fence and cutting across a mowed section of the field. The hay was already beginning to dry, the leaves curling and turning pale and gray in the sun.

As he neared the tractor, half watching his feet so as not to stumble, he saw a few bright pieces of plastic.

And there! What was that? Turning quickly to avoid stepping on a blood-matted tangle of fur, Harper almost fell on the animal. It lay burrowed flat against the ground, scarcely visible unless one were directly above.

The flies had found it. Half a dozen of them were settled in the fur, gorging themselves on a feast of blood. They rose dreamily into the air, buzzing with pleasure and lazy satisfaction as he brushed his hand at them.

Bending nearer, Harper studied the animal more closely. He caught the faint, wild tang of musk. He reached to touch the dark fur, but fear held him back. He remembered once when he had picked up a mouse trapped in the grain bin. It had lain quite still, and he could feel the intense beating of its tiny heart against the cradle of his palm.

For a few seconds Harper had imagined that mouse as a pet, hiding in the pocket of his shirt, sipping milk from a bottle cap. He reached down to stroke its fur, and the mouse turned and caught his finger with its long, needled teeth, causing such pain that he flung his hand in the air, the mouse dangling like a gray-furred finger before it went flying across the barn.

Harper had felt betrayed, his hopes dashed by a mouse that hadn't stayed around long enough to appreciate his good intentions.

But now, once again, he began to imagine himself caring for a wild pet. He pictured it lying in a warm box of rags in his room, shy and distrustful at first, and then, one morning, reaching out gratefully with a paw or tongue when he brought it a saucer of milk.

The only problem was that Harper lacked the courage to pick the animal up so he could carry it to the house.

He remembered then the leather gauntlets the men kept in the toolbox of the tractor. He dug them out, careful not to disturb the eggs that lay in one dusky corner, and drew them on. The eggs could wait a few more minutes.

With the gloves for protection, Harper began to examine the creature. At first, it lay so still he wasn't even sure it was alive. But no; it moved. Or was that the wind ruffling its fur? He drew his hand back and waited a few seconds before proceeding.

The fur was a dark, rich brown in the few places where clotted blood and dirt were absent. The tail, somewhat flattened, like a file standing on one edge, was perhaps seven or eight inches long. The head was finely shaped, the eyes closed, the ears nearly concealed, the teeth yellowed as old bone. A bit of twine hung like a garland around the neck.

Holding the head and shoulders firmly, Harper shook his right hand free of its glove and touched the warm and pliant body, feeling the steady, slow pulse of life as he reached gingerly under its belly.

The soft, fine fur was the texture of old rose petals. Feeling that fur, he remembered the pelts Shorty nailed up to dry each winter on the south wall of the wood-shed. He felt the rear haunches; his fingers touched the curved claws on the half-webbed right foot.

It was a muskrat; kin to those he'd watched the men skin and dry and sell to Epstein, the hide merchant.

But what was a muskrat doing here, a hundred yards west of the creek? Harper asked himself that question as his right hand continued its search. On the thick ruff of fur over the front haunch, he found a mottled, punctured area, oozing blood. And, on the other side, corresponding marks. But their slow bleeding did not explain the great clots of blood he found matted to large areas of fur.

He reached further. The left rear flank was smooth and unmarred, with no apparent damage to the haunch or leg. His right hand probed for wounds, the finger-tips reporting back to him; all whole here, and here.

Harper's hand moved on, exploring the webbed left foot. What was this? Wonderingly, his fingers waded again through the sticky paste. He withdrew his hand and began studying it, feeling slightly dazed. He flexed his fingers, observing their delicate movements. Opening his hand, palm side down, he looked at the tanned skin, splotched with blood. He drew the fourth and fifth fingers closed so that from above the hand appeared mutilated. Then he turned it over and looked again. The fingers were there, safely curled in place.

It's odd how full of hope the heart can sometimes be. He'd just made a mistake, that was all. The foot was intact, the toes curled under like his fingers. The blood was from some minor scratch he hadn't found.

Harper bent over to vertify these hopes. Surely, steadily, blood oozed from the injured foot. Harper wiped away the blood with his sleeve and looked again. The first toes were intact; he could feel their smooth, curving claws. But the last two toes were gone, cut as cleanly as one slices summer cucumbers with a sharp-edged knife.

Releasing his hold on the animal, Harper sat back and thought. A light breeze ruffled the muskrat's fur. Harper imagined it full of life, scampering down the bank of the creek. But first, it had to be nursed back to health.

What if he made a bed for it in the kitchen, where it would be safe? ". . . Just look at what Harper brought in from the fields! Isn't that fine, how he cares for things?" No, the house was out. Harper knew Jewel better than that.

Perhaps he should leave the muskrat here, in the field, burrowed down and quiet. He could heap a grass tent around it to ward off the flies. But the heat waves were already shimmering in the distance, and it was not yet noon. A hurt animal—particularly one accustomed to the water—wouldn't last the day out.

Harper thought then of the dark, amber creek, with the spongy beds of watercress lining its banks. What about carrying the muskrat back there, finding a sheltered spot and building a little pen to protect it?

Yes, that was the thing to do.

Standing up, Harper bent over and lifted the muskrat, surprised at its heft. For a thrilling instant he thought he felt the animal stir. But it lay still. He must have imagined the movement.

Holding the muskrat gently, he began the walk toward the creek. Again he thought he felt the stirring, and his heart thumped. Tentatively, he stroked the dense fur, as if to reassure the unconscious creature.

As he neared the irrigation ditch, Harper could hear the gurgle and chuckle of water coursing its way through the meadow. He paused for a moment when he reached the steep bank, glancing at the uncut hay on the other side, trying to locate a good place to jump across.

There was a sudden awakening in his hands, a shifting of weight, and with one scrambling lunge, the muskrat clawed its way free and sprang with an awkward splash into the water.

With a cry, Harper dropped to his knees and peered into the ditch. He had a crazy flash of hope. The muskrat would be waving at him. ". . . Sorry about that. I must have slipped. Here, I'll climb back on, and we'll be on our way."

The water was muddy and swift-flowing, and Harper couldn't see the bottom. But there was no evidence that the muskrat was anywhere around. He poked around in the weeds that lined the sides of the ditch, but found nothing.

The muskrat was gone.

With the clarity only loss provides, Harper recalled the soft rose-petal quality of its fur beneath his fingers. He wondered again at the exotic toe webbings. He saw the ivory teeth and the way the animal's hair ruffled in the wind.

As vividly as if it had really occurred, Harper pictured the muskrat, tame as a house cat, scampering after him when he called, fetching sticks he tossed into the creek for it to retrieve.

Remembering all that, Harper made one last desultory sweep through the lank grasses. He peered one more time into the dark shadows of the ditch. Nothing. He got to his feet, wiped the mud off his trouser knees and shuffled back to the tractor.

Maybe Jewel would have a setting hen.

CHAPTER SEVENTEEN

Before he leaped, Muskrat was on a twilight voyage. Dark waves swept him about. A heaviness filled his mouth and nostrils, drowning him. He was helpless as a newborn.

It was then, dimly, that he heard the chuckle and laugh of real water. No, it couldn't be. That, too, was part of this cruel journey.

But the odor was there; the zest of peppermint and the rapturous aroma of mud. He tried to go to it. But his body was numb; the messages he sent to his legs and paws went unanswered.

He coaxed again, as a parent might plead with an unwilling child. Miraculously, the faint-hearted bits of matter knitted themselves into wholeness for one fragile second, and he leaped.

The leap was true; the cool, muddy water closed over him. He sank to the bottom of the ditch and felt the surge of current nudging at him. Five, ten, fifty yards downstream the water tumbled him along, a ragged animal, worn-out and grateful for this last, dark ride.

A sharp hammering began then, on his back, his head, his neck. It stopped, only to begin again, an erratic, incessant hammering.

The mean beating stopped, and he drifted off, to be roused by more blows. He tried to dive, but the water was no more than six or seven inches deep in most places, and there was no place to retreat.

A voice, raucous and insistent, called to him from some great distance.

"Muskrat! Hey! Muskrat!"

The hammering began again. Muskrat tried to fight back, but he was too weak to move. There was another brief respite, and then he felt a sharp pinching on his neck and back.

The voice called once more, not as faint this time. "Muskrat! Come on, wake up! It's Pica!"

The call insinuated its way into his mind. He kicked once, feebly, in response and felt a pain so vast that, with one wild, terrifying squeal, he sank again into unconsciousness.

She rescued him then.

The ditch had entered a tiny pool, perhaps three feet across, before it passed through a weir and scurried along on its way. The pool allowed Pica to wade in—"*Gaak*, I hate this stuff"—, grasp Muskrat by the ruff with her beak, and drag him to land.

A grassy beach, indented with the hoof and paw marks of animals, sloped up gradually from the water. Cows broke through the fence here sometimes and slipped in to drink. Stray dogs and cats stalking the fields used the pond as a meeting place. To the west lay the new-mown hay; to the east, standing alfalfa provided shade and protection.

Muskrat lay at the water's edge, scarcely distinguishable from the mud that oozed about him.

"Come on, slugger," the voice began. "We've got to get you out of here. They'll find you out here in the open. Come on now, move it!"

Pica began tugging at Muskrat, urging him up the sloping bank to where the alfalfa beckoned. He tried to help her, but waves of pain overwhelmed him.

One last shove, and he lay, muddy and wretched, beneath a clump of broad-leafed dock.

"There! That's fine. Now stay there while I fly back and pick up the Wrinkled One. I left him back there a way when I saw you were having a little trouble."

She hesitated, looking at him.

"You okay?"

Muskrat tried to nod, but couldn't. Nausea overcame him, and he spewed out vomit and water, soaking the grass beside him.

Pica clawed at the mess with her talons, smoothing it over with fresh dirt. She snipped several stems of alfalfa and laid these over the soiled area.

"*Phewee!* I sure hope that tasted better going down than it smelled coming up," she said. She took another searching look at him, and for the first time saw the mangled rear foot. She bent over, looking at it closely.

"Looks like someone cut your toenails a little short," she said softly.

A pause.

Pica cleared her throat. "Well, I'm off. Be back in a jiffy."

Muskrat's heart was pounding with the exertion of moving, but his mind was clearing. He thought vaguely of his foot, where the pain was so intense each time he moved. What was it Pica had said just before she left? He raised himself, his movements sluggish and feeble, and tried to look. An avalanche, like boulders tumbling from a high cliff, met him head on, and, mercifully, he fainted.

It took Pica only a few minutes to bring Prune from where she had left him during her rescue of Muskrat, and soon the three of them were reunited.

Seeing them together, it was impossible not to notice the changes that had occurred since those happy hours they had spent on the creek just a few days before. Prune was as wizened as an old warrior. Blood oozed slowly from Muskrat's wounds, and his fur was covered with slime. Even Pica, for all her bravado, seemed worn and frail.

But they were together. That fact alone held some promise.

At first there was silence. Muskrat was still unconscious, and the gravity of his condition was apparent. He could not be carried back to the creek, that was clear. At the same time, all of them knew that they had to escape the meadow. The mowing wasn't over, and the humans were sure to return.

Prune spoke first. "Tell me, Pica," he said. "Where does the ditch come from?"

Pica's world was a rectangle, perhaps a quarter of a mile wide and half a mile in length, encompassing Walter's forty acres and bordered on the south by the Minyon Place and on the north by Springdale Road.

Beyond that rectangle, her knowledge of the area was scanty. The Horse Heaven Hills, Stinnet's Gas Station, the Oregon state line, Majonnier's Greenhouse, and No-Man's-Land were all names she knew, but she wasn't quite sure where they lay in relation to one another, or what the distances were that separated them.

"Why, it comes from the Minyon Place."

"And where does it go when it leaves here?"

"That way." Pica gave a jerk of her head to indicate north.

"But where does it go? How far does it travel? Does it meet the creek again?"

"Hey, what is this, anyway? How come you want to know?"

"Look, Pica," Prune said. "We've got to get Muskrat out of here. But he can't walk, that's for sure. And you can't carry him; he's too heavy. It seems to me that the ditch might be our only way out. But we need to know where it takes us."

"Us?"

"Muskrat and me. I'm going with him. I float—remember? I'll take care of him on the trip."

Pica nearly responded in her usual way. "Ha! You take care of him? You got to be out of your mind!" To her credit, she didn't say that. She swallowed, a quick, bobbing motion, and said instead, "Sure, kid, why not." There may have been the faintest tinge of irony in her voice.

"Well, then, where does the ditch go? Does it ever rejoin the creek?"

Pica heard the determination in Prune's voice.

"Look, I'll have to admit that I don't know. But give me half an hour. I'll take a swing around and see what I can find out."

It was closer to an hour before she rejoined them. Muskrat lay where she had left him. The mud was beginning to dry on his fur, and the ooze of blood had slowed.

"What'd you find?"

"It looks like a tough trip. I'll tell you about it in a minute. How's old Three Toes doing?"

"He seems to be coming around. The bleeding's stopped. But I think he's getting a fever."

Pica lunged at a fly that droned overhead, preparing to light. She laid her head against Muskrat's for a few seconds. "He feels warm. But if you two take that ride down the ditch, it'll cool him off."

Moving now to a bare spot near Prune, Pica smoothed a small area with a claw and began to draw lines with her beak.

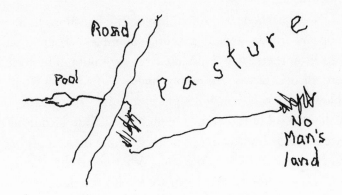

"Okay," she began. "This is where we are. The ditch is here." She indicated it with her beak. "It runs through Eiffort's place and into Hobson's, where it goes by that old barn I stay in now and then. From there it keeps on until it passes under the road." More marks. "Then it turns and runs through some brush, so I couldn't see what the water was like. After that, the ditch turns again, into a big, open pasture. You'd be in plain sight there. That's not so good. On the other hand, I'd be able to keep an eye on you, I suppose."

She paused. "That's the good news."

"What's the bad news?"

"To begin with, this is the only beach from here on. Once you leave, there's no way I could fish you out if you decided to change your mind. Oh, I might manage you. But getting Muskrat out would be impossible."

Prune hesitated before asking the next question. "And the ditch? Did you find out where it goes?"

"That's the crazy part. I can't find the end."

"You what?"

"Well, when the ditch leaves the pasture, it disappears under some blackberry brambles. There's an old farm there, where no one lives any more. The trees are all overgrown. An empty house. A barn that's half blown down. It's a wild place. I think I've heard it called 'No-Man's-Land.' I flew over it, but I couldn't see a thing. I tell you, the place gave me the creeps."

Prune tried to remain calm. "What about the ditch?"

"That's spooky, too. I can see where the ditch enters No-Man's-Land. There an old fence and that thicket of blackberries I told you about. But that's the last of it. As far as I can tell, the ditch just disappears."

"What do you mean, disappears?"

"Well, it slides in under those brambles, almost as if it were going underground. I looked for traces of it, flying as low as I could. But it's all so dark and overgrown, I couldn't see where the ditch showed up again."

"What about the creek?"

"It flows right through No-Man's-Land. But I couldn't see it very plain either. It's all covered over with big trees."

"Then . . . ?" Prune's question hung in the air.

"That's about the size of it," Pica admitted. "Once you're in that ditch, I can't get the two of you out. And there's only one direction you can go. That's to No-

Man's-Land. The ditch may join the creek there, but I can't say for sure."

Pica shook her head in puzzlement before continuing. "You know, maybe it's safe. Maybe the ditch is just so overgrown I missed it. But it seems as if I should at least have gotten a glimpse of it. A ditch usually shows up plain from the air."

She pecked absently at a pebble that lay on her map and rolled it aside with her beak.

"You know what's crazy?" she said. She nodded in the direction of the creek. "Muskrat's lodge is right over there. But it might as well be halfway to the Blue Mountains, for all our chances of getting him back."

"Then . . . we don't have any choice but the ditch."

"It's beginning to look that way."

The two of them were silent, the silence that precedes a decision no one wants to make.

"Muskrat?" Prune said finally.

The mud-caked body stirred slightly.

"Think we can make it?"

Muskrat had heard their discussion as if the voices were reaching him through a long tunnel. But he knew his part. He attempted to nod.

"Well, then, let's get started. Pica, could you help Muskrat into the water? And then, I wonder if you'd mind giving me a little shove, too."

"I can tag along for a while, keep an eye on you two," Pica said. "But when you get to No-Man's-Land, I may not see you again."

"We'll find each other."

The words sounded silly; Prune knew that even while saying them.

A few seconds later, Muskrat and Prune could feel the soft, idle lapping of tiny waves. They drifted toward the center of the stream and felt the first, insistent tug of the current. They began to move more swiftly now.

Pica tried a joke. "Hey! Send me a card when you get to Portland!"

They passed through the weir and down the mossy defile. Occasional strands of water grass reached out to impede their progress, but always the current was behind them, pushing them along.

Pica thought she heard Prune's voice, weak but clear. "I'll mail you an egg!"

CHAPTER EIGHTEEN

As the two of them spun through the narrow weir, Prune felt a lifting of his spirits. "Hey, Muskrat!" he shouted. "We're on our way!"

Emerging from the weir's confines, they began a luxurious glide. The water had cleared, and beneath its surface they could see brightly colored pebbles. Beaches no larger than a human hand nestled in tiny coves, and earthen cliffs rose sharply on either side, with delicate flowers and moss brightening their walls. It was midday now, and with the light filtering through the lacy overhang of grasses and weeds, it was like traveling down a tropical stream, with occasional glimpses of sky above.

Muskrat could feel the fever leaving his body, and the pain from his wounds was lessening. He recovered enough to try paddling a few strokes and found that he could move his front paws if necessary. The horrors of an hour ago began to recede.

The difference in the speed with which the two moved became apparent after floating a few yards;

Muskrat's furry bulk slowed him down while Prune bobbed along more swiftly. At first, by paddling a few strokes, Muskrat was able to keep up with Prune. But the current continued to pull them apart, and he began to tire.

"I won't try to keep up," he told Prune finally. "It's better if I just float along at my own speed."

"That's a good idea," Prune said. Much as he'd prefer to keep Muskrat in sight, it didn't make sense for him to wear himself out this early in the journey.

It helped to know that Pica was near. They had lost sight of her almost immediately upon entering the stream. But they knew she was there. Now and then they'd hear her cry, and once Prune thought he caught a flash of black-and-white feathers glinting in the sun.

Their movement downstream continued, the gentle, rocking motion of the water lulling and pleasant. Drifting along, Prune tried to assure himself that the ditch must reenter the creek at some point. Probably it ran for a way under the blackberry thicket and then reemerged, but couldn't be seen from above because of the trees.

But what if, instead, the ditch divided and redivided out in the middle of some field, so that eventually there was no water remaining to carry them along? If that happened, they had no hope of retracing their way back. Or what if the ditch disappeared underground when it reached No-Man's-Land? The thought of being carried along forever on some dark current came to Prune's mind. He tried to push the image away, but it kept returning, unbidden.

An hour passed, however, without incident. Glancing back, Prune was pleased to see that Muskrat had once again closed the gap between them. But before he could speak, there was a sudden swiftening of the stream, and they were plunged into darkness. Prune felt himself being bumped along as if he were sliding across a washboard. A reverberating, rumbling din echoed around them. Then, ahead, they saw a glare of light and were spun out into the bright day once more.

"What was that?" Muskrat asked, his voice dull and listless.

"It must have been the place where the water runs under the road," Prune answered. "But I can't believe we're there already. If we are, that means we're nearly halfway to No-Man's-Land."

Before he could say anything else, Prune felt himself being spun round and round. He felt a nudge and, looking up, saw that he was traveling in a different direction.

"What happened?" he asked.

"A whirlpool. The ditch changed directions. I gave you a . . . push."

"Are you all right?" Prune asked. Muskrat's voice sounded faint to him.

"Just tired."

The current separated them again. Prune looked about. The water here flowed swiftly over a shallow

135

stream bed, bumping and scraping him against the walls as it hurried him along. Dried thistles lined the bank, their spiky branches drab with layers of dust. Clumps of burnt foxtail sprouted from the gravelly soil, and sharp-edged cheat grass overhung the bank. The rumble and cough of engines could be heard passing on the road nearby, and the shrill cries of insects cut through the air from every direction. Grasshoppers swarmed about, producing a harsh, rasping sound. Sometimes in their frenzied darting they would fall into the stream, where they struggled wildly until they were swept away.

Then, with a sudden, spinning motion, the stream slipped under a rusted barbed wire fence. The shrill rasping of the grasshoppers and the rumble of machines receded from Prune's hearing. Once again the ditch, bordered by smoothly cropped grass on either side, flowed gently on its way. And, most wonderful of all, he caught sight of a clumsy black figure with skinny yellow legs running alongside, on the ditch bank.

"Look what the cat dragged in!"

"Whew! Am I glad to see you!" Prune said.

"Where's your buddy?"

"Back there somewhere. The current carried us apart."

A hummock of taller grass separated them briefly. Pica fluttered over it and rejoined Prune.

"How long does the ditch go on like this?" Prune asked when they were close enough to one another to talk again.

"Until it runs . . . under the brambles." Pica was getting short of breath from running.

"Would you see if"—the water chopped and distorted Prune's words—"you can find Muskrat?"

"I figured you'd be asking that!" Pica gave a snort that might have been a chuckle and flew off.

Cheered by the expectation of her return, Prune felt his spirits revive. But a minute passed, and then another. He thought he heard the rustle of wings. No, it was the water lapping against the dark banks. A shadow passed overhead. Was that she? No, it was only a robin in flight.

Drifting along, Prune began thinking again of where the stream might be carrying him. His frightened mind pictured a brambled wilderness and a river that roared and tumbled him downward into some enormous underground lake.

A sudden movement in the water next to him interrupted his thoughts. A snake, emerald in color, and no more than a foot in length, was swimming companionably by his side.

"Greetings." Prune spoke first.

"The same to you, sir," The snake's voice was soft and sibilant.

It maintained its slithering glide, keeping pace with Prune. Friendly as its demeanor appeared, there was something unsettling about the snake's presence. After a minute or two had passed, during which the creature gave no indication of leaving, Prune ventured a question.

"Can you tell me where the ditch will take me?"

"Certainly, sir. Several of my sisters have swum almost to its destination."

The snake lasped into silence. After a few seconds, Prune spoke again. "Where . . . where is that?"

"Since you ask, sir, I shall speak of it."

The snake's choice of words was intentional; of that Prune was sure. He felt increasingly uneasy.

"The stream lies here, as you see, open to sunlight. But soon, darkness descends, and secret shadows slumber." The snake glided silently through the water, as if lost in its own thoughts.

"And . . . ?"

"Strange beings sleep among those shadows . . . sightless spinners of tenuous webs . . . mossy grasses to seize the unsuspecting . . ."

"Is there . . . an end to the darkness?" Prune's voice sounded as hollow to him as if it were echoing from the depths of a cave.

"Silence cloaks certain answers . . . suppositions reign supreme . . ."

With a movement as swift as light, the creature sank its tiny fangs into Prune's flesh, so gently that he could scarcely feel their thrust. As quickly as it had done so, the snake withdrew its bite and continued swimming alongside once again.

"Snake sends her message," it hissed. "Foreshadows of the spirits speak . . . despair . . ."

It was gone.

. . .

The sweet, clear water nudged Prune on his way. Overhead, a cloud drifted by with the insouciance of a dream. A kildeer cried from the meadow, *"Kriiii, kriiii, kriiiii."* All was peace.

And Prune felt terror: the terror of being alone, and the beckoning terror of the nameless abyss toward which he was being swept, faster and faster, with every second that passed.

Where was Pica? Where was Muskrat? Why didn't they appear? They could help him, if only they were here. A thin whine of anguish escaped him.

Then, overhead, he heard the sweet rush and rustle of wings. Relief surged through him, only to vanish as quickly as it had come when he heard Pica's hoarse cry.

"Upstream . . . in a bad way . . . I can't get him out . . . too late!"

There were other words, frantic words, but they were lost, for at that instant Prune saw ahead of him a giant dark mouth; the current swept him into its waiting maw, and all light vanished.

CHAPTER NINETEEN

Gus Van Atta, who built the flume that carried Prune underground, wouldn't have hurt a fly.

Gus migrated to America in 1892, a Dutchman with a head full of dreams. He lived first in Chicago, but he missed the gray spume of ocean mist on his cheek, and so, in 1902, when he was forty years old, he boarded a train for Astoria, Oregon. When the train reached Walla Walla, Gus stepped off to get a breath of air. It was an April morning. A light rain had fallen during the night. Crocus and tulip beds flanked the snug, red brick station house. The bare branches of maple trees pierced the pale morning sky. The forsythia was in bloom.

Gus breathed in all this homely beauty, filled with a sense of nostalgic happiness. Just then, a young woman, her hair plaited in braids and wrapped like a golden crown about her head, walked past. Her ankles were slender; her feet finely boned.

Gus smiled at her. "Good morning," he said.

"Good morning to you, sir," she replied.

Believing in omens, Gus carried his suitcase to the Hotel Dacres and rented lodgings. He and Sophie were married one week later, and she took him by streetcar to her high-ceilinged apartment on Alder Street. They ate fresh oysters that night for supper and bathed in a copper tub and slept under quilts in Sophie's feather-bed. Her skin was smooth as cream; her touch gentle.

Early the next morning they rented a horse and buggy and drove out into the countryside. White clouds romped in the sky. Winter wheat covered the rolling hills. Meadowlarks greeted them from the fenceposts. The moist earth sighed in anticipation.

The farm they were inspecting was bordered on the north by the meanderings of the Walla Walla River. Spring Creek ran along much of its eastern boundary. An overgrown ditch bisected the place, splitting it in two halves as neatly as one divides a sun-ripened peach. Water, it seemed, was everywhere. A little frame house and a rough-sided barn sat as if waiting for them at the end of the lane.

They walked hand in hand through the wild rye grass and the sage and greasewood, and Gus saw as plainly as if they already existed, meadows and orchards, stately elms and alders, a barnyard with ducks and jersey cows.

"You'll see," he told Sophie. "Just you wait."

That nine acres of land, part alkali, part gravel, and part deep loam, gave Gus and Sophie the farm they'd always longed for. Gus planted berries and bushes, shade trees and orchards, groves and pastures. The promise of new life was everywhere. Christine, their daughter, was born the following January; Norman, their son, one year and one day later. The little house gleamed with scrubbing and love.

It was late June of that first summer when the rains and mists stopped, and Gus learned for the first time that the Walla Walla Valley was not the Pacific Northwest counterpart of Holland. Day after day the temperature climbed past one hundred degrees. Gus stared about him in disbelief. "It's a desert!" he muttered.

Gus studied the irrigation ditch with new interest. He built dikes and flooded fields. He bought second-hand canvas hose from the town fire station and coaxed water into every nook and corner of the land.

By mid-July of that first summer Gus had decided to build an underground flume across the entire farm. "When I get done," he said to Sophie one evening as they sat listening to the quiet sounds of the creek, "the water will be there like magic, wherever we want it."

For three years he labored—with pick and shovel, an aging mule he bought for five dollars, and a sledge to haul rock—building a flume six hundred feet long that swept across the farm in an arc from the berry patch on the south to Spring Creek on the east. The flume was made of concrete, with an inside opening large enough for a man to crawl through. Gus himself made the long, dark trip many times during construction. He placed standpipes all along the route, so that water would emerge, bubbling and cool, wherever he wished.

With plenty of sunshine and ample water, the farm prospered. The berry patches raised what was said to be the sweetest fruit in the valley. The trees hung so heavy with fruit, they had to be propped up. Neighboring farmers dropped by to admire. They'd shake their heads and clutch the front of their bib overalls. "Dangdest contraption I ever seen. But it sure gets the job done!"

Sophie bought chickens and sold eggs. They kept two cows, and Sophie churned butter, carrying it, wrapped in clean muslin, to market each Saturday. At the time Gus died of a heart attack when he was fifty-seven years old, he was, perhaps, the happiest man in the Walla Walla Valley.

After Gus's death Sophie stayed on the farm with their two children. She missed him terribly, and she died, a big, generous woman whose heart had never quite mended, when Christine was twenty-one and Norman was one year younger.

Christine moved to Los Angeles and married a man who made motion pictures. "Some big mucky-muck," Walter said he'd heard.

Norman, who inherited his father's tendency to dream, inherited the farm as well. "Norman's Land," it came to be called. But Norman was no farmer. The little nine-acre paradise went to seed. Someone dubbed it "No-Man's-Land," and the name stuck.

One dark morning at four o'clock, Norman, weaving his way home from town in his Model A pickup after a late card game, drove off the road and slid into the

Walla Walla River. He drowned easily and quietly in five feet of water, not a quarter of a mile away from the little farm.

"No-Man's-Land" was willed to Christine, but she never visited it again in her life. And so, the farm became just what its name implied: a nine-acre wilderness. Hobos, their footsteps crunching on the gravel bars of the Walla Walla River, would pause there. They'd glance about, taking in the wild orchards, the ruined barn, the peaceful river with dragonflies skimming its surface, unmolested by trout too lazy to stir.

The men would unroll their sleeping bags and build a fire to brew their coffee and heat a can of beans. They'd hunker down and swap tales of the road. But as night descended, the tangle of trees and vines behind them grew so forbidding that something whispered to them to move on.

On bright fall afternoons, neighborhood boys, Harper among them, would penetrate the brambles and thickets and emerge later, scratched and torn, their shirt fronts stuffed full of petite plums and gravenstein apples—the fruit small and scaly, bursting with sweet juice. They'd skirt past the little house with the torn green shutters hiding its interior. Occasionally one of them would stumble across the offspring of squash and pumpkins Gus had planted long ago, transmogrified by time into strange shapes that in their caved-in and rotting appearance resembled unearthed skulls.

No one turned off the water, and it continued to race its way down the concrete corridors of the flume. Over the years the inside walls had grown so slick with moss and slime that, if anything, water found less to detain it than when Gus first completed his wonder.

The flume had gradually become the home for a variety of creatures who chose to live there for one reason or another. Now that water no longer bubbled from them, the standpipes became apartment houses for various tenants. Birds built nests at their tops, sparrows and starlings, mostly, with an occasional robin. Below their nests were the constructions of spiders, who relished the cellarlike dampness, the rustle of waters far below, and the feasts of blinded insects who drifted into their webbings.

Further down lived the leeches and other annelids, their simple minds filled with dreams of blood, while the water itself was the home of pale-skinned minnows, crawdads, and various snakes who found comfort in the narrow cracks and crannies that fissured the rounded walls.

There were, as well, the transients: periwinkles who tumbled past in their houses made of spit and sand, frogs, and grasshoppers, to name a few. They provided food and entertainment for the inhabitants of that dark place. Most of them never appeared at the tunnel's end.

.   .   .

It was into this relic out of another time that Prune was swept. The water, so light and cheerful in the outside world, was transformed by the flume into a powerful, inky liquid that raced along, splashing high on the slimy walls.

The din was maddening; the stream's gentle gurgle changed and magnified beyond belief by the curving walls, so that it was like being inside a drum played by a maniac, with each echo amplified and repeated over and over again.

Prune was terrified. The roar was that of some fearsome beast—a Bob grown to monstrous proportions, with dank, fetid breath and the stench of decay clinging to its body, bent on destroying him.

And there was no escape. He was being carried forward as surely as one is carried in a nightmare; a sluggish, heavy, unending slide into madness.

He screamed, but his screams, like the rest of him, were consumed by the darkness and the roar.

On and on and on.

When not one jot of him remained, and all thought and hope had been destroyed, he was flung out into a sudden, dazzling brilliance. He sank down, down through amber depths and was then lifted up slowly and carried, light as air, on gentleness.

He fainted then.

When he awakened and dared look about him, he saw that he was floating on a still, golden pool. An alder tree dipped graceful branches into the water. A meadowlark sang. A waterfall sparkled in the sun as it cascaded over the rock face below the flume's opening.

On his right, spinning slowly, like a bit of flotsom, was Muskrat.

❦

CHAPTER TWENTY

The pool in which Prune and Muskrat floated was perhaps thirty feet in length from its beginning, where the creek entered it, to the gravelly bar where the water riffled along on its way to join the Walla Walla River, a hundred yards to the north.

Gus had placed the opening to the flume in a stone wall he had laid up, and for a third of a century now the waterfall had splashed its untrammeled way, while behind it the stones had grown antique with moss.

Overhead, one could see patches of sky, visible between the leaves and branches of the giant poplar trees that stood on either side of the stream. It was these trees that hid the flume's return to the creek when Pica made her search.

The creek banks were rife with flowers and shrubs Gus had planted: peonies with their furry, late summer fruits; gangly forsythia; hollyhocks, stately and awkward as unlettered gentry; and tulips, daffodils, and hyacinths. Watercress had found lodgings in the unmortared wall, as had forget-me-nots and buttercups. The scent of peppermint hung like tracery in the air.

"Is any of this real?" Prune asked himself as he looked up at the poplar leaves, fluttering above him as daintily as fans.

He asked the question again as he looked across at Muskrat, battered, but alive. "And if it's something other than real, what is it? Or does it matter if it's not real? For it seems better than real."

Muskrat half opened his eyes and gazed at Prune, his stare as vacant as a green-shaded window. There was a dim flare of recognition, as if the shade were slowly lifting.

"Prune?" His voice croaked. "Is that really you?"

The shuttered eyes closed again.

"We did it," Prune said wonderingly. "We found the creek."

With feeble strokes, Muskrat made his way across the short distance that separated them. Paddling with his front paws, he guided Prune to the little graveled beach that stretched along the eastern shore. He paused for a moment, then nudged Prune up the grassy bank. Almost immediately, the two of them were asleep.

Muskrat was ill then for a long time. The poplar leaves turned bright yellow and fell to earth; the slow waters of the pool creating a stage for them, arrangements and patterns following one another with the deliberate grace of a ballet. The woods and meadow and orchard re-

ceived their share of fallen leaves as well: crimson su-
mac, vermillion pear, and walnut. September rains
brought on the foxtail grass.

The trees were laden with fruit; plum and apple,
chokecherry and dusty elderberry, and the air was re-
dolent with their winey scent. A luminescent clarity
penetrated the sky, and the first whispers of winter
could be heard in the breezes that tumbled apart summer's carefully constructed illusions.

During those gracious autumn days, the two of them
nursed one another back to health. A cynic might ask
how that was possible; for a prune with no arms or legs
and a muskrat with half his foot gone to take care of
one another. But there's more to nursing than changing
bed clothes and adjusting venetian blinds; that's plain.

"We're home," Muskrat may have thought to himself when he first awakened on the creek. But Gus's
pool wasn't home. Home was where his lodge and tunnels and mudslide were. Home was the stretch of beach
he'd built so that it seemed as if nature alone had constructed it. Home was the garden of tiger lilies he'd
thinned and arranged.

Something had been torn from Muskrat's being, a
loss fully as great as the severing of half his foot. That
something was his separation from those creations of
his. Without them, he was diminished.

And how did Prune nurse Muskrat? At first, simply
by being there. Initially, neither of them said much.
They were too numb to speak. But gradually, Muskrat
began to talk of home. He remembered the way the

creek looked from his lodge when the morning light illuminated its depths, and the sound of the cattails rustling overhead when a stray breeze stirred them. He talked of the plans he'd used to build his tunnels so that they drained properly during the winter months. He told how he stored roots to keep them from spoiling.

Prune interrupted him now and then—a question, or a comment to let Muskrat know he was there.

Muskrat talked about his family: the swimming lessons his mother had given him when he was still a kit; the dim recollections of his father—"At least half again my size, and all muscle!" He described to Prune that January morning when his father had felt the steel trap pinning him to the snow and had lain there, his foot half gnawed off in an attempt to escape, when Shorty checked his trapline.

He spoke of Pica. Who was she, beneath that brash front of hers? Where was she now? Those questions had been with them ever since both of them had last seen her.

Muskrat recalled the young Gypsy female he'd seen with her family that spring as they swam past his lodge. He kept remembering her—the chestnut highlights of her fur and her lithe form.

The talk would come to a halt. Awkwardly, like an old man getting up from a chair, Muskrat would raise himself up and totter to the pool. He'd drink and then stare across the surface, watching the fallen leaves as they sculled past, his eyes vacant. Then he'd waddle back, and the talk would start again until, slowly, the curtains would lift and the life inside would shine with the light of memory.

One day he began to describe how a distant cousin of his had sloped his construction so as to circulate the lodge air and keep his living quarters dry and cozy.

"It was a good idea, see? But he didn't carry it far enough. What he should have done was use a true vault. You know what that is? No? Well, it doesn't matter. But that way he'd have increased the strength of his roof. No more of that crumble of dirt every time something outside moved. That's the way I'm going to build. I'm putting in nothing but vaults whenever I can. You watch. When I get done—"

Muskrat interrupted himself. "You know what?" he said.

"What?"

"That's the first time I've talked about building something. I mean about building something new— building something here."

"So?" Prune was getting very good at one word responses.

"Well, maybe it means something."

"Like what?"

"Well, maybe I could . . . build those things I was telling you about . . ." His voice trailed off.

"And . . ."

"And . . . if I did . . . No, this sounds silly!"

"No it doesn't."

"Well, if I did, build those vaults, I mean . . . and made a slide . . . I was looking at this pool. It's beauti-

ful. But it's not the right place for us. At least, not right here. See that shallow water up there, with the high, grassy bank and the clump of tiger lilies at the water's edge? Just before the pool begins? Now, that's the place for a lodge like the one I've got in mind. A lodge with lots of space. I'd put in runways a fellow could get lost in . . ."

Muskrat laughed. "You know what?"

"What?"

"I think I'm going to live!"

CHAPTER TWENTY-ONE

But what about Prune? It would, of course, be too much to hope that he would "get well," at least in the usual sense of the word. No, he continued to shrivel and dry up, a far cry from the plump, handsome fellow he had been.

His real ailment, however, had nothing to do with his body. It was, rather, that he felt empty inside, as if something had been taken away from him and nothing put back to fill the space.

Gradually, though, Muskrat's stories began to have their effect. Prune started picturing in his mind the tunnels and runways, the slides and dams, the spillways and sluices that Muskrat was describing. He felt as if he were getting to know Muskrat's mother, the cousins and the Old Ones, the Gypsy tribe who'd swum past and disappeared downstream, the female with the chestnut fur. The empty spaces inside him began to swarm again with life.

One day, for the first time in weeks, he began to

laugh. Muskrat had been telling him how he'd happened to build his slide. He paused and looked at Prune.

"What's so funny?"

"Oh, I was just remembering something."

"What?"

"Your telling me now about the slide made me think of that crazy Pica. Remember that time? There she was, half a mile high, carrying me in her beak, and she couldn't hold on any longer. I came flying out of the sky and you were swimming around and I landed, kersplat, and you took off like the sky was falling."

"That's not funny. You'd have done the same thing."

"But that's not what made me laugh."

"What did?"

"It was after you figured out that I wasn't a purple meteor. That I was a prune. Remember?"

Muskrat blushed beneath his fur. "No."

"Oh, come on now. Remember the little song you were singing to yourself as you 'rescued' me? Remember? . . . 'Dry off a little and warm up a little and there'll be a feast tonight . . .'"

"Hey, come on. I was just . . . I didn't know you were . . . On the other hand . . . I should have . . . I mean, look at you! You're a mess! I should have eaten you when I had a chance. Ha!"

Somehow, it began to look as if both of them were on the mend.

· · ·

In memory, those fall days seemed to follow a straight line, gradually sliding from green to gold, gradually dropping a degree or two, with every day a slightly paler version of the one that went before. There were, of course, occasional storms, and rain, and wind. Once, it hailed. Still, it was the sort of weather that, long afterwards, if you had asked either of them to describe it, they'd have said, "Beautiful! A beautiful fall. Never saw such perfect weather!"

Muskrat was moving about with more alacrity now. The flesh around his severed toes had pulled back from the cuts, leaving a couple of stumps with dried and toughened skin at their ends that gradually healed and calloused over. The stumps hurt, particularly in the morning when he'd first leave his bed and hobble down to the pool for a drink. One morning, though, after a few sips, he dabbled a paw in the water, testing it.

A couple of days later Prune heard splashing, and when Muskrat lurched back up the bank, his coat glistened with droplets of water. Prune noted as Muskrat shook himself that he seemed bigger and heftier. His fur was rich and glossy and exuded a faint, bitter perfume of musk.

"Well?" Prune asked.

Muskrat looked a little smug. "Well, what?"

"How was the swim?"

Muskrat paused, as if collecting his impressions. "Not bad," he said, finally, sounding a little surprised. "I'm favoring my left leg a little; it feels as if the muscles have shrunk up and aren't as long as they need to be. But I think they'll stretch. They weren't cut—just the toes, and I wouldn't think that should make all that much difference in the water. The webbings are sound. No damage there." He paused again. A gaity came to his eyes. "There's just one problem."

"What's that?"

"I swim in circles!"

"You keep that up, you'll get to be as funny as Pica."

A leisurely silence followed, that comfortable silence between friends, during which they were aware of life bustling all around: a scurrying rustle in the dried leaves over near the peony bush, the hiss and sputter of a riffle on the creek.

Then they heard the beginnings of another sound— a bawdy, raucous cheer, coming, it seemed, from straight above them.

They looked skyward. There, perched on the topmost bare branches of a giant poplar tree was a ragamuffin dressed in black and white—Pica!

Her wings spreading out like cleavers in the morning air, she dropped to the ground. There was a spray of gravel, a self-assured cocking of her head, and she stood before them, preening.

"Where have you been!" Prune exclaimed. "How did you find us?"

"It wasn't easy, believe me. I've flown up and down the Walla Walla River halfway to Lowden, swinging in for a look wherever there was a gravel bank and a

158

clearing in the trees. You wouldn't believe those cotton-wood groves. I can't tell you how much cotton I've spit. Gaak! I hate the taste of cotton. I've learned to fly with my mouth shut!"

"That's a wonder," Muskrat said, under his breath. "But how did you find this place?"

"Well, I knew the tunnel had to end somewhere. And I figured if you made it through . . ." She sobered as she saw the look that fell over them. "I knew you'd be somewhere along the creek. I just didn't know where. No-Man's-Land seemed like the logical place, but every time I flew over, I couldn't see anything for all the trees. And, it sounds silly when I say it, but I just couldn't bring myself to duck under and see what was there. I wasn't afraid. Just—nervous—I guess you could call it."

Muskrat nodded.

"Anyway, I'd kind of given up, and then, this morning, I decided to take one more look. Like a dummy, I'd forgotten about the leaves falling. Spotted you right off. Old Eagle Eye."

She paused, cocked her head to the other side, looked at them inquiringly. "But what about you two? Making out okay?"

"We're doing fine," Muskrat said. "Thanks to you."

"Cut it out. I didn't do anything." She seemed, if that was possible for her, embarrassed. "How's the foot?"

"Not bad. It's a little stiff, but I can walk."

"And he swam this morning," Prune added.

"Lookin' good!" Pica turned to Prune. "And what about you, O Most Wrinkled One? Seems to me you're gonna dry up and blow away if you shrink anymore."

"Never felt better."

"And you've never looked worse!" Pica laughed, that awful snort of hers.

There was more talk, more laughter. Muskrat showed off his rediscovered aquatic skills. At one point Pica took off with a quick explanation, "Got a date with an earthworm. Be back in a flash, Little Buddies."

She returned in a few minutes with a few dark sprigs of alfalfa and dropped them in front of Muskrat. "Don't know if you still crave the stuff," she said. "But I thought you might want to give it a try. It's about the last of this year's crop."

The day passed with a pleasant sense of mild, happy boredom; a drowsy, family kind of day. Dusk fell, and the creek was quiet. The afternoon sun had warmed the earth, and the three of them lay on the faded grass, listening to the homely sounds about them: the plash of a trout feeding, the chirping song of a cricket, the peeping of frogs.

"Tell us a story, Prune," Pica said. "The same as you did before."

The important things always get said last. "Tell us a story," Pica asks, and it is as if everything has to be said, somehow, in the next five minutes. To the east the wheat-stubble fires blaze in the foothills of the Blue Mountains, the thin lines of flame writhing like a poem. The granaries are full now, and the land is burning, the ashes readying the earth in a promise to spring. When it's harvest time, does not one gather stories, too, and store them where they'll last all through the winter night?

"Yes," said Prune. "But a story that's not a story. A story that's a promise."

Slowly, then, he began. "I had a dream last night, and I didn't know its meaning. Perhaps telling it to you will help me know."

His voice seemed strangely faint and thin; so soft they had to strain to hear.

"I was floating down the ditch again. It was twilight, with just such a sky as now. The two of you were near me, and I could hear your voices. But you were not in the ditch. You seemed to be above me, as if you were running alongside, on the bank.

"The stream was carrying me faster and faster, and I knew the tunnel was not far ahead; I could feel it drawing me in, and I was afraid. Then I heard a voice, as if the tunnel were speaking to me, the words far away, like an echo, and the voice was telling me that I had nothing to fear. Then the echo was gone, as if it had never been, and I was swept into the tunnel and covered with darkness."

Silence. Muskrat felt his heart stop beating in his breast.

"I don't know how long I was in the darkness, but I knew that something strange was happening to me there. I felt as if I were coming apart and losing myself and seeing pieces of me I'd never seen before. But the echo was still in my heart, and it took away my fear.

"Then there was light, dim at first, but growing brighter and brighter. And I could hear your voices again and see you as plainly as I see you now, and you could see me. And the world was filled with light."

Prune's voice stopped.

"And then?" Pica asked, in the silence that followed.

"The dream ended, and I woke."

Muskrat drew a deep breath. He felt his heart beating again, the reassuring *thump thump thump* of life. It was just a dream.

"What does it mean?" he whispered, finally.

"I think I know now," Prune answered, slowly.

The thumping stopped again.

"Well, I don't know. And I don't want to know. It's a crazy dream. That's all. It doesn't make any sense . . . Why did you have to tell it, anyway? We've been having such a good time. Please, Prune. No."

"Come on, Little Buddy." Pica moved closer to where Muskrat huddled, forlorn, his body trembling. She drew her wing about him as if he were an overgrown and furry chick.

"Dig for me, Muskrat," Prune said. "Dig now, before I lose heart." His voice was no more than a whisper.

There, then, on the high, grassy bank by Gus's pool, Muskrat dug; a shallow hole in the fine black earth. He could not stop his trembling.

"Pica," Prune said.

She seized him one last time with her beak and dropped him in like a stone.

The hole was quickly covered. In the hush could be heard the sound of the wind bending the bare top branches of the poplars.

Pica and Muskrat were alone.

CHAPTER TWENTY-TWO

With Prune gone, Muskrat ached with loneliness. He thought of trying to find his way back upstream to his old lodge, but something held him where he was. Pica, sailing in between the poplar trees, would find him crouched to the earth on the high bank by Gus's pool. She'd land beside him and throw a wing over his dense fur.

"Come on now, Little Buddy, he'll be back."

But Muskrat would shake his head, a knot painful in his throat. "No, he won't . . . it won't ever be the same."

Then, in November, a soggy rag of marine air crept across the Cascade Range, and the clouds, dark and still, turned midday into twilight. The temperature stood between forty and fifty degrees. Winter was on its way.

Fortunately, it's hard to grieve when there are roots to be cut and stored where they'll be below the frostline and out of the damp. Tunnels must be dug and access to water arranged. Muskrat began these tasks half-heartedly.

If he had a plan—and he didn't have much of one—it was to dig a series of connected chambers in the high bank, upstream from where they had spent the fall, and make that his lodge. But his work was lackadaisical. In the mornings he'd start in, grumpy and sour, making comparison to home with each clawful of earth he moved. There the soil was better, the water clearer, the angle of the sun more favorable. Here, nothing was right.

One morning, though, returning to a portion he'd dug the afternoon before—the walls crooked, the floors rough and uneven, the rocky surfaces improperly smoothed, everything built any which way—he stumbled over a stone. A minute later, he stubbed up against it again. Five minutes passed, and once more he struck it with his foot. Exasperated, he removed the stone, scraping the earth from around it until he could get a purchase beneath its heft to lift it out. Pushing the stone in front of him, he limped outside into the wintry November light and studied it with dull eyes. It was a stone not unlike dozens he'd seen before: olive green in appearance, nearly round, regular on one side but with slight depressions on the other. In size it was perhaps the length of his forepaw; in thickness, half a claw.

What was he up to? There was work to be done,

stores to be laid in against the frost and damp, not much time before winter arrived, and here he knelt, examining a common stone as keenly as an archeologist might study a shard of pottery.

And now what was he doing? The stone seemingly forgotten for a minute, he stood up and looked about him as if seeing for the first time the view of the pool and the woods and the orchard beyond; the carefully placed site he'd selected that gave him a vantage point over stray creatures who ventured by, the exposure to warm, afternoon light.

He grunted, half in satisfaction, and began to dig a shallow hole there by the entrance to his tunnel. Then, with nose and paws, he tipped the stone into place. It settled in, but not well, and he scratched the earth here and there until it seemed to fit better, the smooth side up.

There! The fit was snug. He dusted the surface smooth and crept back a pace or two to get a better look. He moved to another position and looked again, squinting one eye appraisingly. He limped to the pool and drank. Sniffed the air. Stared up at the sky.

At last he wandered back to the stone, studied it once more, briefly, and commenced again to dig. Reaching underneath with one paw, he lifted the stone free from its hole, and then slid it carefully back into place, this time with the uneven side to the weather. He stepped back, eyed his work, stepped to another place, eyed it again, wiped the stone smooth, spread a bit of sand around the edges, stepped on it as if testing its feel, studied it one more time, grunted, and trotted back into the tunnel.

Was the grieving over? No, but one can only grieve for so long before the lump in the throat begins to dissolve and the crazy quilt of living starts to take on interest again.

". . . This root tastes good. Where did I find it? Oh, yes, it was that bunch of cattails around the bend in the creek below the pool. Wonder if there's something in the soil there that sweetens it? I'll lay in a store of these when I get my cellar ready. They'd be nice to share if company dropped by.

". . . Did I build that wall? I couldn't have. It's got to be the ugliest thing I've ever seen. It's crooked, to start with. And it meets the floor wrong. It should have a little dirt removed here. Square that corner a bit— not too much, though. I don't want it to look as if it had been built by some ugly steel thing. I want anyone who sees it to recognize I've set my paw to it.

". . . These floors should be sanded to keep them dry. There's nothing more pleasing to the ear and eye and nose than a nicely sanded runway. But where can I get sand?

". . . Wait, I remember! There's sand near that old ant pile by the ground cherry patch. But it would take me forever to pack in enough. I'd be hauling the stuff for the rest of the winter . . .

". . . What was it Prune and I did? That time we started out for the orchard? Maybe I could find something to help me haul sand the same way I hauled him." Muskrat chuckled to himself. "Remember how he looked when I told him what I planned to do?" (The lump was back, a little smaller this time.)

". . . Why don't I mosey up the creek a ways, see if I can find something that I can makeshift into a carrier? It's new territory and I won't go far, but it wouldn't hurt to see what's up there."

He slipped into the creek and made his way upstream. The water was cold now and felt denser than it had during the summer. Muskrats classify water in much the same way that Eskimos reckon with snow. This late fall water—clear but with a scattering of detritus, delicious to the taste, nippy against one's skin —was called "dshold." Later, it would move into "dshost," and at its most wintry, the word was "dhoshen." Muskrat smiled, remembering how the Old Ones had solemnly taught him those differences.

He swam past Gus's ruined gardens with a certain possessiveness. Standing among the blackened stalks of hollyhocks, peering down, one would have seen nothing in the water but a dark V-shaped ripple, a wet lump of nose at its point. As Muskrat proceeded on his way, he kept an eye on the landscape. That bank, now, was pleasing. One could tunnel under water there where it was a little shallow and—but no, the lay was wrong. No way to spot intruders, and it would be dark all winter and receive too much sun during the summer months.

". . . There's a pretty meadow. The blue grass is still growing a little. I'll have to stop by there on my way home (Did he use that word?) and give it a try."

A movement on the opposite bank caught the corner of his eye. He studied the shoreline for a few seconds, treading water in the center of the stream. It could be a mink or a weasel, and he'd like a head start if trouble came. He could fight, he supposed, but he'd rather not. He moved leisurely to the shore and nipped at a few stems of grass to make his stop appear natural. Whatever movement he had seen was gone. Perhaps it had only been a trick of the pale November light.

Munching a strand or two of grass, Muskrat lingered where he was and examined the opposite bank carefully, just to satisfy himself. He noted the way the plants were arranged and the walls terraced. The watercress ("Very convenient, if someone lived there!") was green and lush, the peppermint browned at the top where frost had struck. A huge Scotch thistle stood just south of a rock, leafless and stiff, with several bristly teasles reaching upward. Not at all the sort of plant one would want close to the doorway of a lodge.

Maybe that was the problem. The scene was almost too ordinary, too plain. Muskrat swam a few feet upstream and studied it again, the way a builder studies someone else's work.

". . . What about that slanting ledge? It looks natural.

But perhaps it's been made to look that way. See that wild parsley? That's not the place that plant would choose to grow. Someone put it there, I'd say. And what about that dark smudge beneath the fern? It could be an entrance, if one thought of it like that."

Muskrat looked again and decided he was right. But it didn't look like the lodge of a weasel or mink. There was, he decided, something altogether too homely and domesticated about it. Maybe muskrats, although he could not remember the Old Ones mentioning kin this far down the creek. Strangely, he felt reassured and happy.

". . . Well, I'll just head on upstream, see if I can find something to pack that sand. If members of the tribe do live there, I'll stop by and get acquainted sooner or later. But not now. I've got work to do. Don't want to be bothered."

He began swimming upstream, watching for other dwelling sites. But no, the creek seemed as lonely and abandoned as if there weren't another animal within a quarter mile.

". . . What's that?"

Something caught his eye, and he swam over to look. It was a rectangle of wood, with wires attached to it, caught against a broken branch that bobbed it up and down in the dark current. He paddled around the thing, eyeing it to see if it would be of use. Those wires, now, he could grasp them between his teeth, and pull the sand along behind. No way to rig a harness, but for short hauls that shouldn't be necessary.

He floated the object free of its moorings and started downstream with it. ". . . Let's see. This afternoon I'll finish that front vault I'd planned. Maybe I'll lay a niche in there and see if I can chimney up to let in some light. I could slope the chimney hole and cover it with a dried dock leaf—that way it'd let in the sun and still give me weather protection. Have to be replaced next spring, but that's all right."

Lost in his planning, he paddled directly past the bank he'd spotted earlier. This time there was an animal there: a muskrat like himself, but older; small, rangy, with a certain exotic quality to his bearing. The stranger raised his paw in salute as Muskrat swam by off shore.

Muskrat slowed and blinked at him. ". . . I was right," he muttered to himself. "Somebody does live there . . . And there's something familiar about him, too—that sideways stance, the way he holds himself as if he's seeing you but not quite showing all of himself. But it's not unfriendly . . . I know him! It's the Gypsy!

". . . And look. There's his mate. She's got that same sideways stance. Where's the daughter? I . . ."

His musings were interrupted by the sound of the Gypsy's voice.

"Hello, stranger."

Muskrat treaded water and lifted a paw in greeting. "Hello," he said.

A long silence followed, as if both of them were seeking the right words to continue the conversation, wanting to know, but not wanting to appear too eager;

wanting information, but not wanting to impart too much.

The Gypsy finally spoke again. "Turning a little chilly at night," he observed.

"Yes." Muskrat squirmed inside, trying to think of something further to say. "Yes . . . turning chilly."

"Swim on over if you're not in too big a hurry."

Muskrat paddled slowly toward shore, pushing the wire and wood thing in front of him. He felt silly, encumbered with it this way. What if the chestnut-furred one were watching him? But what difference would it make, anyhow? He was going to move sand. That was the important thing. With this contraption he could move a lot of sand. He didn't care how funny he looked!

He was on shore now. He moored his prize against the pebbles and moved forward to perform the ritual greetings; the start and stop, the faint growl, the cessation of the growl and the turning and lowering of the head to indicate submission; the advance, slower this time; the twitching of nostrils to catch the other's scent, the first touching of noses; the retreat, the second touching and the third and final one, culminating with both animals standing for an instant as still as though they were part of an engraving.

They broke apart, and the Gypsy spoke. "Greetings and welcome to my lodge."

"Greetings and my thanks to you for your kindness."

(The ancient rituals, not easily forgotten.)

172

"My mate, Rhee." The Gypsy nodded his head to indicate her presence.

Once again, the advance and touching, but more delicate and distant this time as becomes a first encounter with one of the other sex. Her odor was clean; her fur carrying a faint glint of deep red at its ends.

"We saw you heading up stream. Thought you might be passing through. Then, when we saw you again, coming back down, figured you might be new here."

"You might say so. I've been building a lodge down by the pool . . . You know where that is?"

The Gypsy nodded. "Just you?"

A picture of the high grassy bank flashed through Muskrat's mind. He hesitated. "Yes, just me."

"Well, it's nice to have neighbors, if they're not too near."

Up close and hearing his speech, the stranger didn't seem so much a Gypsy. In fact, he reminded Muskrat a bit of one of his distant uncles.

"And if they're friendly." Rhee spoke, for the first time.

"Yes it is," Muskrat said. There was a long pause. He felt awkward and rusty. Was the conversation over? What a clod he must seem to them. Was there a daughter? If there was, he'd seen no sign of her. And yet, he felt the presence of another animal nearby— perhaps just inside the first tunnel. Well, if she was there, she was hearing him make a fool of himself out here . . .

He lifted a paw in ritual farewell, the old ways coming back without thought, and turned to leave.

"What's that thing you're carrying with you?" the Gypsy asked, gesturing toward the beach.

"Oh, just a thing I'm planning to make use of down at my lodge. I'll haul sand with it." Muskrat felt foolish all over again, thinking how he must look, pushing a wooden block along with his nose and paws.

But the Gypsy seemed perfectly satisfied with his response. "New days, new ways . . ." he said. "Well, that's the way you young ones do things."

It was then, in the middle of that homily, that Muskrat heard the sound he'd been hoping—fearing—to hear. It came from just inside the tunnel door. It was laughter, young laughter, suppressed and muffled laughter. Then came a thud and a thump, as if someone were retreating.

The Gypsy chuckled. "That'll be Rose," he said. "She's our young one. A little rambunctious . . ."

He raised his voice to call her. "Rose!"

Muskrat wasn't sure what to expect. It was hard to match the muffled laughter he'd just heard with the exotic creature he'd seen swimming down the stream that time.

He heard the soft pad of paws, and the thin sunlight shone on her as she stood, half concealed, in the opening. Yes, the chestnut fur, and yes, the finely shaped head and shoulders. But he had not seen, that other time, the delicate sideways stance and the demurely lowered but shining eyes.

The Gypsy spoke, a father's fond introduction. "The baby of the family. Rose, say hello to our friend here."

The jet eyes lifted and gazed full into his. The mouth and nose were trembling slightly. Maybe she was just as nervous at meeting him as he was at meeting her.

Much as he would have liked to believe that, however, Muskrat didn't really think so. "She's laughing at you, you fool," he told himself. ". . . packing around that old board."

"Hullo," he mumbled.

"I'm glad to meet you." Her voice was a little husky, as if the vocal chords were coated with pollen.

Orderly, stately greetings followed, the ritual meeting of two young muskrats. But then the rites broke down, for as she stood there, those fine, clear eyes of hers seeing, it seemed to Muskrat, into the inner portions of his soul, she began again to laugh, a bubbling laugh, a light, infectious laugh, a laugh so delighted and delightful that one could not help but join in.

Not long afterward, Muskrat made his goodbyes and promised to come again soon. The Gypsy—his name was Olf—said he'd be down soon to lend some help. Winter wasn't too far away, and one needed to be ready. Rose waved and disappeared with her mother into the lodge. Muskrat felt a tightening across his chest, a stirring in his body.

He paddled down the creek and beached his salvage, pulling the board up above the water's edge to keep it safe. He climbed the bank and stretched himself out above the place where Prune lay sleeping. The sun was warm against his fur. A leaf—one of the last—teetered this way and that through the sky on its way to earth. It landed in the creek and scudded off, zipped away by a wind he couldn't see. Pica was coming by this afternoon, he remembered. It would be good to see her. Sometimes it seemed to him that she was lonely.

He stirred and stretched himself as the wind ruffled his fur. Time to get to work. He stretched again, feeling the last remnants of pain in his foot.

Rose . . . what a pretty name! He remembered now his own, the name his mother had given him so long ago. "Digger," she'd said. "That's what I'll call you. I've never seen anyone who likes to fool around with dirt the way you do."

"Well, Digger, you can't lie here all day. There's sand to be hauled, and vaults to be put in. Maybe I'll make the lodge a little larger than I'd planned; it'd be nice to have the extra room. Olf did a good job over at his place, it seems to me. When he drops by, I'll see what he suggests.

"Maybe she'd like to come, too—Rhee, his mate, I mean. I could show them what I have in mind. Maybe Rose . . ."

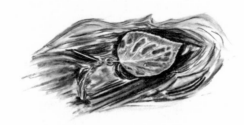